Erevan

Du même auteur

Aux Éditions Gallimard

L'Enfant de Bruges, roman, 1999.
À mon fils à l'aube du troisième millénaire, essai, 2000.
Des jours et des nuits, roman, 2001.

Aux Éditions Denoël

Avicenne ou la route d'Ispahan, roman, 1989.
L'Égyptienne, roman, 1991.
La Pourpre et l'olivier, roman, 1992.
La Fille du Nil, roman, 1993.
Le Livre de saphir, roman, 1996, Prix des libraires.

Aux Éditions Pygmalion

Le Dernier Pharaon, biographie, 1997.

Aux Éditions Calmann-Lévy

Le Livre des sagesses d'Orient, anthologie, 2000.
L'Ambassadrice, biographie, 2002
Un bateau pour l'Enfer, récit, 2005.
La Dame à la lampe, biographie, 2007.

Aux Éditions Flammarion

Akhenaton, le Dieu maudit, biographie, 2004.

Aux Éditions Albin Michel

Les Silences de Dieu, roman, 2003, Grand Prix de la littérature policière.
La Reine crucifiée, roman, 2005
Moi, Jésus, roman, 2007

Site officiel de Gilbert Sinoué : http://www.sinoue.com.

Gilbert Sinoué

Erevan

Flammarion

Cet ouvrage a été publié sous la direction de Stéphanie Chevrier

4/10
CPP
0950 28522

Je voudrais voir quelle force au monde peut détruire cette race, cette petite tribu de gens sans importance dont l'histoire est terminée, dont les guerres ont été perdues, dont les structures se sont écroulées, dont la littérature n'est plus lue, la musique n'est pas écoutée, et dont les prières ne sont pas exaucées.

Allez-y, détruisez l'Arménie ! Voyez si vous pouvez le faire. Envoyez-les dans le désert. Laissez-les sans pain ni eau. Brûlez leurs maisons et leurs églises. Voyez alors s'ils ne riront pas de nouveau, voyez s'ils ne chanteront ni ne prieront de nouveau. Car il suffirait que deux d'entre eux se rencontrent, n'importe où dans le monde, pour qu'ils créent une nouvelle Arménie.

William Saroyan [1] (1908-1981)

---

1. *Mon nom est Aram*, Climats, 2008.

Avertissement

Ce livre est un roman vrai.
Les faits majeurs relatés sont vérifiables.
Les personnages politiques, diplomatiques et militaires ont bien existé.

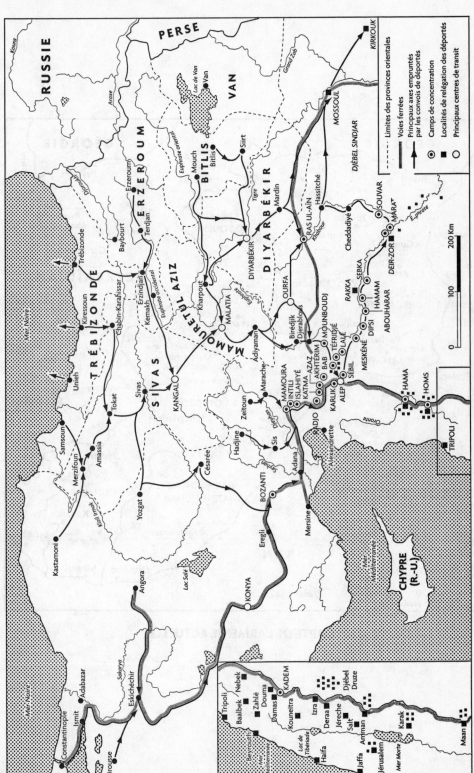

CARTE DES DÉPORTATIONS

Limites des provinces orientales
Voies ferrées
Principaux axes empruntés
par les convois de déportés
Camps de concentration
Localités de relégation des déportés
Principaux centres de transit

RUSSIE

PERSE

ERZEROUM

VAN

BITLIS

DIYARBÉKIR

TRÉBIZONDE

MAMOURETÛL AZIZ

SIVAS

DJÉBEL SINDJAR

200 Km

100

0

CHYPRE
(R.-U.)

Koura
Araxe
Divan Sophia
Lac de Van
Van
Mouch
Bitlis
Siirt
Euphrate oriental
Tigre
Grand Zab
MOSSOUL
Erzeroum
Terdjan
Baybourt
Trébizonde
Kiressoun
Chabin-Karahissar
Erzindjan
Kemakh
Euphrate occidental
Kharpout
MALATIA
Euphrate
DIYARBÉKIR
Mardin
RAS UL-AIN
Hassitché
Khabour
Cheddadiyé
SOUVAR
MARAT
DEIR-ZOR
E. phrate
Mer Noire
Unieh
Tokat
Sivas
KANGAL
Adiyaman
Birédjik
Djerablous
OURFA
SEBKA
RAKKA
HAMAM
ABOUHARAR
DIPSI
MESKÉNÉ
SÉBIL
KARLIK
ALEP
LALÉ
TÉFRIDJÉ
BAB
AKHTÉRIM
MOUNBOUDJ
AZAZ
KATMA
ISLAHIYÉ
INTILI
MAMOURA
Marache
Zeitoun
Hadjine
Sis
Dörtyol
ISSDJO
Alexandrette
Adana
Seyhoun
Mersine
BOZANTI
Eregli
Samsoun
Merzifoun
Amassia
Césarée
Yozgat
Kastamoni
Kizil Irmak
Angora
Lac Salé
KONYA
Sakarya
Eskichéhir
Adabazar
Ismit
Constantinople
Brousse
Mer Noire
KIRKOUK

Oronte

HAMA
HOMS
TRIPOLI

Mer Méditerranée

Tripoli
Baalbek
Nebek
Zahlé
Douma
KADEM
Damas
Kouneitra
Izra
Deraa
Jéreché
Djébel Druze
Salt
Amman
Karak
Maan
Beyrouth
Haïfa
Lac de Tibériade
Jaffa
Jérusalem
Mer Morte

CARTE DE L'ARMÉNIE ACTUELLE

Venez, crevez l'abcès...

Venez, crevez l'abcès, entrez dans cette sépulture dont peu de gens au pays du Croissant semblent vouloir reconnaître l'existence. Il est tellement plus facile de se réfugier dans l'ignorance... Marchez dans la boue, dans le sang, foulez du pied ces têtes tranchées, écartez sur votre passage ces corps pendus au bord des chemins, passez par-dessus ces femmes violées aux ventres ouverts et ensanglantés comme dans une boucherie. Voyez enfin ces petits enfants aux crânes fracassés...

« Cela n'est pas possible », plaiderez-vous.

Et pourtant si, cela fut possible. Non seulement au Cambodge, au Rwanda ou dans quelques autres pays en guerre ou en révolution, mais aussi en Turquie ottomane, au début du XXe siècle, sous le règne des Jeunes-Turcs. Approchez, venez vous rendre compte pour ne pas devenir à votre tour le complice silencieux des négationnistes et de la manipulation d'État. Les gens de mon origine ne peuvent dormir tranquilles. Nos morts n'ont pas de sépulture. Alors, qu'attendons-nous, que voulons-nous ? Peu de chose en vérité : que les hommes et les femmes du Croissant, lorsqu'ils trinquent à l'honneur, quand nous trinquons à la santé et les Juifs à la vie, puisent dans cet honneur pour reconnaître ce *fait* indéniable de notre passé commun.

Le temps n'est-il pas venu de réconcilier nos peuples, de

déchirer les faux livres d'Histoire, de laver à tout jamais cette tache abominablement écarlate, de se libérer d'un mensonge d'État pour entrer, clair et limpide, dans cette Europe qui aujourd'hui doute et doutera plus encore demain ? Les jeunes générations, celles des après-drames, qui ne sont en rien responsables du passé mais ô combien garantes de l'avenir, ont le droit de savoir et de se délier d'une faute qui n'est pas la leur.

Alors venez, crevez l'abcès et, comme je l'ai fait, entrez dans ce livre et vivez l'impensable.

Charles Aznavour

Première Partie

1

26 août 1896, Constantinople, 12 h 30, quartier de Karaköj

Il y eut une première déflagration.

Une volée de pigeons jaillit vers le ciel.

L'une des sentinelles en faction devant l'entrée de la Banque impériale ottomane jeta un coup d'œil surpris vers son collègue.

— Tu as entendu ?

L'autre souleva son fusil en direction de Galata, par-delà les toits safranés.

— On dirait que...

Le reste de la phrase fut couvert par une deuxième explosion.

— *Bissm Illah* ! Que se passe-t-il donc ? On dirait que toute la ville est bombardée !

L'homme ne pouvait savoir qu'au même moment des insurgés cherchaient à faire sauter le palais de Yildiz où résidait le sultan Abdül-Hamîd II, d'autres avaient pris position à la tête du pont qui reliait Galata à Constantinople et faisaient pleuvoir des projectiles sur le corps de garde situé en face.

Les sentinelles épaulèrent. Mais où était l'ennemi ?

Soudain, une vingtaine d'individus armés, le crâne couvert d'un bonnet, les jambes drapées dans un pantalon bouffant, déboulèrent au coin de la rue Voïvodat.

Un soldat hurla ·

— Halte là !

La sentinelle prit au hasard l'un des individus pour cible. Alors qu'il appuyait sur la détente, il eut juste le temps de se dire que l'homme ne devait pas avoir plus de vingt ans.

Il se trompait.

Il en avait vingt-trois.

Il s'appelait Bedros Parian.

Son nom de guerre était Papken Siuni.

La balle l'atteignit en pleine poitrine mais, conséquence étonnante, Papken ne tomba pas. Son corps éclata. La tête, comme tranchée, roula sur quelques mètres et ses membres se dispersèrent le long du trottoir.

Un autre attaquant fut touché, puis un troisième et un quatrième.

Comme leur premier camarade, ils ne tombaient pas mais leur corps était projeté vers le ciel, réduit en charpie. Puis, des terrasses qui surplombaient la rue, un déluge de feu s'abattit sur les soldats. Le silence revenu, les cadavres des militaires couvraient les lieux, mêlés à ceux de civils anonymes.

La voie était libre.

Les assaillants déferlèrent dans la banque. La plupart d'entre eux avaient la taille ceinte de grenades et de bâtons de dynamite. Ce qui expliquait la manière effroyable dont certains étaient morts.

Une femme poussa un cri de terreur. Des clients paniqués se ruèrent vers la sortie. Ils furent refoulés à coups de crosse.

L'un des membres du commando, le plus jeune, ordonna :

— Assis ! Les mains sur la tête !

Il avait vingt-quatre ans.

Il s'appelait Karékine Pastermadjian.

Son nom de guerre était Armen Garo.

Tandis que ses compagnons se déployaient dans le hall, il apostropha l'un d'entre eux.

— Hovanès ! Suis-moi !

Et il bondit vers un escalier de marbre.

Hovanès Tomassian lui emboîta le pas. À présent que Papken était mort, Armen était le chef. C'était prévu.

Au sommet des marches, ils tombèrent nez à nez avec des dizaines d'employés qui, attirés par les coups de feu, s'étaient précipités hors de leurs bureaux.

— Ne tirez pas !

— Du calme ! Nous n'avons rien contre vous. Reculez !

Armen scruta le corridor, recouvert de boiseries, qui se profilait devant eux.

— Qu'y a-t-il à cet étage ? Et au-dessus ?

Un petit homme en sueur balbutia :

— Les bureaux du directeur général, du gouverneur de la banque, ceux des secrétaires et des traducteurs ; au deuxième étage, c'est le département de la comptabilité. Au dernier, la salle des archives. Il n'y a plus personne.

— Personne ? Alors où sont les responsables ? Le directeur ? Le gouverneur ?

Il n'y eut pas de réponse.

— Parlez !

Quelqu'un désigna deux portes en chêne massif.

— Là…

— Parfait ! Tous au rez-de-chaussée ! Restez calme. Je vous répète que vous n'avez rien à craindre.

Hovanès entra dans la première pièce. Elle était vide. Il se rendit vers la seconde, posa sa main sur la poignée de la porte. Elle résista. Sans hésiter, il pointa son revolver sur la serrure et tira. Le pêne vola en éclats. D'un coup d'épaule, il fit pivoter le battant.

Deux personnages se tenaient à l'intérieur dans une attitude hiératique. Le premier, courtaud, la quarantaine, avait le visage poupon, la lèvre supérieure ornée d'une fine moustache. Le second paraissait à peine plus âgé. Longiligne, très digne. Une barbe d'un roux clair, taillée en bouc, ombrageait ses joues creuses.

Armen marcha vers lui.

— Qui êtes-vous ?

— Sir Edgar Vincent.

— Votre fonction ?

— Je suis le gouverneur de la banque. Si ce sont les clefs de la salle des coffres, nous…

— Taisez-vous !

Armen avisa un fauteuil placé près d'une des fenêtres ouvertes sur le Bosphore et somma l'Anglais de s'y asseoir. Il s'adressa ensuite à l'individu au visage poupon :

— Et vous ?

— Gaston Auboyneau. Directeur général. Je suis français. La salle des coffres n'est pas…

Garo répliqua dans un français impeccable :

— Pour qui nous prenez-vous ? Des voleurs ? Nous sommes des *fedaïs* !

Auboyneau fit les yeux ronds.

— *Fedaïs* ?

— Des sacrifiés. Des combattants arméniens de la liberté !

Sir Edgar hocha la tête.

Des Arméniens.

Il aurait dû s'en douter. Il y avait des mois que la tension culminait entre ces gens et les autorités, particulièrement depuis la tragique affaire du Sassoun. Deux ans auparavant, pendant vingt-deux jours, sur ordre du sultan, des villages arméniens avaient été ravagés par les troupes ottomanes. Les Sassouniotes ayant refusé d'être – une fois de plus – rançonnés par leurs voisins kurdes, le sultan, Ombre d'Allah sur terre, avait sauté sur l'occasion pour « tester » la réaction des Occidentaux qui, depuis un certain temps, l'agaçaient avec la « question arménienne ». On avait parlé de villageois attachés et brûlés vifs, de femmes enceintes éventrées, d'enfants écartelés, ou encore de jeunes filles violées par la soldatesque avant d'être massacrées. Certains avançaient le chiffre de mille morts, d'autres de trois mille. Où était la vérité ? Quelques mois plus tard, entre octobre et décembre 1895, avait eu lieu un véritable déchaînement de fanatisme populaire soutenu par l'armée et allègrement encouragé par les *muezzins*. Cette fois, il était question de plus de deux cent cinquante mille victimes !

L'Anglais se racla la gorge.

— Le gouvernement de Sa Majesté la reine Victoria, de même que la France, ont toujours éprouvé de la sympathie pour votre cause... Vous...

— Mensonge !

Armen Garo plaqua le canon de son arme sur la tempe du gouverneur.

— Ne nous parlez pas de la France ! Ni de l'Angleterre ni de personne ! Vous êtes tous des brigands !

L'Anglais protesta faiblement :

— Je suis désolé. Mais la Grande-Bretagne...

— La Grande-Bretagne ?

Cette fois, c'est Hovanès qui intervenait. Il martela :

— La Grande-Bretagne est la pire de tous ! Voilà plus d'un siècle que vous défendez l'intégrité territoriale de cet Empire malade ! Et votre Premier ministre, ce Disraeli, auriez-vous oublié comme il nous a vendus lors du congrès de Berlin ? Vendus en échange d'un îlot ! Vous ne vous en souvenez sans doute plus. Mais les enfants de Haïastan, eux, n'ont pas oublié !

Les enfants de Haïastan. C'est ainsi que certains Arméniens se surnommaient en référence à Haïk, leur ancêtre légendaire, qui aurait été l'arrière-arrière-petit-fils de Noé, le patriarche de la Bible.

Sir Edgar baissa les yeux.

Lui non plus n'avait pas oublié.

Le congrès de Berlin auquel l'Arménien venait de faire allusion était la conclusion de l'une des innombrables crises qui avaient secoué l'Empire et débouché en 1878 sur la guerre qui avait opposé les armées du tsar Alexandre II et celles du sultan Abdül-Hamîd II et s'était achevée sur la défaite des Ottomans

Avant même l'ouverture des débats, des tractations secrètes entre l'Angleterre et la Turquie avaient abouti à une « convention d'alliance défensive ». Les Turcs cédaient l'île de Chypre – qui commandait le sud-est du littoral méditerranéen – aux Britanniques, en échange de quoi ces derniers s'engageaient à garantir le retrait des Russes des régions qu'ils occupaient, laissant du même coup les populations arméniennes face à leur destin ; c'était désormais à la Grande-Bretagne qu'incombait la responsabilité de les protéger. Parallèlement, l'un des articles stipulait que le gouvernement de la Sublime Porte [1] s'engageait à réaliser, sans plus de retard, les améliorations et les réformes exigées par les besoins locaux dans les provinces habitées par les communautés chrétiennes et à garantir leur sécurité. Seulement voilà : pas une seule des réformes promises n'avait vu le jour. Au cours des dix-huit années écoulées, le sultan Abdül-Hamîd II avait continué en toute impunité à appliquer sa politique de terreur à l'encontre des minorités chrétiennes.

Dix-huit ans… pendant lesquels – hormis quelques cris d'orfraie – l'Europe avait baissé les bras. Dix-huit ans et des centaines de milliers de morts ! Quatre-vingt mille réfugiés en Transcaucasie, des milliers d'enfants devenus orphelins.

Les Arméniens vendus en échange d'un îlot.

Sir Edgar prit une brève inspiration.

— Quelles sont vos exigences ?

Armen Garo brandit une feuille qu'il tendit à l'Anglais.

— Tout est là. C'est une proclamation destinée aux ambassadeurs des puissances. À l'heure où nous parlons, elle est entre leurs mains.

Le gouverneur prit ses lunettes et lut à l'intention d'Auboyneau :

_____

1. La Sublime Porte était le nom de la porte d'honneur monumentale du Grand Vizirat, siège du gouvernement du Sultan à l'époque ottomane. Il est souvent utilisé pour désigner l'Empire ottoman ou la ville même d'Istanbul.

— « Nous avons sans cesse protesté devant l'Europe contre la tyrannie turque, mais nos protestations légitimes ont systématiquement été repoussées. Le sultan Abdül-Hamîd nous a répondu par une répression sanglante. L'Europe a vu ces effroyables crimes et a gardé le silence.

« Malgré toutes les insinuations de nos ennemis, nous n'avons demandé et nous ne demandons que le strict nécessaire :

« Nomination pour l'Arménie d'un haut-commissaire, d'origine et de nationalité européennes, désigné par les six grandes puissances.

« Les *valis* [1] et les *kaïmacams* [2] seront nommés par le haut-commissaire et sanctionnés par le sultan.

« Accepter les demandes présentées par le Dachnak, la Fédération révolutionnaire arménienne ou FRA.

« Ne plus se servir de la force contre nous.

« L'organisation de gendarmerie et de police sous le commandement d'officiers européens.

« Réformes judiciaires fondées sur le système européen.

« Liberté absolue des cultes, de l'instruction et de la presse.

« Destination des trois quarts du revenu du pays aux besoins locaux.

« Annulation de tous les arriérés d'impôts.

« Rétrocession des maisons usurpées par les milices kurdes et turques.

« Retour libre des émigrés arméniens.

« Amnistie générale pour les condamnés politiques arméniens.

« La garantie complète de la vie de tous ceux qui se trouvent ici, dans la banque, et de ceux qui ont pris part à des actions

---

1. Maire d'une ville, ou nom donné au gouverneur d'un *vilayet* ou province (se reporter en fin d'ouvrage pour ce qui concerne le découpage administratif de l'Empire ottoman).

2. Dans l'administration civile turque, cette expression désigne le gouverneur d'un canton ; dans l'armée, c'est un lieutenant-colonel.

dans la ville. Le mobilier et le numéraire de la banque seront conservés intacts jusqu'à l'exécution de nos demandes ; dans le cas contraire, le numéraire et tous les papiers d'affaires seront détruits, et nous autres, avec le personnel, trouverons la mort sous les ruines du bâtiment. Nous sommes obligés de prendre ces mesures extrêmes, car c'est l'indifférence criminelle de l'humanité à l'égard de notre peuple qui nous y contraint. »

Le gouverneur restitua le document à l'Arménien.

— Ainsi, vous appartenez au Dachnak…

Auboyneau fronça les sourcils.

— Le Dachnak ?

Sir Edgar expliqua :

— C'est le nom d'un parti révolutionnaire fondé en Géorgie, il y a cinq ou six ans.

Le Français posa la question qui lui brûlait les lèvres depuis un moment :

— Pardonnez-moi, mais comment se fait-il que vous parliez si bien le français ?

— Parce que je vis en France depuis deux ans. À Nancy. Je suis étudiant à l'École nationale supérieure des Mines.

— Et pourtant vous…

— Oui. Je suis revenu. Cela vous étonne ? Je ne pouvais plus supporter d'assister en témoin impuissant aux massacres perpétrés contre mes frères. Impossible.

— Si j'en juge par votre proclamation, vous ne réclamez pas l'indépendance ?

— Nous ne sommes ni des fous ni des rêveurs. Notre objectif est d'obtenir l'autonomie et l'émancipation de nos frères qui n'en peuvent plus de souffrir sous le joug ottoman.

— Et vous vous imaginez qu'en agissant de la sorte vous réussirez ? Ils vous briseront, monsieur. Ils ont la force. Vous n'avez rien.

— Vous avez raison. La force peut tout briser. Mais il est une chose devant laquelle elle est impuissante : la pensée. Aucune armée au monde, si puissante soit-elle, n'entrera dans mon cerveau pour y arracher mes pensées. Et quand il s'agit de tout un peuple qui pense, alors ce peuple devient indestructible. Soyez assuré que...

— Armen !

Hovanès montrait le fauteuil occupé quelques instants plus tôt par sir Edgar.

Il était vide.

Armen se rua vers la fenêtre.

— Le salaud d'Anglais ! Il a sauté !

2

Palais de Yildiz, 15 heures

Le brûle-parfum dégageait une insupportable odeur de rose.

Sir Edgar Vincent sortit son mouchoir de soie et le posa délicatement sur ses narines. Le Prophète avait bien eu raison de déclarer : « Les femmes et les parfums sont subtils, aussi faut-il bien les enfermer. » Douze ans bientôt que le vicomte d'Abernon – car sir Edgar était aussi vicomte – vivait dans ce pays, et jamais il n'avait pu se faire à ces fragrances qui embaumaient les maisons ou les locaux de l'administration, non plus d'ailleurs qu'à ces musiques hypnotiques où tournoyaient des fantômes sultanesques.

Il y avait plus de deux heures et demie qu'il languissait dans l'attente que Son Excellence Ferhat Gülgün, le ministre de l'Intérieur, daigne lui accorder audience. Pourtant, le gouverneur avait bien pris soin de préciser au secrétaire qu'il s'agissait d'une question de vie ou de mort.

La lenteur érigée en art. Ici, rien n'était simple. Point de ligne droite ; que des voies sinueuses. L'insaisissable toujours. Sir Edgar savait depuis longtemps que ces fameux mystères de l'Orient, évoqués avec des trémolos dans la voix par ses compatriotes, n'étaient en vérité que des moments de silence inquiétants.

Ce parfum tenace lui faisait tourner la tête. Il marcha vers la porte vitrée et l'ouvrit.

L'air frais lui fit du bien.

Le parc s'étirait à perte de vue. Immense. Pavillons, kiosques, ateliers, hammams, lieux de prière, maisons d'hôtes, bibliothèques, arsenal et théâtre... En vérité, Yildiz n'était pas un palais, mais une ville dans la ville où tout n'était que démesure.

Une expression de dépit déforma les traits du vicomte alors que revenaient à sa mémoire les massacres du Sassoun. Dire que c'était à des Arméniens, les frères Balian, que le sultan devait une partie de ces splendeurs ! La mosquée Hamidié, les palais de Dolmabache, de Beylerbey étaient aussi leurs œuvres. Les splendeurs, mais aussi la santé car les trois médecins privés du sultan étaient eux aussi arméniens. Alors ? Que s'était-il passé pour qu'aujourd'hui ce peuple, que les Turcs eux-mêmes qualifièrent de *milleti sadyka*, la « nation fidèle », fût honni et relégué au ban de la société ottomane ?

— Sir Edgar ! Son Excellence vous attend.

À peine le gouverneur eut-il franchi le seuil du bureau que de nouvelles senteurs de rose le saisirent. Il masqua sa répulsion et s'inclina devant le vizir.

— Que la paix soit sur vous, sir Edgar, lança Ferhat Gülgün. Prenez place, je vous prie.

Le ton était morne, presque détaché.

— Je vous remercie de m'avoir accordé cette audience, Excellence. Devant la gravité de la situation...

— Je sais, je sais, mon ami. Je suis au courant. (Il demanda :) Une boisson fraîche ? Il fait si chaud aujourd'hui.

Le ministre claqua dans ses mains.

Un serviteur se présenta.

— Deux karkadés !

Ferhat Gülgün se cala ensuite dans son fauteuil, récupéra un chapelet d'ambre de la poche de son veston et, avec une science consommée, fit rouler les perles entre ses doigts.

— Alors, dites-moi, comment avez-vous fait ?

— Je vous demande pardon ?

— Vous étiez bien présent à la banque ce matin. Comment avez-vous réussi à vous enfuir ?

— Par miracle. J'ai profité d'un moment d'inattention des insurgés pour sauter par la fenêtre. Le directeur général, monsieur Auboyneau, est toujours entre leurs mains.

— Combien sont-ils ?

— Je n'en ai vu que deux. Ils sont certainement beaucoup plus nombreux.

— Ont-ils décliné leur identité ?

— Ce sont des Arméniens, Excellence. Il...

— Je sais cela. À quel groupe terroriste appartiennent-ils ?

— Ils seraient membres du Dachnak.

— Le Dachnak, le Hentchak, le Ramgavar, l'Armenakan ! Peste soit de ces pseudo-partis révolutionnaires ! Quel âge ont ces individus ?

— Moins de vingt-cinq ans.

Le ministre cita avec affliction un verset du Coran :

— « Combien est vil le prix contre lequel ils ont troqué leurs âmes ! » Quelle folie ! Tous ces morts inutiles.

Ses doigts se crispèrent sur le rosaire, tandis qu'il survolait du regard une note disposée sur son bureau.

— Des dizaines de tués. Une trentaine de blessés. Des attentats dans toute la ville. Folie !

— Je suppose, Excellence, que vous avez pris une décision ?

— Bien entendu. À l'heure qu'il est, la troupe encercle le bâtiment. Ils n'ont aucune chance de s'en sortir.

Le serviteur était revenu. Il présenta son plateau au ministre d'abord, tendit le second verre de karkadé à l'Anglais et se retira à reculons.

Le gouverneur s'enquit avec une pointe d'inquiétude :

— Envisagez-vous d'ordonner l'assaut ?

— Ai-je le choix ? *Vatan haini !* Des traîtres ! Ces gens sont des athées, de vils blasphémateurs et, surtout, ce sont des ingrats qui n'ont fait que mordre la main qui les caressait. *Vatan haini !*

— Pardonnez-moi, Excellence. Je connais sans doute mal la question. Mais pour quelle raison les accusez-vous de traîtrise envers votre peuple ?

— Votre question est surprenante ! Avez-vous lu le rapport de votre compatriote, le capitaine Norman ?

— Non.

— Il s'agit d'un officier du corps d'artillerie britannique qui fut envoyé comme observateur pendant la funeste guerre qui nous a opposés aux Russes. Vous devriez le parcourir, sir Edgar, son contenu est édifiant à tous points de vue. Il est d'autant plus crédible qu'il a été rédigé par un non-Turc. Dans l'introduction de son rapport, le capitaine Norman déclare qu'il serait temps qu'un compte rendu véridique du conflit turco-arménien soit enfin connu de tous. Il souligne que, jusqu'alors, les Occidentaux n'ont disposé que de la version arménienne des troubles, enjolivée par les proclamations hystériques de diplomates étrangers qui n'ont jamais mis les pieds hors de leurs officines. L'officier ajoute qu'il a entendu, jusqu'à en avoir la nausée – ce sont ses propres mots –, le récit de massacres, de pillages, de viols de femmes, mais qu'aucune de ces histoires n'a jamais été corroborée par un témoin neutre.

— Cependant, Excellence...

— Laissez-moi finir, je vous prie ! Il est important que vous compreniez le fond des choses. On clame partout en Occident que les pauvres Arméniens plaident en faveur de la liberté de la presse, de la liberté de parole, de la gratuité de l'enseignement et de l'abolition de certaines taxes qu'ils jugent outrageuses. Mais, en réalité, le but visé par le Dachnak ou le Hentchak, ou je ne sais quel autre groupuscule, c'est de briser l'intégrité de la nation turque. Il m'a été rapporté que, lors d'une réunion publique qui s'est déroulée à Marseille, l'orateur préconisait d'armer tous les villageois arméniens de Turquie. Êtes-vous conscient de la gravité d'une pareille attitude ? Il y a plus terrible encore...

Ferhat marqua une pause, le temps de s'humecter les lèvres de karkadé, et répéta :

— Oui. Il y a plus terrible encore. Vous a-t-on jamais renseigné sur le comportement de ces Arméniens durant la guerre contre les Russes ?

— Nombre de rumeurs circulent.

— Ce ne sont pas des rumeurs, sir Edgar, mais la stricte vérité. Déjà, au début de la mobilisation, des milices arméniennes avaient commencé à harceler nos forces, provoquant de nombreuses victimes. Lors des combats, nos commandants nous ont rapporté que, dès qu'ils en avaient l'occasion, les soldats arméniens tuaient nos soldats. Soutenus par les Russes, ils ont pratiquement rasé le village de Zeve, près de Van. Saviez-vous qu'en janvier 1878 l'armée russe qui est entrée à Yechilköy, au cœur de notre capitale, avait à sa tête des généraux. . arméniens ? Des traîtres !

Les traits habituellement mats du ministre s'étaient empourprés.

— Mais, Excellence, rappela timidement le gouverneur, auriez-vous oublié qu'il y a plus d'un demi-siècle la Russie a annexé une partie de l'ancienne Arménie, plaçant du même coup près d'un million et demi d'Arméniens sous la tutelle du tsar ? Par la force des choses, ils sont donc devenus des citoyens russes à part entière. Quoi de plus naturel que de les retrouver incorporés dans les rangs de l'armée ? Ils...

Le ministre fit comme s'il n'avait pas entendu la remarque.

— Allons ! Sir Edgar, répondez-moi franchement, accepteriez-vous que des Gallois prennent les armes contre votre reine ? Comment avez-vous réagi lorsque les Irlandais se sont soulevés ? Pouvez-vous me répondre ?

Le gouverneur faillit rétorquer qu'il n'éprouvait aucune fierté à se souvenir que son pays, sous la férule d'un Cromwell, avait organisé un véritable massacre au cours duquel les troupes britanniques avaient éradiqué près d'un tiers de la population de l'île.

— Je veux croire que le peuple turc saura se montrer plus magnanime que nous ne le fûmes, Excellence. Les événements du Sassoun...

— Les événements du Sassoun ! (Un rire nerveux secoua le vizir.) Que sont les événements ? Ni plus ni moins que l'interprétation qu'on en donne.

— Ces centaines de morts...

— Des rebelles, des agitateurs ! À Londres, à Paris, à Vienne, vous auriez réagi de la même façon et peut-être même avec plus de dureté !

Gülgün brandit son chapelet sous le nez de son visiteur.

— Nous leur avons ouvert les bras, sir Edgar ! Si nous étions les monstres que l'on nous accuse d'être, pensez-vous que nous aurions permis à une trentaine d'Arméniens d'accéder au haut rang de pacha ? À celui de ministre ? Parmi lesquels des ministres des Affaires étrangères ? Des élus au Parlement ? Des ambassadeurs, des consuls généraux ? Reconnaissez qu'il y a des monstruosités plus inavouables.

Sir Edgar avait la bouche sèche. Il ne se souvenait pas d'avoir eu aussi soif depuis longtemps. Il prit le verre de karkadé et le vida d'une traite.

— Je comprends votre position. Néanmoins, aujourd'hui nous nous trouvons devant une situation particulière : plus de cent cinquante employés d'une banque – des Occidentaux pour la plupart – risquent de mourir. Ces jeunes gens semblent décidés et sont armés de grenades et de bâtons de dynamite. Je suis persuadé qu'ils s'en serviront.

— Pourquoi cette certitude ?

— Parce que la vie m'a enseigné qu'il existe deux sortes d'individus que la mort n'effraie pas : les vieillards et les enfants. Je vous l'ai dit : ils ont moins de vingt-cinq ans.

— Et moi, je vous rétorquerai que, dans l'histoire, les nations sont divisées en deux catégories : les vraies nations et les pseudo-nations. Les Arméniens ne sont qu'une pseudo-nation. Leurs voix sont semblables au son que fait une boîte vide. Comparé au chant de la nation turque, le chant des Arméniens n'est et ne sera que silence. Et il en sera toujours ainsi.

Le vizir se leva. L'entrevue était terminée.

Ce n'est qu'en franchissant le seuil parfumé que sir Edgar se souvint que la première syllabe de Gülgün signifiait en turc : « rose ».

3

Banque impériale ottomane, le lendemain, 27 août 1896,
4 heures du matin

Armen Garo jeta autour de lui un regard sombre. Un silence lourd régnait dans le hall tapissé de boiseries couleur ébène où plus d'une centaine d'hommes, de femmes, étaient allongés ou adossés au pied des guichets, genoux repliés contre la poitrine. La plupart somnolaient, d'autres gardaient les yeux ouverts, blêmes.

Le directeur, Gaston Auboyneau, faisait partie de ceux-là. Au manque de sommeil s'était greffé l'abattement. Il connaissait les Turcs. Pour lui, il ne faisait aucun doute que les soldats finiraient par donner l'assaut, il était d'ailleurs surpris qu'ils ne l'eussent fait plus tôt. Un carnage. Voilà comment s'achèverait cette folle équipée menée par ces jeunes écervelés. Pourtant, ce n'était pas faute d'avoir tenté de les raisonner. Durant les dernières heures, Auboyneau avait usé de tous les arguments. Il s'était heurté à un mur.

Il s'épongea le front. Les ventilateurs brassaient un air désespérément chaud. Bientôt plus de quarante-huit heures qu'à l'instar de ses compagnons d'infortune il n'avait rien mangé. Dieu merci, l'établissement disposait de ressources illimitées en eau potable. Où avait-il lu que, privé de nourriture, l'être humain était capable de survivre pendant quelques semaines sur ses réserves, alors que, sans eau, sa survie se réduisait à quelques jours ?

— Vous vous sentez bien ?

La voix d'Armen Garo l'arracha à sa torpeur.

— C'est une question que je ne me pose plus. Mais j'imagine que je me porte mieux que certains ici.

Il montra une silhouette de femme recroquevillée qui devait avoir la soixantaine.

— Mieux qu'elle, en tout cas.

— C'est regrettable, mais ils ne nous ont pas laissé le choix. Vous voyez bien leur indifférence, alors que vous-même avez transmis nos exigences à celui qui commande les brigades prêtes à donner l'assaut. Elles sont restées lettre morte.

— Ce militaire n'a aucun pouvoir décisionnel. Seul le sultan est habilité à vous sauver la vie et celle de tous les innocents emprisonnés ici.

L'Arménien eut un rire désabusé.

— Abdül-Hamîd ? Avez-vous déjà vu un boucher s'attendrir devant le mouton qu'il s'apprête à égorger ? Allons, monsieur Auboyneau, ne rêvons pas.

— Mais alors, qu'espérez-vous donc ?

— Que votre pays que j'aime, la France des droits de l'homme, et les autres puissances d'Occident interviennent en notre faveur.

— Vous êtes d'une naïveté déconcertante. Je suis français, et, en dépit de ce que vous pensez, je sais que mon gouvernement a toujours éprouvé de la compassion pour votre cause. Vous semblez avoir occulté qu'en 1862, en Cilicie, lorsque la ville arménienne de Zeïtoun fut assiégée par l'armée ottomane, ce fut grâce à l'intervention personnelle de Napoléon III et aux pressions qu'il exerça sur le sultan de l'époque, Abdül-Aziz, que l'on mit fin aux massacres. Réfléchissez. Avez-vous seulement conscience des intérêts qui sont en jeu ?

— Les intérêts ? se récria une voix. Seul compte l'intérêt de notre peuple !

Auboyneau reconnut l'homme qui, quelques heures aupara-vant, avait fait irruption dans le bureau en compagnie d'Armen Garo.

— Puis-je connaître votre nom, monsieur ?

— Hovanès. Hovanès Tomassian.

— Quel âge avez-vous ?

— Vingt-deux ans.

Auboyneau examina le jeune homme. Il avait une figure noble, ornée d'une fine moustache, des cheveux en bataille, et le ton de sa voix exprimait une détermination qui contrastait avec la douceur de son regard.

Le Français poussa un soupir.

— Vingt-deux ans… vous êtes si éloigné de la réalité. Le chiffre de cinq milliards de francs ne vous dit rien, bien entendu.

Hovanès fit non de la tête

— Eh bien, apprenez que c'est la somme que la Turquie a empruntée à ce jour aux puissances occidentales. Or elle n'en a reçu que trois. Savez-vous pourquoi ? Parce que les deux milliards manquants ont été empochés par les différentes banques et intermédiaires occidentaux. Si je vous disais qu'indépendamment de ces prêts les capitaux européens ont été placés dans la plupart des entreprises du pays : chemins de fer, docks, mines, tabac, quelle que soit la puissance de votre imagination, vous seriez incapable de concevoir les profits que ces investissements représentent.

Tomassian s'impatienta.

— Où voulez-vous en venir, monsieur Auboyneau ?

— J'aimerais vous ouvrir les yeux. Votre combat est perdu d'avance. Vous attendez le salut des puissances occidentales.. Quelle illusion ! Vous passez outre l'essentiel : les milieux d'affaires. Ancrez bien ceci dans votre esprit : ces gentlemen ne souhaitent ni le démembrement de l'Empire ni sa réforme. Leur seul désir est de maintenir le *statu quo*, c'est-à-dire le désordre et la corruption. Une Turquie réformée, fortifiée, capable de se suffire à elle-même, serait pour l'Occident la mort de la poule aux œufs d'or, la fin des concessions juteuses et des affaires grasses. Dites-vous bien qu'un tuteur qui tire autant de bénéfices de son pupille ne souhaite ni sa mort ni sa majorité. Il aspire seulement à le maintenir en enfance et le plus longtemps possible. Comprenez-vous à présent pourquoi le peuple arménien ne fera jamais le poids ?

— L'Arménie, murmura Armen Garo.

Un rictus déforma les lèvres du banquier.

— L'Arménie ? De quelle Arménie parlez-vous ? Vous rêvez encore à l'Arménie de vos ancêtres, celle du temps de Tigrane le Grand, quand vos terres s'étendaient de la mer Noire à la Caspienne et à la Méditerranée ! L'Arménie de Levon le Magnifique et celle des princes Zakarian. C'était il y a deux mille ans ! C'est fini ! Et le vent de l'Histoire ne tourne pas les pages à rebours. Les Parthes sont passés par là, les Perses, les Romains, les Mamelouks, les Kurdes, les Circassiens, Tamerlan et ses Mongols, les Russes et, depuis six siècles, les Turcs. Abandonnez vos désirs chimériques !

Armen Garo ne parut pas réagir aux propos du Français. Il avait baissé la tête et fermé les yeux.

Dans une demi-brume venait d'apparaître sa chère ville d'Erzeroum, l'antique Garine, au pied des cimes enneigées du mont Palandöken et du Dévé-Boyoun. Il voyait des bouquets de châtaigniers au pied desquels des enfants jouaient, des pâtres, des terres fertiles, des pâturages et la silhouette rassurante du château byzantin. Ce jour-là était le premier jour du printemps. Armen venait d'avoir neuf ans et le miel coulait des ruches comme de l'eau.

Il dormait encore lorsque retentit le galop des chevaux à l'entrée de la ville. Très vite, des coups de feu avaient résonné. Armen s'était dressé dans son lit et avait crié : *Mayrig* ! Maman !

Nounée avait aussitôt surgi et l'avait pris dans ses bras.

— N'aie pas peur, mon petit, n'aie pas peur… Ce n'est rien.

Elle l'avait emporté hors de la chambre en le serrant très fort.

Pourquoi avait-il eu l'impression que sa peau sentait l'encens ?

Il vit son père, Anouchavan, qui avait pris position devant la fenêtre, une vieille carabine à la main. Haratch, son frère cadet, était accroupi près de l'âtre.

Le bruit des chevaux s'était rapproché. On eût dit le tonnerre qui s'abattait sur le village.

Armen avait balbutié :

— Que se passe-t-il, papa ?

— Les *hamidiés*. Montez au grenier ! N'en bougez plus !

Armen avait réprimé un frisson. Il savait parfaitement de quoi étaient capables ces redoutables escadrons de cavalerie, à majorité kurde, créés par le sultan Abdül-Hamîd. Destinés officiellement à assurer la sécurité intérieure, ils servaient en réalité de bras armé contre les communautés arméniennes.

Des cris de mort creusaient le ciel.

Des hurlements. Le tumulte montait de partout.

Avec sa mère et le petit Haratch, ils avaient gravi les marches de bois et s'étaient serrés les uns contre les autres, comme pour mieux se prémunir de l'effroi.

De là où ils s'étaient réfugiés, on ne voyait rien de l'affrontement qui se déroulait dans le village, mais on le devinait pour l'avoir vécu plus d'une fois. Tous les hommes valides, des plus âgés aux plus jeunes, avaient saisi leurs armes. Ceux qui n'en avaient pas s'étaient emparés de pelles ou de bâtons. Les femmes gardaient les enfants. Les vieillards avaient sorti leur chapelet et priaient saint Grégoire l'Illuminateur à voix basse. D'autres avaient peut-être eu le temps de se réfugier dans l'église.

Soudain, une odeur de brûlé avait submergé les narines. Sans doute provenait-elle d'une maison incendiée. Il y en aurait d'autres. Armen se blottit contre la poitrine de Nounée, s'efforçant de dominer les tremblements de son corps.

Combien de temps ? Il n'aurait su le dire.

Finalement, le calme était revenu et avec lui ce silence oppressant qui laisse présager les visions d'horreur à venir.

La voix rassurante et chaude d'Anouchavan les avait invités à quitter leur abri.

C'était fini. Le vent de la mort avait cessé de souffler.

Ni Armen ni Haratch ne seraient autorisés à sortir de la maison, pas avant que le père ne le permette. C'est-à-dire pas avant plusieurs heures. C'était le temps nécessaire pour retirer les cadavres des rues, ceux des femmes enceintes étouffées dans leur propre sang, ceux des enfants embrochés ou écorchés vifs. Le temps d'apaiser les sanglots des jeunes filles violées que nulle forme d'apaisement ne consolerait jamais.

Et voilà qu'aujourd'hui cet homme, ce monsieur Auboyneau, osait lui dire : « Abandonnez vos désirs chimériques ! »

Armen rouvrit les yeux. Dans ses prunelles flottait une tristesse grande comme le monde.

Résidence de l'ambassadeur de France, Constantinople,
au même moment

Paul Cambon grommela quelque chose qui ressemblait à « Quel foutoir ! » Il avait connu des jours bien plus heureux à l'époque, pas si lointaine, où il était résident général de France en Tunisie et des heures moins tourmentées lorsqu'il s'était lancé, une dizaine d'années auparavant, dans la création de l'Alliance française avec son ami Pierre Foncin.

Il caressa nerveusement sa barbe grise taillée en pointe qui lui donnait un faux air de Napoléon III et considéra les cinq interlocuteurs réunis autour de lui : Kadir Pacha, le secrétaire privé du sultan ; le drogman Alexandre Maximoff, traducteur officiel de la chancellerie du tsar ; sir Edgar Vincent ; Aggerman von Bellenberg, l'ambassadeur d'Autriche, et le baron Henry Wodehouse, ambassadeur britannique. Ce dernier, manifestement à bout de nerfs, venait d'allumer sa troisième cigarette égyptienne, une *Melachrino*, très à la mode dans les chancelleries étrangères depuis que lord Kitchener en avait vanté les qualités. Paul Cambon, lui, leur préférait de loin le tabac de Virginie.

— Alors, messieurs, lança-t-il d'une voix aussi sereine que possible, que décidons-nous ? Vous avez pris connaissance du rapport de sir Edgar. Je vous laisse imaginer les conséquences, si ces rebelles mettaient leur menace à exécution. Dois-je vous rappeler le rôle modérateur que nous, les Occidentaux, sommes tenus de jouer dans ce pays ?

— Un rôle bien lourd à porter, commenta Kadir Pacha, avec une pointe d'ironie. Il n'est pas aisé d'être à la fois acteur et arbitre. Neutre et de parti pris. Vous en conviendrez, n'est-ce pas ?

En diplomate aguerri qu'il était, Paul Cambon répondit à la question par une autre question :

— Vos forces de police sont-elles toujours résolues à donner l'assaut ?

— À moins que les rebelles n'acceptent de se rendre sans condition. La réponse est oui.

— Permettez-moi de vous faire observer, déclara sir Edgar, que vous commettriez une grave erreur. La tension qui règne dans ce pays ne ferait que s'aggraver et nous risquerions de déboucher sur une véritable catastrophe.

Kadir Pacha, visage bouffi et pansu, se pencha légèrement en avant :

— Sir Edgar, cette tension, n'en seriez-vous pas les responsables ? Lorsque je dis « vous », je parle évidemment des puissances occidentales.

Cambon plissa le front. Von Bellenberg leva les yeux au ciel. L'Anglais tira une bouffée sur sa *Melachrino*. Le drogman Maximoff demeura impassible.

Le représentant de la France rappela courtoisement :

— Pardonnez-moi, cher ami, mais il me paraît que l'heure tourne. Des vies sont en jeu.

— Et nous le déplorons, rétorqua le pacha secrétaire. Permettez-moi, néanmoins, de vous rappeler quelques points essentiels.

— Monsieur, je viens de vous le dire : le temps presse.

Le pacha adopta un air las.

— « L'homme prie pour obtenir le mal, comme il prie pour le bien. L'homme est toujours pressé. » L'Occident nous a dépecés. Nous avons perdu en Afrique et en Europe plus du quart de notre territoire. Aujourd'hui, mon pays est surendetté, en déliquescence administrative, et mon gouvernement a été forcé de vous laisser la place belle à travers l'instauration du comité de la Dette publique.

Il fixa sir Edgar :

— Vous, plus que tout autre, êtes bien placé pour savoir de quoi je parle puisque vous avez présidé ce comité pendant deux ans. Il est devenu une sorte d'État dans l'État qui emploie plus de fonctionnaires que notre ministère des Finances !

Il ajouta, mais cette fois à l'intention de Cambon :

— Et la Régie des tabacs, dirigée par votre compatriote, monsieur Lambert, et que la France contrôle dans sa totalité ? Et cette banque, qui fait l'objet de notre réunion, n'est-elle pas majoritairement à capitaux français ? Mon pays est à genoux, messieurs. Nous ne sommes plus qu'une nation humiliée et aux abois.

Il y eut un bref silence que brisa l'ambassadeur d'Autriche.

— Votre exposé est éloquent, Kadir Pacha, et j'approuve votre analyse. Cependant, je ne vois pas très bien le rapport avec la tragédie qui se déroule à quelques mètres d'ici.

— Les preneurs d'otages ne sont-ils pas des Arméniens ? Ces gens ne représentent-ils pas une grave menace pour la nation turque ? Ils ne ratent pas une occasion d'offrir à l'Occident de nouvelles raisons pour s'immiscer dans les affaires intérieures de mon pays. Pour preuve...

Il plongea ses yeux dans ceux de l'ambassadeur de Grande-Bretagne et sa voix monta d'un ton :

— Tout récemment, votre Premier ministre libéral, William Gladstone, a tenu à Liverpool un discours d'une extraordinaire violence à notre égard, qualifiant le Turc de « spécimen de l'inhumanité parmi les hommes » ! Il a osé qualifier notre sultan bien-aimé de « grand assassin » tout en adjurant l'Angleterre de prendre fait et cause pour les rebelles arméniens. Bien entendu, tout le monde sait que ce cher monsieur Gladstone est profondément imprégné de théologie chrétienne et qu'il est uniquement inspiré par sa crainte obsessionnelle de l'islam.

Les traits de Henry Wodehouse s'empourprèrent.

— Monsieur ! Comment osez-vous réduire cette affaire à une simple confrontation entre chrétiens et musulmans ? Puisque vous citez sir William Gladstone, je ferai de même. Il a aussi déclaré : « Si, au lieu d'avoir affaire au gouvernement turc, et de lui reprocher ses crimes contre les sujets chrétiens, nous avions affaire à un gouvernement chrétien capable de crimes similaires contre des sujets mahométans, notre indignation ne devrait pas être moindre, mais supérieure à ce qu'elle est aujourd'hui. » Il me semble que cette affirmation se passe de commentaires.

L'ambassadeur d'Autriche sortit soudain de son mutisme :

— Kadir Pacha, je vous le dis respectueusement, où avez-vous vu qu'une nation, sous prétexte qu'elle s'est vue dépossédée de territoires préalablement conquis par les armes, s'estime le droit d'en faire payer le prix à une partie de sa population, qu'elle fût chrétienne ou non ?

Paul Cambon se raidit. On frôlait l'incident diplomatique. Il s'adressa directement au pacha secrétaire :

— Cher ami, je pense que nous tous sommes conscients de la situation difficile que traverse la noble nation turque, et croyez que notre seul désir est de participer à son redressement. À présent, si nous revenions à la tragédie qui se déroule à quelques pas d'ici ?

— Très bien, monsieur l'ambassadeur. Que proposez-vous ?

— Que vous vous débarrassiez de ces insurgés. Définitivement.

Le pacha écarquilla les yeux.

— Vous approuvez donc que nous donnions l'assaut à la banque...

— La solution à laquelle je pense consiste à convaincre ces jeunes gens de déposer les armes et de quitter la Turquie pour ne plus jamais y remettre les pieds.

Kadir eut un mouvement de recul.

— Quoi ? Ils resteraient donc libres et impunis ?

— Laissez-moi finir, je vous en prie. Un navire français, *La Gironde*, mouille actuellement dans les eaux du Bosphore. Sir Edgar se propose d'y emmener les insurgés à bord de son yacht. Ensuite, le navire appareillera pour la France où mon gouvernement est disposé à les accueillir et à se porter garant de leur non-retour vers la Turquie.

— C'est la meilleure solution, confirma sir Edgar. Faites-nous confiance. Elle permet d'éviter le pire. Voilà des heures que des innocents sont enfermés, prisonniers de gamins impulsifs. Tout peut arriver.

Il prit l'ambassadeur d'Autriche à témoin.

— N'avons-nous pas raison, Excellence ?

Von Bellenberg éluda la question pour s'adresser directement au pacha.

— Tout à l'heure, vous nous avez livré un brillant exposé sur l'état de l'Empire. Ce n'est pas à un personnage de votre qualité que je rappellerai ceci : en politique, on choisit rarement entre le bien et le mal, mais entre le pire et le moindre mal. Retenez aussi que, parmi les otages, il y a des Autrichiens, des Français, des Anglais, des Russes… N'imaginez pas un seul instant que leur mort serait sans conséquence sur nos relations.

Kadir resta silencieux, mais on devinait sur son visage l'extrême tension qui venait de l'envahir. Le pacha secrétaire n'était pas né de la dernière pluie. Il y avait cinq ans qu'il était au service du sultan, et au cours de cette période il avait appris à lire entre les lignes et à décrypter les non-dits. Les derniers mots de l'Autrichien n'étaient rien de moins qu'une menace déguisée.

— Parfait, messieurs. Je vais en référer à Sa Majesté et vous informerai de sa décision.

Après que Cambon eut raccompagné son hôte à la porte de la résidence, il ne retourna pas tout de suite à son bureau. Il s'arrêta et leva les yeux vers les premières étoiles. Dans deux ans, si le Quai d'Orsay ne changeait pas d'avis, il serait nommé ambassadeur en Grande-Bretagne. Plus que deux ans à tenir dans ce pays qui n'était d'ailleurs plus un pays, mais une poudrière.

Les protestations du secrétaire privé du sultan résonnaient encore dans sa tête : « Gladstone a osé qualifier notre sultan bien-aimé de grand assassin. » En vérité, si Cambon devait en juger par les rapports pessimistes rédigés par la plupart des consuls disséminés à travers le pays, Gladstone était bien dans la vérité. En conclusion de son dernier courrier, Maurice Carlier, en poste à Sivas, n'avait-il pas écrit : « Je suis de jour en jour plus profondément convaincu que l'avenir des Arméniens est au bord de l'abîme. Il se peut que la main des Turcs soit retenue dans la crainte de l'Europe, mais je suis sûr que leur objectif est l'extermination et qu'ils poursuivront cet objectif jusqu'au bout si l'occasion s'en présente » ?

4

Palais de Yildiz, 28 août 1896

L'horloge de la tour sonna 10 heures.

Aussitôt, le sultan Abdül-Hamîd sortit de la poche intérieure de sa veste grise sa magnifique montre à gousset A. Lange & Söhne, un cadeau de l'empereur Guillaume II. Il examina le cadran et afficha une moue contrariée : elle retardait de deux minutes ; ce qui était tout à fait déplaisant pour un objet d'exception. Il devait se souvenir de le confier à Johannes Mayer. Le maître horloger suisse saurait la régler.

— Votre Majesté ? souffla Kadir Pacha.

Abdül-Hamîd leva un regard interrogateur vers son secrétaire privé. Regard morne sous des paupières tombantes, dans un visage flasque qui lui donnait en permanence un air renfrogné.

— Nous avons entendu, nous avons entendu. Poursuivez, poursuivez.

— Je n'ai rien de plus à ajouter, Votre Grandeur, si ce n'est que le commandant Ferhat Bey attend vos ordres avant de donner l'assaut.

Le sultan se tourna lentement vers son grand vizir.

— Que pensez-vous de cette affaire ?

Mehmet Saïd ne répondit pas tout de suite. L'éviction brutale et l'exil de son prédécesseur, Midhat Pacha, lui avaient enseigné que la plus grande prudence était de mise lorsque l'on s'adressait au sultan. Depuis qu'Abdül-Hamîd avait accédé au trône après la mort de son frère frappé de démence, l'Ombre d'Allah sur terre avait usé plus d'une dizaine de vizirs et changé une vingtaine de fois de gouvernement, au gré de ses humeurs. De plus, hanté par l'idée que l'on cherchait à l'assassiner ou à l'éliminer, ce qui revenait au même, le sultan avait mis en place à travers le pays un service de renseignements proprement terrifiant. La délation était encouragée, n'importe qui pouvait s'improviser *jurnaldji*. C'est-à-dire auteur de rapports dénonçant voisins, collègues, amis. Personne n'était à l'abri. À l'exemple de la Russie, le système des *tezkérés*, les passeports, avait été instauré afin de mieux surveiller les déplacements des populations au sein de l'Empire. Sans ce document, un sujet du sultan n'avait même pas le droit d'aller d'un village à l'autre. À cela, et c'était peut-être le plus préoccupant, s'ajoutait la place nouvelle que la religion commençait à occuper dans certains domaines où elle ne s'était jamais immiscée jusque-là. Au sein des écoles, on s'était mis à accorder plus d'importance à l'enseignement religieux. La construction de mosquées connaissait un essor sans précédent, alors que dans l'enceinte même de la cour gravitait autour du sultan une foule de dignitaires religieux.

Il finit par répondre :

— Je crois que nous avons là une occasion de démontrer que Votre Grandeur n'est pas le personnage que les Occidentaux se plaisent à décrire. D'ailleurs, nous sommes loin d'être isolés dans cette affaire. Nous savons que nous pouvons compter sur l'appui de l'Allemagne. L'empereur Guillaume II ne s'est-il pas déclaré ouvertement l'ami et le protecteur de Votre Majesté ?

Abdül-Hamîd approuva d'un mouvement nonchalant de la tête. Sa montre à gousset était là pour lui rappeler, si nécessaire, les liens qui unissaient le peuple allemand et le peuple turc. Encore que les mécanismes d'horlogerie avaient ceci en commun avec les relations diplomatiques : tous deux étaient à la merci d'un grain de sable.

— Pourriez-vous être plus clair ? Qu'entendez-vous par « une occasion de démontrer que je ne suis pas le personnage que les Occidentaux se plaisent à décrire » ?

— Votre Grandeur, les loups guettent à nos portes. Les conversations que Kadir Pacha vient de nous relater sont éloquentes. Ces gens piaffent d'impatience et rêvent de fondre sur le pays. Ils ne sont d'ailleurs pas les seuls à s'être manifestés. Son Excellence l'ambassadeur de Russie, monsieur de Nelidof, m'a fait parvenir un pli dans lequel il exprime le souhait que cette affaire se termine dans les conditions les plus favorables et...

— Favorables ? Favorables pour qui ? Pour ces assassins ou pour la nation turque ?

— Le texte précise : « Pour le bien-être de tous. » Il rappelle aussi que, dans leur très grande majorité, les employés pris en otage sont de nationalité étrangère et conclut par ces mots : « Cette affaire pourrait gravement dégénérer. Nous en appelons donc à la magnanimité de Sa Majesté. Nous savons combien elle est grande. »

— Monsieur de Nelidof n'a-t-il donc pas appris que la magnanimité ne consiste pas à demander, mais à rendre justice ? Que croit-il ? Que nous sommes dupes de ses intentions !

Kadir Pacha observa :

— Majesté, vous venez très justement de souligner l'essentiel. Nous sommes entre marteau et enclume. Ces gens n'attendent que l'occasion de nous porter le coup de grâce. Dans l'éventualité où les Occidentaux décideraient de venir à la rescousse de leurs nationaux, la Russie ne manquerait pas d'intervenir à son tour. Non par souci humanitaire, mais parce qu'elle aurait trop peur d'arriver en retard pour la curée. Nelidof a textuellement déclaré : « Je ne veux pas laisser les clés de ma maison entre des mains étrangères. »

— Sa maison ?

Le secrétaire privé se racla la gorge.

— Il sous-entendait le Bosphore. La Turquie.

Abdül-Hamîd faillit s'étouffer.

— *Sa* maison ? *Sa* maison ! (Il fut pris d'un tremblement incontrôlé.) De toute mon existence je n'ai entendu déclaration plus sacrilège ! Poursuivez…

— Le représentant de la France a fait une proposition qui paraît épouser nos intérêts. Il a indiqué que son pays était disposé à prendre en charge les rebelles et à nous en débarrasser définitivement. Ces individus représenteront une menace pour l'ordre et la loi tant qu'ils seront sur notre territoire. Dans ce cas…

— Une menace ? Depuis quand les morts ont-ils une voix ? Une fois pendus, ces *giaours*, ces infidèles, se tairont à jamais.

Mehmet Saïd acquiesça, pour faire observer aussitôt :

— Voilà quelque temps déjà qu'aux yeux des Occidentaux *meloun ermeni millet*, la nation traîtresse arménienne, passe pour une victime, de malheureux innocents que nous prenons plaisir à pourchasser. En condamnant à mort les insurgés, nous conforterons l'Europe dans sa vision. En revanche, en leur accordant la liberté, Votre Grandeur apparaîtra pour ce qu'elle est en réalité : un être bon, noble et généreux.

Le silence retomba. Abdül-Hamîd récupéra un mouchoir de lin blanc de sa poche et, avec la délicatesse d'une femme qui se poudre, tapota ses joues et son front.

De longues minutes s'écoulèrent. Il annonça soudain :

— Allah a renvoyé, avec leur rage, les infidèles sans qu'ils aient obtenu aucun bien, et Allah a épargné aux croyants le combat.

Kadir Pacha et le grand vizir restèrent silencieux. Ce n'était pas la première fois que le sultan citait un verset du livre sacré qu'il faisait suivre généralement d'un exposé. Ils guettèrent donc la suite.

— Très bien ! Que les infidèles partent donc ! Vous transmettrez notre bon vouloir aux chancelleries. Mais précisez bien à ces messieurs que si, par malheur, l'un de ces renégats remettait le pied sur notre sol, nous ferons rouler sa tête dans la poussière et nous l'exposerons sur la place publique. Précisez-leur aussi que, s'ils étaient disposés à accueillir dans leurs pays la totalité de ces mécréants, c'est le cœur sur la main que nous leur ouvrirons nos portes. Tous ! Qu'ils s'en aillent !

Le sultan posa les bras sur les accoudoirs de son fauteuil, avant de poursuivre :

— Désormais, la vision du monde qui était celle de mes prédécesseurs et qui a prévalu jusqu'à nos jours n'est plus la nôtre. Nous nous sommes fourvoyés, victimes de notre trop grande tolérance. Le projet de créer une nation ottomane en accordant à tous les musulmans et non-musulmans les mêmes droits, cette idée a échoué. Pour preuve, elle n'a pas empêché la dislocation de notre Empire. Aujourd'hui, il est nécessaire de se fonder sur un autre principe.

Le sultan laissa planer un instant le silence et :

— Ce principe sera l'islam.

Une pause encore, puis :

— Un islam qui rendra l'espoir à des populations que les témoignages décrivent en proie à un immense désarroi. Ainsi, nous tirerons les conséquences du nouvel équilibre démographique qui a fait de l'Empire un État majoritairement musulman. En tant que calife, ne possédons-nous pas un pouvoir spirituel sur l'ensemble des musulmans, et pas uniquement sur ceux qui peuplent l'Empire ? Notre stratégie nous permettra d'enrayer ce maudit mal que l'on appelle « nationalisme » et qui pourrait bientôt gagner toutes les provinces arabes qui sont encore sous notre tutelle et déclencher des mouvements séparatistes. Il ne vous a pas échappé que des signes avant-coureurs étaient apparus tant à Alep qu'à Bagdad. Des voix s'élèvent qui appellent les populations arabes à secouer ce qu'elles nomment le « joug ottoman ».

Abdül-Hamîd s'épongea à nouveau, cependant que les deux pachas restaient pendus à ses lèvres.

— Oui. L'islam est notre seul recours. La survie de l'Empire est liée à l'alliance sacrée des croyants. Je pense en particulier aux communautés qui vivent dans la péninsule Arabique aux alentours des Villes saintes. C'est pourquoi j'ai l'intention de réaliser un projet d'une grande ampleur : la construction d'une voie de chemin de fer qui reliera ces villes, de l'Arabie au Hedjaz. De la sorte, nous contrôlerons beaucoup mieux ces régions et nous éviterons qu'elles ne deviennent un jour le foyer d'un État arabe dont le souverain pourrait se prévaloir du titre de calife. Ai-je été clair ?

Kadir Pacha se hâta d'acquiescer. Le grand vizir fit de même, mais s'autorisa une question :

— Votre Grandeur, votre projet est admirable. Toutefois, comment financerons-nous une entreprise aussi colossale ? Les caisses de l'État…

— Que faites-vous des musulmans du monde entier ? Croyez-vous qu'ils refuseront de s'associer à un tel projet ? Non. Ils accepteront.

Mehmet Saïd dut convenir qu'il était fort probable que le sultan vît juste. En revanche, il doutait fort que l'idée d'un islam réunificateur trouvât un écho au sein de la population turque.

Un nouveau silence s'instaura. Abdül-Hamîd rangea son mouchoir dans sa poche. Comme d'habitude, en fin de journée, il le ferait brûler. D'un revers de la main, il indiqua que la réunion était terminée.

Alors que les deux hommes allaient franchir le seuil, il lança :

— *Sözü bulunamadı eytan* !

Ce qui signifiait ni plus ni moins que : « Qu'ils aillent au diable ! »

Banque impériale ottomane, 28 août, 13 h 30

Le hall empestait la sueur, à quoi s'ajoutait une odeur âcre d'urine – les latrines étant bouchées depuis la veille.

À bout d'arguments, Alexandre Maximoff, le drogman de la chancellerie russe, lança à Gaston Auboyneau :

— Monsieur, sachez que la mission de négociateur dont on m'a chargé a atteint ses limites !

Il enchaîna, à l'intention d'Armen Garo et d'Hovanès Tomassian :

— Je regrette d'avoir à vous le dire, mais votre obstination est suicidaire. Vous allez tous mourir !

Hovanès répliqua avec indifférence :

— Parce que vous croyez que la mort nous fait peur ? Lorsque l'on n'a plus rien à perdre, qu'importe de mourir ?

— Mourez donc ! s'écria Auboyneau. Mais laissez vivre les autres. De quel droit vous permettez-vous d'entraîner dans votre folie cent cinquante personnes innocentes ? Croyez-vous qu'une fois dans leur tombe ces victimes défendront votre cause ?

La voix du Français se radoucit, se fit presque suppliante :

— Je vous en conjure. Au moins, libérez ces malheureux.

— Il n'en est pas question ! Pas avant que le sultan et les puissances ne nous donnent satisfaction.

— Vous savez bien que c'est impossible ! On ne résout pas ce genre d'affaire sous la menace ! En revanche, soyez convaincus que nous ferons tout ce qui est en notre pouvoir pour influer sur la Sublime Porte. Je vous en prie, faites preuve de maturité.

— Ne me faites pas rire, monsieur, répliqua Armen Garo. Il y a plus de vingt ans, quatre mois avant le congrès de Berlin, un traité avait été signé à Yechilköy [1] entre les Russes et le sultan. L'avenir de mon peuple y était mentionné. On nous

_____
1. Connu sous le nom occidental de San Stefano.

garantissait la sécurité. On nous assurait que des inspecteurs étrangers et indépendants seraient mis en place dans les provinces pour mettre fin aux exactions dont nous étions victimes. Le résultat ? Des centaines de milliers de morts ! Si vous considérez que nous ne sommes que des enfants, alors souvenez-vous que le pire des sacrilèges est de faire à un enfant des promesses que l'on n'a pas l'intention de tenir. Non ! Le sultan doit satisfaire toutes nos exigences.

— L'une d'entre elles a déjà été acceptée. Vous avez l'assurance de repartir libre d'ici, et sain et sauf, ainsi que vos camarades. Connaissant l'intransigeance des autorités, je considère que c'est un miracle. Et dites-vous que, si vous entraînez dans la mort ces malheureux ici présents, c'est aussi votre rêve que vous assassinerez. Ne comptez plus que l'on s'apitoie sur votre sort, puisque du rang de victimes vous serez passés à celui de bourreaux.

Garo ouvrit la bouche pour protester, mais Hovanès Tomassian l'entraîna vivement à l'écart.

— Écoute-moi. Je crois que le Français a raison. Nous avons déjà obtenu quelque chose d'essentiel en attirant l'attention du monde sur notre cause. N'est-ce pas un premier pas ? Désormais, plus personne en Occident ne pourra dire : « Nous ne savions pas. »

— Mais...

— Attends, Armen ! Laisse-moi finir. On nous propose de nous rendre en France. Tu connais ce pays mieux que moi. Tu y as étudié. Tu sais ce qu'il représente. Il est notre symbole, celui de la liberté, de l'égalité et de la fraternité. C'est le pays de Saint-Simon ! Tu n'as pas oublié, n'est-ce pas ? Une fois sur place, nous trouverons certainement un soutien auprès de la gauche française et nous continuerons, encore plus efficacement peut-être, à faire entendre nos idées.

Armen Garo se mordilla la lèvre, l'esprit en proie à des pensées contradictoires.

Hovanès désigna les otages aux visages épuisés.

— Tous ces gens sont-ils responsables des crimes commis à l'encontre de notre peuple ? Nous savons, toi et moi, qu'aucune cause, si grande soit-elle, ne justifie que l'on tue un innocent.

Garo fut pris d'un immense sentiment de tristesse, à moins que ce ne fût du découragement. Il articula sur un ton résigné :

— Pardonne mon pessimisme, mais je ne crois ni au soutien de la gauche française ni à celui de personne sur cette terre. Hier, Hovanès, j'ai fait un cauchemar. J'ai vu mon père et ma mère attaqués par une bête immonde que je n'arrivais pas à identifier. On eût dit une immense araignée, mais avec des crocs de chacal. Hideuse. Elle crachait et vomissait. Je lui ai crié : « Qui es-tu ? » Sais-tu ce qu'elle m'a répondu ? « Mon nom est *Ay Yildiz*, l'Étoile de la Lune. » Elle s'est jetée sur mes parents. Elle les a déchiquetés. Tout autour, la foule se contentait de regarder. Sache qu'il en sera toujours ainsi, Hovanès Des peuples se feront massacrer, personne n'interviendra, jamais.

Avec une infinie lassitude, il dénoua son ceinturon alourdi de grenades et le posa sur le sol. Il fit de même avec son revolver, puis se dirigea vers Gaston Auboyneau et Maximoff.

— C'est bon, messieurs. Les otages sont libres !

Hovanès Tomassian resta immobile.

Dans sa tête résonnaient les mots de son ami : « Mon nom est *Ay Yildiz*, l'Étoile de la Lune. »

C'est ainsi que l'on surnommait le drapeau turc.

DIX-HUIT ANS PLUS TARD

5

Erzeroum, Anatolie orientale, 29 juin 1914

Un soleil éclatant avait eu raison des derniers nuages. Dans son triomphe, on eût dit qu'il dansait.

— Et voilà ! ronchonna Vahé Tomassian.

Assis dans le contre-jour, avec sa chemise à manches larges, son pantalon bouffant, son crâne coiffé d'une petite calotte verte, le septuagénaire faisait penser à une gravure. De sa main parcheminée et sèche qui tremblait un peu, il montra la crête enneigée du mont Palandöken.

— N'avais-je pas prédit qu'après déjeuner il ferait beau ?

— Tu l'avais dit, père, admit Achod tout en se renversant légèrement en arrière.

Il porta à ses lèvres une flûte à hanche de roseau. Un son grave et mélancolique traversa le salon qui servait aussi de salle à manger.

— C'est bien le moment de jouer du *doudouk,* grogna Vahé.

— Y a-t-il une heure pour en jouer ?

— Quelle question, mon fils ! Bien sûr ! Quand le soleil descend. Quand le cœur saigne, quand on a mal aux absents, quand l'âme va se briser. Alors, le chant du *doudouk* nous guérit. Autrement, il fait l'effet contraire.

À regret, Achod rangea la flûte dans son étui. Bien qu'il fût à la veille de fêter ses quarante ans, qu'il en imposât avec sa grande taille et ses traits taillés à coups de serpe, l'idée de contredire son géniteur ne l'avait jamais effleuré.

Il leva machinalement les yeux vers le plafond où était suspendu un imposant lustre Marie-Thérèse, orné de six branches blanches, mais dépourvu d'ampoules, et pour cause : il n'y avait pas d'électricité à Erzeroum, pas plus que dans le reste du *vilayet*. Mais ce lustre, qu'Achod trouvait non seulement inutile, mais hideux, Vahé y tenait comme à la prunelle de ses yeux et personne au monde n'eût osé remettre sa présence en question. Le vieil homme l'avait, paraît-il, acquis auprès d'un commerçant grec de Smyrne, lequel lui avait juré que l'objet avait appartenu à un prince russe, petit-fils de la Grande Catherine. Bien entendu, Vahé était le seul à croire à cette fable. De toute façon, à bien y réfléchir, ce lustre apportait une petite touche d'excentricité dans une maison d'apparence austère. Austère, mais cossue. Il n'était qu'à franchir le seuil pour comprendre que les Tomassian appartenaient à l'une des grandes familles d'Erzeroum. Trois chambres à coucher, une salle d'eau, une petite terrasse qui prolongeait le salon-salle à manger, une remise dans un jardinet. Mais le comble du luxe était un gramophone Berliner (autre achat dont se glorifiait Vahé), sans doute le seul de toute l'Anatolie, qui trônait sur un guéridon d'acajou. À l'image du lustre : il ne servait à rien puisqu'il n'avait fonctionné qu'un seul jour. Pendant près de sept heures, la famille et les voisins avaient eu droit à un air de Manon, *Ah ! Fuyez douce image*, interprété par un certain Tito Schippa. Finalement, au grand soulagement de tous (sauf de Vahé), le tourne-disque avait bien voulu rendre l'âme. Peu importe, il était là et ornait la pièce de son silence têtu.

En vérité, la grande différence entre la maison des Tomassian et celle des autres résidait dans l'absence de volailles, de vaches, de moutons ; ce qui n'était pas le cas de la très grande majorité des habitants d'Erzeroum d'origine modeste. Cette cohabitation entre humains et animaux était d'ailleurs loin d'être une sinécure, et pour cause : les fenêtres étaient rarement vitrées. On les recouvrait de papier huilé à l'approche de l'hiver, mais comme on se gardait bien d'ôter cette protection avant le retour de la belle saison, on imaginait aisément quelle sorte d'atmosphère régnait dans ces pièces calfeutrées.

— Ton père a raison, confirma une voix féminine.

Une silhouette gracieuse avait franchi le seuil. Elle portait un plateau de cuivre ciselé sur lequel étaient disposées deux minuscules tasses emplies d'un café épais, quelques *kourabiés*, de petits gâteaux fondants, et une blague à tabac.

Dans un froissement de cotonnade colorée, elle présenta le tout à Vahé.

Le vieil homme souleva une *kourabié* qu'il engloutit d'une bouchée, prit la blague à tabac qu'il posa sur ses cuisses.

— Anna, ma fille. Comment fais-tu pour le supporter ? Moi, j'ai dû me contenter de ce que le Bon Dieu et feu mon épouse m'ont donné. Tandis que toi, d'entre tous les prétendants du *vilayet*, tu l'as volontairement choisi pour époux.

— Que voulez-vous ? J'étais jeune. Et amoureuse.

— Amour et jeunesse. Le chaos ! L'amour sait tout, alors que la jeunesse ne sait rien. (Saisissant une tasse, il demanda dans la foulée :) Tu l'as bien sucré, n'est-ce pas ?

— Allons, père, après toutes ces années…

Elle parlait. Achod l'observait en silence. Après quatorze ans de mariage, il trouvait Anna, née Avakian, toujours aussi jolie. Pourtant, on ne pouvait pas dire que son physique répondait aux canons habituels de la beauté ; du moins tels qu'on les imagine. Sa bouche était trop large, ses sourcils trop épais, ses pommettes un peu trop saillantes, sa peau trop mate au goût d'Achod, mais elle possédait un charme et une richesse d'âme qui faisaient d'elle la plus belle des créatures. Ces vers, d'un poème de Sayat-Nova, chantèrent alors dans sa tête : *J'appelle Anna, mon rubis, importé des mines de Badechkhan.*

Il prit le café qu'elle lui tendait.

— Tu ne donnes pas de cours aujourd'hui ? s'enquit Vahé.

— *Hayr* [1], hier était le dernier jour de l'année scolaire.

— Dernier jour, premier jour, pour moi tous les jours sont pareils. Et la toiture de l'école ? Avez-vous reçu les fonds pour la réparer ?

— Pas encore. Mais une lettre de Nubar Pacha nous a assurés que l'argent n'allait pas tarder à nous parvenir.

— Est-ce vrai ce que l'on raconte ? Nubar aurait quitté Le Caire pour s'établir à Paris ?

— C'est exact. Il y a même transféré le siège de sa fondation.

— Dieu le bénisse ! Que serions-nous sans sa générosité ?

Les louanges de Vahé étaient en deçà de la vérité. Il y avait quelques années déjà que le personnage, né en Égypte et fils d'un Premier ministre, ne ménageait aucun effort pour soutenir ses compatriotes. Après avoir administré les chemins de fer égyptiens, il avait participé au développement de la banlieue d'Alexandrie et collaboré avec un homme d'affaires belge, le baron Empain, à la création de la ville d'Héliopolis, près du Caire. Dans la foulée, il avait fondé l'Union générale arménienne de bienfaisance et se battait pied à pied pour convaincre les puissances de la nécessité des réformes promises en faveur de ses frères naufragés en terre ottomane.

Le vieil homme contempla pensivement sa tasse où ne subsistait qu'un dépôt pâteux.

— Dis-moi, Anna, qu'est devenue cette sorcière dont j'ai oublié le nom et qui était capable de lire dans le marc ?

— Aïda ?

— Aïda.

— Vous avez donc oublié ? Elle est décédée. En février, cela fera trois ans.

Le vieil homme, qui avait roulé sa première cigarette, l'alluma.

— Tant mieux ! Elle ne prédisait que des calamités.

---

1. Père.

Anna parut surprise.

— Père a raison, nota Achod. Je ne l'ai jamais entendue dire que des horreurs. Elle avait même annoncé la mort de Raffi.

— Raffi, soupira Anna. Comment Dieu peut-il permettre que meurent des hommes comme lui ?

— Il était bien plus qu'un homme, renchérit Achod, c'était un écrivain de génie. Et ce n'est pas l'Arménien qui parle, mais l'instituteur. Vous ai-je dit que j'ai imposé la lecture du *Fou* à mes élèves ? Il…

Vahé lui coupa la parole

— On frappe !

— Ce doit être les enfants.

À peine Anna eut-elle ouvert la porte qu'un petit homme filiforme, d'une soixantaine d'années, déboula. Il était vêtu de l'uniforme des *zabtiehs* [1], un fusil Mauser en bandoulière.

— Catastrophe ! hurla-t-il tout en sueur et brandissant un journal. Catastrophe ! Avez-vous lu les dernières nouvelles ? C'est épouvantable !

— Que se passe-t-il ? s'alarma Vahé.

— Écoutez, mes amis, écoutez.

Avisant une chaise, Asim Terzioğlu s'y laissa choir et lut :

— « Avant-hier, 28 juin 1914, la ville de Sarajevo a été le théâtre d'un drame sanglant. Alors que l'archiduc, François-Ferdinand, héritier du trône d'Autriche-Hongrie, et son épouse morganatique Sophie Chotek, duchesse de Hohenberg, étaient en visite dans la capitale de Bosnie-Herzégovine, une bombe, lancée par un terroriste, a éclaté au milieu du cortège officiel. Après avoir miraculeusement rebondi sur la capote de la voiture occupée par le couple, l'engin a explosé sur le véhicule suivant, blessant gravement un officier et plusieurs personnes dans la foule. On aurait pu croire que le pire venait d'être évité. Hélas, peu de temps après, l'archiduc et

_____

1. Gendarme.

son épouse décidèrent de se rendre au chevet de l'officier blessé. Alors que leur voiture s'engageait dans une ruelle, un homme a surgi et tiré à bout portant sur le couple. L'archiduchesse a été tuée sur le coup, tandis que François-Ferdinand est décédé quelques minutes plus tard. L'assassin, du nom de Princip, a été incarcéré. Selon certaines informations, l'individu appartiendrait à une organisation secrète, La Main Noire qui prône la réunification des Slaves autour de la Serbie. Rappelons que, depuis six ans, la Bosnie-Herzégovine a été annexée par l'Autriche. Le gouvernement allemand a assuré l'Autriche-Hongrie de son soutien et lui a conseillé la fermeté. » *Bela* ! Catastrophe ! C'est une…

Vahé le coupa.

— Qu'est-ce que c'est que ce charabia ? Pourquoi parles-tu de catastrophe ?

Le Turc afficha une mine désespérée. Il dit à Achod :

— Je connais ton père depuis quarante ans, et il ne change pas. Rien de ce qui se passe en dehors d'Erzeroum ne l'intéresse. Le Prophète – béni soit son Nom – m'est témoin, ton père, Vahé *effendi*[1], vit seul au monde.

— C'est cela, c'est cela, ricana Vahé. Je reconnais bien là les calomnies de la vipère turque. Maintenant, si tu nous disais de quoi il s'agit ?

Asim prit le temps de lisser sa moustache roulée en pointe aux deux extrémités.

— La guerre ! La guerre ! Et nous, les Turcs, risquons de faire partie des premières victimes.

Le vieil homme apostropha son fils.

— Dis-moi qu'il radote ?

Achod secoua la tête gravement.

— J'aurais bien voulu. Hélas, je crois qu'il dit vrai. Cet incident pourrait effectivement mal tourner. Il n'est pas

---

1. Seigneur, maître.

impossible que l'Autriche profite de cette occasion pour lancer des représailles contre la Serbie. Dans ces conditions…

— L'Autriche ! La Serbie ! Et alors ? Qu'ils s'étripent ! Pourquoi serions-nous concernés ? Hein ?

— Non, père, cette guerre-là, si elle devait éclater, risque de mettre le feu à toute la région. Voire au monde entier.

— Parce qu'un homme a été abattu ? se récria Anna. Tout archiduc qu'il est, paix à son âme, ce n'était qu'un homme.

— Elle a raison, assura Vahé, cette affaire ne nous concerne pas.

— Vous vous trompez.

Le vieil homme croisa les bras.

— Parfait. Monsieur l'instituteur, explique-nous. Mais, de grâce, sans utiliser, comme tu en as l'habitude, des phrases d'érudit. Tout le monde sait que tu as lu des livres. D'accord ?

Achod plaça ses deux paumes face à face, comme pour figurer deux blocs.

— Ma main droite représente les Autrichiens, alliés à l'Allemagne et à l'Italie. Ma gauche, les Russes, les Français et le Royaume-Uni ; les Russes – et c'est un point important – se considérant aussi comme les protecteurs des Serbes. Si, demain, l'Autriche entrait en guerre contre ces derniers, il y a toutes les chances pour que le tsar s'interpose. Et s'il s'interpose, alors, par le jeu des alliances (ses mains se transformèrent en deux poings qu'il entrechoqua), l'Europe entière deviendra un brasier.

Il prit une brève inspiration avant d'ajouter :

— Asim a parlé de ses compatriotes qui risquent d'être entraînés dans la tourmente, mais il a négligé de mentionner que les portes de l'enfer pourraient s'entrouvrir aussi pour nous, les Arméniens.

Le Turc blêmit :

— Crache de ta bouche ! Il ne vous arrivera rien. Le gouvernement sera bien trop occupé à défendre le pays.

Vahé inhala une bouffée de tabac.

— C'est juste. D'ailleurs, pour quel motif serions-nous impliqués dans ce méli-mélo ?

— Parce que l'Histoire a démontré que chaque fois que ce pays est entré en guerre il s'est retourné contre nous, les Arméniens, obsédé par la crainte que nous le poignardions dans le dos. Rien ne prouve que demain, mettant à profit le désordre général, ils n'achèvent le travail commencé au temps d'Abdül-Hamîd.

— Crois-tu que Mehmet V serait aussi démoniaque que son prédécesseur ? (Il exhala une bouffée qui resta en suspens dans la lumière crue de la pièce.) Je ne veux pas l'imaginer.

Un silence tendu se fit. Asim Terzioğlu fixait la crosse de son Mauser avec une expression pensive. Dehors, le vent s'était levé.

Anna annonça soudain :

— Je vais aller chercher les enfants.

Vahé avait baissé la tête. Il ne somnolait pas. Sa mémoire remontait le temps : 28 août 1896. Comment eût-il pu oublier cette date ? C'était peu après l'attaque de la Banque impériale ottomane. Ce jour-là, les quinze *fedaïs* rescapés marchaient, tête haute, le long du quai, prêts à embarquer pour la France. Parmi eux, il y avait bien sûr Armen Garo, mais surtout il y avait Hovanès. Hovanès Tomassian. Jamais Vahé n'aurait pu imaginer que son fils, si jeune alors, se serait laissé entraîner dans une pareille aventure ! Prendre des innocents en otages ? Risquer sa vie ? Avait-il seulement songé un instant au chagrin qu'il causait à sa pauvre mère ? Le fou ! Et pourtant, Vahé était forcé de reconnaître que ce matin-là, en le voyant défiler parmi ses camarades, une émotion l'avait envahi qui ressemblait fort à de la fierté. Vers midi, sous la protection de saint Mesrop, tous les insurgés avaient pris place à bord de *La Gironde* et le navire les avait emportés.

Après ces journées tragiques, on aurait pu penser que l'heure serait à la paix. Il n'en fut rien. Dans les jours qui suivirent, le Sultan rouge donna le signal de l'hallali. La chasse aux Arméniens fut déclarée ouverte. On s'était mis à les traquer armés de gourdins à tête de métal, dans les ruelles de Constantinople, les venelles, dans le Bazar égyptien, dans les parcs et aux portes des églises. Têtes éclatées, nuques brisées. Sept mille morts ! Si les Occidentaux n'avaient sérieusement menacé d'intervenir pour que cesse la boucherie, qui sait combien de victimes il y aurait eu encore ? Ensuite, le calme était revenu. Quelques années de tranquillité toute relative.

Est-ce la douleur de l'absence qui avait lentement usé le corps de Mariam ou la lassitude devant tant de détresse ? Comment savoir ? L'épouse de Vahé s'était laissée mourir lentement. Informé de son état, Hovanès n'avait pas hésité. Bien que conscient des risques qu'il prenait en rentrant en Turquie, il avait embarqué sur le premier bateau en partance pour le Bosphore. Hélas, trop tard. Il était arrivé à Erzeroum le 28 août 1906. Sa mère était morte le 27.

L'Histoire a démontré que chaque fois que ce pays est entré en guerre il s'est retourné contre nous, obsédé par la crainte que nous le poignardions dans le dos. Rien ne prouve que demain, mettant à profit le désordre général, ils n'achèvent le travail commencé au temps d'Abdül-Hamîd.

Et si son fils avait raison ?

Comme s'il avait deviné la désespérance de son ami, Asim Terzioğlu se leva et lui prit la main.

— Ne t'inquiète pas, Vahé Tomassian, mon frère. Tu me connais. Pour un rien, je m'alarme. La politique, tu sais… C'est de la foutaise. Tous ces gens nagent dans la même mare. Les Russes, les Autrichiens et le reste du monde. Une guerre n'arrangerait personne. Regarde-moi. (Il bomba le torse fièrement). Ne suis-je pas toujours le *zabtieh* le plus gradé de tout le *vilayet* ? Moi vivant, personne n'osera vous approcher.

Vahé ouvrit les yeux.

— De *tout* le *vilayet* ? Tu n'exagérerais pas un peu ?

— Et alors ? Tu ne trouves pas qu'Allah lui-même exagère parfois ?

Le vieil homme sortit d'un coup de sa torpeur et ordonna à Achod :

— Le *tavlou*[1], mon fils ! Va chercher le *tavlou*. Je tiens à donner à cet infidèle une trempe dont il se souviendra !

Le vent était retombé.

En poussant un cri de fauve, Chouchane se jeta sur les épaules de son frère cadet et, avec la force du lierre, enserra ses cuisses autour de sa taille.

— Je suis la fille du tonnerre, vociféra-t-elle, et toi tu n'es que le cul d'une mouche ! Tu vas me le payer !

Accrochée au dos du garçon, l'adolescente se balança d'avant en arrière si violemment qu'Aram s'affaissa de tout son long sur l'herbe.

À califourchon sur ses reins, elle lui emprisonna la nuque.

— Et maintenant ? Qui de nous deux est Tigrane le Grand ? Qui ?

— Puisque je te répète que tu ne peux pas être roi ! Tu es une fille !

— Et alors ? Où est le problème ?

— Es-tu stupide ? Les filles rois, ça n'existe pas. Il n'y a que des reines !

— Une reine n'est que l'épouse du roi. Elle lui sert de décoration ! Tigrane n'était pas une fille.

Elle accentua sa pression et se fit plus menaçante.

— Très bien, dit-il de guerre lasse, j'achète ton titre.

— Il n'a pas de prix !

Il susurra :

_____

1. Appelé jacquet ou backgammon en Occident. *Tavli*, en Grèce, *tawla* ou *tawlé* dans les pays du Machrek.

— Ma part de *kadeifs* [1], ce soir.

De surprise, elle faillit desserrer son étreinte.

— Tu es sérieux ?

— Je ne mens jamais.

La fille se releva, libérant du même coup son captif qui s'ébroua comme un chat.

— Tu exagères, Chouchane ! Vraiment. Ce n'est pas parce que tu as deux ans de plus que moi que tu as le droit de me torturer !

— Deux ans et trois mois ! corrigea-t-elle. Je suis une femme !

— Une femme ? À quatorze ans ?

Il est vrai qu'avec ses cheveux noirs de jais flottant sur ses épaules, son corps aux formes déjà rondes et pleines, ses yeux en amande, sa bouche qui semblait un fruit rouge, elle se trouvait déjà sur l'autre versant de l'adolescence.

Le garçon fit une grimace qui ressemblait à du dédain et pivota sur les talons.

Au loin, le Palandöken et le Kargaparari s'étaient voilés d'une couleur mauve qui coulait vers la vallée.

Sans se soucier de sa sœur, Aram s'engagea sur le chemin de terre le long des eaux du Kara-Sou qui couraient vers l'Euphrate. Entre les figuiers aux feuillages immobiles se détachaient des moulins à farine et leurs roues à aube. Plus loin, sur une colline, l'ancien château byzantin.

— Attends-moi ! cria Chouchane.

Elle le rejoignit alors qu'il allait franchir un grand pont de pierre. Ils passèrent sur l'autre rive sans échanger un seul mot, et ce ne fut qu'en vue des vestiges de l'ancienne muraille seldjoukide que la jeune fille questionna :

---

1. Pâtisserie composée de pâte de cheveux d'ange, dorée au four et fourrée de noix et de pistaches, le tout arrosé de jus de citron et de sucre vanillé.

— Tu crois que l'oncle Hovanès sera rentré de la capitale ce soir ?

Son visage resta inexpressif.

— Il m'a manqué, reprit Chouchane. Il me fait rire avec sa manière de s'emporter pour un rien. Et puis, il sait tellement de choses. Il a vécu en France. À Paris ! Et toi ? Tu l'aimes bien, Hovanès ?

Comme il s'entêtait dans son mutisme, elle déclara d'une voix tranquille :

— Sais-tu ce que dit *medz baba*[1] ? Il dit : « Celui qui ne *sait* pas se fâcher est un imbécile, mais celui qui ne *veut* pas se fâcher est un sage. » Lequel des deux préfères-tu être ?

— Grand-père Vahé n'a jamais dit ces mots. Tu mens.

— Tu lui demanderas.

Aram questionna, comme si l'idée venait de surgir :

— À propos de l'oncle Hovanès, tu savais qu'il faisait partie d'une organisation secrète ?

Chouchane fronça les sourcils.

— Je sais qu'il est député au Parlement, à Constantinople. Ça n'a rien de secret.

— Si, si. Ils ont même un mot de passe. (Il chuchota :) le « tocsin ».

La jeune fille pouffa :

— N'importe quoi ! Il s'agit du parti Hentchak. Oncle Hovanès en est membre.

Aram eut l'air déçu.

— Mais alors, le « tocsin » ?

— Je n'en sais rien. Je crois que…

Elle se figea. Là, à quelques pas, elle venait d'apercevoir la silhouette élancée d'un jeune homme d'environ dix-huit ans. Il était assis sur le bord du chemin, tête baissée, tellement perdu dans ses pensées qu'il ne les entendit pas venir.

— Soghomon ! cria Chouchane.

---

1. Grand-père.

Sitôt le prénom prononcé, elle se mordit les lèvres. Ne lui avait-on pas répété cent fois qu'une jeune fille comme il faut ne doit *jamais* apostropher un garçon ?

Le jeune homme leva les yeux vers eux, comme tiré d'un brouillard.

— *Parev*, Soghomon, salua Aram.

— Bonjour.

Il ajouta à l'intention de Chouchane :

— Tu vas bien ?

Elle se sentit rougir et pesta intérieurement. Pourtant, ce n'était pas la première fois qu'elle croisait Soghomon Tehlirian. Le jour de leur rencontre, elle venait d'avoir douze ans. Il accompagnait son père en visite chez Vahé. Elle n'avait jamais su quand ni comment les deux hommes s'étaient connus. Mais il ne faisait pas de doute qu'ils étaient proches. Alors que les deux adultes discutaient, Soghomon et elle en avaient profité pour aller se promener le long de la rivière. Le garçon lui avait parlé de toutes sortes de choses, des sujets graves que l'on n'aurait pu imaginer dans la bouche d'un enfant de quinze ans. Et qu'il se fût adressé à elle avec le même sérieux que face à un adulte l'avait flattée ; après tout, elle n'était alors qu'une gamine. Ce n'était pas la beauté de Soghomon qui l'avait marquée à ce point, ni son visage d'ange, ni ses traits de prince, mais son regard. Un regard acéré, dense, qui pénétrait l'âme.

Au fil de leurs échanges, elle avait appris qu'il était né dans le village de Pakaridj, entre les *vilayet* d'Erzeroum et de Trébizonde, dans une famille arménienne protestante. Par la suite, pour des raisons qu'elle n'avait pas très bien saisies, ils avaient déménagé pour Erzindjan, une ville voisine d'Erzeroum. Lors de leur deuxième rencontre, qui remontait à huit mois, il lui avait confié son intention de partir un jour pour l'Allemagne, pour y faire des études de mécanique.

Puis s'était produit l'incident qui l'avait profondément traumatisée.

Alors qu'ils bavardaient paisiblement, Soghomon avait

poussé un cri, un cri terrible, un cri d'animal blessé et s'était écroulé, les yeux révulsés, le corps secoué de spasmes d'une extraordinaire violence. Éperdue, elle s'était agenouillée à ses côtés ne sachant que faire. Du sang s'était mis à jaillir de la bouche du jeune homme. Et elle en avait déduit qu'il se mordait la langue. Dans un état second, avisant un petit morceau de bois sec, elle était parvenue à le glisser entre les lèvres de Soghomon, puis entre les dents. Finalement, au bout d'une dizaine de minutes qui avaient paru dix siècles, les spasmes avaient cessé, Soghomon avait repris conscience et balbutié quelques mots d'excuse en se remettant sur pied. Apparemment, depuis deux ans, il souffrait d'une maladie mystérieuse que l'on appelait le « Grand Mal », mais lui dit qu'il ne fallait pas s'en inquiéter outre mesure. Les médecins lui avaient assuré que cette affection s'atténuerait avant de disparaître avec le temps.

Elle réussit enfin à bredouiller :

— Que fais-tu ici ?

— J'accompagne mon père. Il doit rencontrer des gens. Nous repartons tout à l'heure.

— Ton projet de voyage pour l'Allemagne ? Où en est-il ?

— Tu t'en souviens encore ?

Elle aurait voulu lui répondre qu'elle se souvenait de tout ce qui le concernait.

— Évidemment ! Ce n'est pas tous les jours que l'un des nôtres quitte le *vilayet* pour aller étudier à l'étranger. C'est une grande aventure ! Alors ? Tu pars ?

— Je pars en effet. Le mois prochain, je serai à Berlin.

— Pour combien de temps ? interrogea Aram.

— Un peu moins d'un an. J'espère être de retour au printemps. (Une ombre voila son visage.) Je n'ai aucune envie de m'absenter plus longtemps.

— Moi, à ta place, j'aurais été au contraire ravi de voyager !

— Je l'aurais été aussi, répondit Soghomon. Mais en d'autres circonstances.

Il se tut.

Chouchane avait compris. Il était – comme tous ici – inquiet pour l'avenir.

Il se mit à la dévisager tout à coup comme s'il la voyait pour la première fois.

— Tu as beaucoup changé, Chouchane.

Elle se sentit rougir à nouveau et se détesta. Dans l'esprit de Soghomon, que signifiait cette remarque ? Un compliment ? Une critique ? Une banale constatation ?

Comme s'il avait deviné ses interrogations, il ajouta :

— Tu es presque une femme à présent.

Elle respira un peu mieux.

— J'espère que tu nous écriras, dit-elle, tout en sachant qu'il aurait l'esprit bien trop occupé pour le faire.

À sa grande surprise, il le lui promit.

— Dès mon arrivée. Il faut que je file à présent. Mon père doit s'inquiéter. *Menak parov !* Salut !

Alors qu'il partait, elle demeura sur place, incapable de détacher de lui son regard, et fixa encore le chemin bien après qu'il eut disparu.

— Alors ? s'impatienta Aram. Tu viens ?

Un quart d'heure plus tard, ils entraient dans la ville. Ils prirent la direction du centre, marchant au plus près des murs de pierre et de boue séchée pour leur dérober un peu d'ombre. Une voix les héla tandis qu'ils arrivaient à hauteur d'une petite épicerie.

— Les enfants ! Vous direz à votre mère que j'ai une *pasterma* [1] dont elle me dira des nouvelles !

— Bien sûr, acquiesça machinalement Chouchane.

Mais à ce moment précis, elle se moquait bien de toutes les *pasterma* du monde.

----

1. Viande de bœuf séchée recouverte d'une pâte de cumin, préparée avec de l'ail, du sel et du paprika. Connue aussi sous le nom de « pastrami » ou « pastroumas » en grec.

Ils atteignirent une petite place où coulait une fontaine dans des senteurs de narguilé et de café. Des hommes aux traits lourds et burinés fumaillaient. Il n'y avait pas de femmes. Quelques chaises étaient retournées sur des tables vides. Dans le dédale des venelles, des échoppes, le soleil ménageait partout des contrastes de lumière et d'ombre, formait des zones de clair-obscur où le moindre recoin s'enrichissait de charmes mystérieux.

C'est au moment de bifurquer dans une ruelle aux cailloux brûlants qu'ils virent Anna qui venait à leur rencontre en faisant de grands signes.

Chouchane leva la main.

Ce n'était pas sa mère qu'elle saluait, mais le souvenir de Soghomon.

6

Constantinople, siège de la Grande Loge maçonnique
de Turquie, 30 juin 1914

Une peinture à l'huile, où figuraient l'équerre et le compas entrecroisés, trônait au fond de la grande salle de réunion.

Pour la trentaine de personnes rassemblées en ce haut lieu, ces deux instruments de mesure avaient une tout autre signification que celle que lui accordait généralement le commun des mortels : l'équerre figurait la rectitude dans l'action et l'équité – l'action de l'homme sur la matière, mais aussi celle de l'homme sur lui-même ; le compas représentait l'image de la pensée dans les différents cercles qu'elle parcourt. L'angle d'écartement des branches ne devait en aucun cas dépasser quatre-vingt-dix degrés ; une façon comme une autre de rappeler que l'être humain avait ses limites.

Sagesse et mesure.

Deux vertus qui n'étaient probablement pas le fort du personnage assis au premier rang : Mehmet Talaat Pacha, premier vénérable maître en chaire, mais aussi ministre de l'Intérieur de Turquie et secrétaire général du comité Union et Progrès, l'*Ittihad*, le parti des Jeunes-Turcs, au pouvoir depuis cinq ans.

Ceux qui connaissaient l'homme ne pouvaient que s'interroger sur les raisons qui l'avaient amené à rejoindre, une dizaine d'années plus tôt, la franc-maçonnerie institution pourtant réputée pour son opposition à toute discrimination

En vérité, les vrais motifs de son adhésion remontaient à l'époque où, à Salonique, Talaat occupait la fonction de ministre des Postes et Télégraphes. C'est dans cette ville qu'il avait eu l'occasion de croiser les fondateurs du comité Union et Progrès. Or tous, sinon la plupart d'entre eux, appartenaient à la loge Macedonia Risorta, dépendante du Grand Orient de France. Les formalités d'admission au parti s'inspiraient d'ailleurs du rituel maçonnique.

Très vite, Talaat en était venu à partager le même constat que les jeunes militants : le gouvernement d'Abdül-Hamîd avait échoué sur toute la ligne. Il devenait urgent de le remplacer par du sang neuf. Dès lors, quoi de plus naturel que de rejoindre les révolutionnaires au sein de la franc-maçonnerie ? « Oui, se plaisait-il à proclamer, je suis maçon ! J'ai accepté la franc-maçonnerie pour aider au bonheur de l'humanité ! » Après tout, cet homme qui appartenait à une famille de *dönmes*[1] n'en était pas à un reniement ni à une profession de foi près.

Pour l'heure, le bonheur de l'humanité consistait à tenir le pays d'une main de fer.

D'un geste vif, il tira une *Murad* d'un étui au couvercle de nacre qu'il fixa délicatement à l'extrémité d'un fume-cigarette et attendit Dieu sait quoi avant de se décider à l'allumer. Sans doute s'efforçait-il de pondérer sa consommation de tabac, car jamais il n'avait tant fumé que depuis ces dernières semaines.

— Je vois que tu résistes, le taquina son voisin, Ismaïl Enver Pacha, ministre de la Guerre et franc-maçon de plus longue date encore que Talaat. Un être tout en paradoxes. Un beau visage aux traits réguliers, une silhouette mince et vigoureuse, pas une seule ride sur ce visage de trente ans, véritable masque qui ne trahissait ni ses émotions ni ses pensées.

---

1. Groupe religieux d'origine juive, converti à l'islam au XVIIe siècle. Les termes *Selanikli* (ceux qui sont de Thessalonique) ou Sabbatéens (du nom de Sabbataï Tsevi, leur inspirateur) sont également utilisés.

Il y avait même quelque chose de délicat, presque d'efféminé chez le personnage. En fait, rien ne transpirait qui pût révéler sa véritable nature : un caractère implacable doublé d'une ambition démesurée. Ses amis avaient d'ailleurs coutume de l'appeler « Napoleonik », le petit Napoléon, surnom qui symbolisait bien ses prétentions. D'ailleurs, chez lui, deux portraits étaient accrochés en bonne place : celui du vainqueur d'Austerlitz et celui de Frédéric le Grand ; ses deux modèles. Il aimait sans doute à penser que l'existence lui réservait une destinée comparable à ces deux hommes d'État.

Là-bas, au fond de la salle, un homme se livrait à un exposé sur le thème des libertés de la presse et de ses conséquences sur la politique.

Enver Pacha chuchota :

— Ce cher Karim Bey est toujours aussi assommant...

Talaat ne glosa pas. Pourtant, il aurait pu faire remarquer à son collègue que la rhétorique n'était pas non plus son point fort. Il lui était même arrivé de somnoler en écoutant les discours d'Enver. Mais trop de liens les unissaient ; leur appartenance à la franc-maçonnerie et au même parti n'était pas des moindres.

Brusquement, il jeta un coup d'œil sur sa montre.

— 10 heures. Nous allons être en retard.

Une forte odeur d'huile de sésame les prit à la gorge alors qu'ils montaient dans une berline. Talaat ordonna au cocher de rabattre la capote à soufflet et ordonna : « Yildiz ! » Le fouet fendit l'air. Suivi par des regards respectueux et craintifs, l'équipage remonta au trot la rue Mouradieh avant de prendre la direction du quartier de Besiktas.

— Je me demande, s'interrogea Enver, comment notre ami Djemal Pacha va réagir lorsqu'il apprendra la nouvelle ?

— Mal, sans doute. Cependant, il n'a pas le choix. Il assumera.

Autour d'eux, la foule dense dérivait sous un soleil de plomb. Femmes au pas lent, visages masqués derrière leur *tcharchaf*[1] noir ; femmes dévoilées, jambes nues ou en bas de soie ; Occidentales, Arméniennes, Grecques, tête couverte de fichus aux couleurs vives ; militaires en uniforme, Kurdes, Arabes, Circassiens, Turcs en costume trois pièces et col dur. Dans le lointain, vers la Corne d'or, s'éleva la sirène d'un vapeur ; c'était celle du *Khédival Mail*, qui effectuait la liaison Alexandrie-Constantinople. Pêle-mêle se confondaient les vieilles fontaines taries et les boutiques de *muhallebici* qui proposaient leurs indigestes desserts à base de gelée, de farine de riz et de lait.

Je veux jeter le feu dans le paradis et verser de l'eau dans l'enfer pour que ces deux voiles disparaissent, et que l'on voie clairement qui adore Dieu par amour et non par crainte de l'enfer ou par espoir du paradis.

Pourquoi, en ce moment, revenaient à l'esprit de Talaat ces propos qu'une légende attribuait à une sainte de la secte des soufis de Bassora ? Décidément, le cerveau avait de ces cheminements ! Il passa lentement son index le long de son front comme s'il cherchait à en chasser les rides de sa récente quarantaine et ordonna :

— Plus vite, cocher !

Erzeroum, au même instant

Assis par terre, Aram observait attentivement son père, torse nu, en train d'affûter la lame de son rasoir droit sur une courroie de cuir.

— Qu'as-tu à me regarder de la sorte ? demanda Achod. Ce n'est pas la première fois que je me rase.

— J'observe, c'est tout. Pour apprendre.

— Apprendre ? Tu as tout le temps, mon fils. Si tu savais comme il est ennuyeux d'avoir à se raser tous les jours.

---

1 Voile.

— Alors pourquoi ne te laisses-tu pas pousser la barbe ? L'oncle Hovanès dit que la barbe est le commencement de la sagesse.

— Tu rappelleras à ton oncle notre dicton : « Si derrière toute barbe il y avait de la sagesse, alors toutes les chèvres seraient des philosophes. » D'ailleurs, où est passé mon frère ? Je ne l'ai pas vu ce matin.

— Je l'ai entendu sortir. L'aube était à peine levée. Il a dit qu'il avait besoin de se retrouver seul pour méditer. C'est le mot qu'il a utilisé : « Méditer. » Il m'a expliqué que cela signifiait « réfléchir ». J'ai trouvé que c'était normal.

— Normal ?

— Hovanès est quelqu'un d'important, non ? Un député, c'est important. Surtout un député arménien.

— C'est exact. Mais je ne vois pas en quoi il est *normal* qu'un homme, si important soit-il, se lève aux aurores ?

— Parce qu'il doit réfléchir plus que les autres. Sinon, il ne serait pas devenu important.

Achod fut à deux doigts de dire à son fils que, si l'importance d'un être se jugeait au temps qu'il consacrait à réfléchir, il y a longtemps que lui, Achod, eût été la personne la plus en vue de Turquie. Depuis quelques jours, son esprit n'arrêtait pas de tourner comme un moulin. Bien sûr, Asim Terzioğlu avait essayé de les rassurer. Le brave *zabtieh* avait parlé en homme de cœur. La raison, elle, était moins magnanime. Que deviendraient-ils si, comme Achod le pressentait, la guerre éclatait ? Y avait-il espoir que les autorités ottomanes se désintéressent du sort des populations arméniennes ? L'attitude des Jeunes-Turcs ne plaidait guère dans ce sens. Leur manière de se comporter dans un passé pas si lointain n'augurait rien de bon.

Lorsqu'en avril 1909, dans un ultime sursaut, alors qu'il était aux portes de l'exil, Abdül-Hamîd avait déclenché en Cilicie, à Adana en particulier, une nouvelle série de massacres qui avait fait plus de vingt-cinq mille morts, le CUP, le comité

Union et Progrès, s'était muré dans le silence. Pas une voix ne s'était élevée contre ce dernier acte voulu par un esprit malade. Il y avait là un grand sujet d'inquiétude. Si les choses tournaient mal, que faire ? Partir ? Mettre sa famille à l'abri. C'était une solution. Mais leur accorderait-on la permission de quitter le pays ? Et partir pour où ? Achod ne voyait qu'une seule destination : la France. Hovanès y avait vécu durant son exil. Il saurait le conseiller.

— *Hayrig*[1] ?

— Oui ?

— Tu ne te rases pas ?

— Si, si, bien sûr.

Comme pris en faute, Achod étala rapidement la mousse sur ses joues et saisit son rasoir.

L'enfant reprit :

— Tu es inquiet, n'est-ce pas ?

— Inquiet ? En voilà une drôle d'idée !

— Ne me dis pas non. Je t'ai entendu hier soir quand tu parlais avec l'oncle Hovanès et grand-père.

Achod croisa le regard de son fils dans la glace.

— Aram, ce sont des discussions de grandes personnes. Et parfois, les grandes personnes parlent pour ne rien dire. Maintenant, sors d'ici et laisse-moi me raser.

La dernière phrase avait été prononcée sur un ton neutre, mais cela suffisait. Au moment de quitter la salle d'eau, le garçon questionna :

— Peux-tu me dire ce que signifie le « tocsin » ?

Le rasoir d'Achod resta en suspens.

— Le « tocsin » ?

Aram opina.

— J'ai posé la question à Chouchane. Elle n'a pas su me répondre.

— Je vois. Décidément, ta sœur et toi avez de drôles de

---

1. Père.

discussions. Le « tocsin ». C'est le nom du parti Hentchak, traduction du mot *Kolkol* qui est le titre d'une revue révolutionnaire publiée en Russie. Maintenant, tu veux bien me laisser ?

Constantinople, 11 h 30, hammam du palais de Yildiz

De fines gouttelettes d'eau suintaient le long des murs de la salle de sudation immergée dans des volutes de vapeur ascendante qui transformaient chaque silhouette en ombre fantomatique.

Nu, comme Allah l'avait créé, Talaat Pacha s'abandonna à cet instant de volupté où le corps, dans une torpeur humide, ne s'appartient plus. Il resta plongé dans le silence, yeux clos, mains croisées sur son ventre ourlé de gras, l'esprit loin de tout. Si loin qu'il n'entendit même pas l'appel à la prière qui résonnait du haut de la mosquée Mecidiye toute proche.

Une vingtaine de minutes s'écoulèrent. Il se décida à se lever dans un frémissement de vapeur, s'enroula la taille dans une serviette et passa dans la salle voisine où l'attendait la fraîcheur. Avec sa mâchoire carrée, ses lèvres charnues surplombées d'une épaisse moustache noire, son physique trapu, il faisait penser à un lutteur forain.

Il chercha des yeux son ami Ismaïl Enver et l'aperçut assis sur l'un des divans, qui devisait avec Djemal Pacha, le ministre de la Marine.

Talaat s'approcha et salua Djemal en effleurant de sa main son cœur, sa bouche et son front.

— Que ta journée soit de jasmin.

— Et la tienne de miel. Comment te portes-tu, mon ami ?

— Grâce soit rendue au Miséricordieux.

Talaat désigna le grand bassin empli d'eau qui ornait le centre de la salle.

— Froide ?

Enver Pacha plaisanta :

— Je vois que notre ministre de l'Intérieur est toujours aussi frileux.

— Et notre ministre de la Guerre, toujours aussi impertinent.

Le sourire d'Enver se transforma en éclat de rire.

— En vieillissant, l'impertinence est un luxe que l'on aurait tort de négliger !

— Tu parles de vieillesse, s'étonna Talaat, alors que tu n'as pas trente ans ? C'est inquiétant, mon ami.

— As-tu oublié qu'en novembre passé nous avons fêté mes trente-trois ans ? C'est un début.

Djemal observa :

— J'en ai dix de plus que toi, mon cher. Et je ne me suis jamais senti aussi jeune.

— Tant mieux pour ta femme, ironisa Enver.

Le ministre de la Marine fit mine de n'avoir pas entendu. Il n'appréciait pas l'humour salace de son collègue et, si ce n'était la position prédominante qu'il occupait, il ne se serait pas privé de le lui faire remarquer. Hélas, le récent mariage d'Enver Pacha l'avait rendu intouchable. En épousant Nadjié, la propre nièce du sultan Mehmet V, il était entré dans le cercle très fermé de la famille impériale et, à moins d'avoir perdu la tête, pas un seul homme sensé n'eût osé le défier. Il y avait aussi un autre élément qui n'était pas pour rapprocher les deux hommes. Ahmed Djemal était francophile et parlait couramment le français. Enver, lui, n'avait d'yeux que pour l'Allemagne. Un enthousiasme qui remontait au temps où le futur ministre de la Guerre accomplissait sa formation militaire au sein de la Garde prussienne. Aujourd'hui, le kaiser et Enver étaient si proches que les autorités allemandes n'hésitaient plus à parler d'*Enverland* pour désigner la Turquie !

Djemal ravala sa frustration et préféra s'adresser à Talaat.

— Tes ordres ont été exécutés. L'ensemble des forces maritimes qui sont sous ma responsabilité ont été placées en état d'alerte.

— Tu as bien fait, Djemal. On n'est jamais trop prudent.

Le ministre de l'Intérieur frappa dans ses mains.

Un masseur traversa la salle à toute allure.

— Ordonne, seigneur !

Le *tellak* tremblait un peu, ce qui était bien compréhensible. Il était à un souffle des trois personnalités les plus redoutées de l'Empire. Dans sa toute-puissance, ce trio infernal avait réussi à réduire le rôle du sultan Mehmet V à celui de Hacivat, la piteuse figurine du théâtre d'ombres qui, avec son compère Karagöz, faisait la joie de la population. Eût-il tenté de relever la tête qu'aussitôt les trois pachas l'auraient rappelé à l'ordre en brandissant le souvenir de ses deux frères emprisonnés. Certes, ils ne détenaient tout de même pas le pouvoir absolu, car les rivalités au sein de leur parti et du gouvernement étaient grandes. Il n'en demeurait pas moins qu'avec un Parlement sans opposition et monocolore et une opinion publique muselée ils représentaient des pièces majeures sur l'échiquier politique.

Talaat s'était allongé sur un divan, offrant ses chairs molles aux mains expertes.

— Saviez-vous, questionna-t-il sur un ton détaché, que l'archiduc d'Autriche n'est mort que parce que son chauffeur s'est trompé de route ?

— Comment ? s'étonna Djemal.

— C'est la vérité. Après le premier attentat manqué, l'archiduc avait décidé de se rendre au chevet de l'un de ses officiers blessés. Le chauffeur s'est fourvoyé et a débouché dans une ruelle où – incroyable malchance – s'était réfugié un autre terroriste. Cette fois, le coup fut fatal.

— *Maktoub*, soupira le ministre de la Marine. Ce qui est écrit est écrit. Tout ce qui arrive à l'homme de déterminant, l'homme ne l'a jamais prévu. Seuls les événements mineurs et sans intérêt sont prévisibles.

— Tu n'as probablement pas tort, concéda Enver.

Ce dernier avait compris que le sujet que venait d'aborder son collègue de l'Intérieur n'était pas fortuit. Depuis le temps qu'il le côtoyait, il savait par cœur les stratagèmes dont Talaat usait pour conduire ses interlocuteurs là où il le souhaitait. Au dernier moment, il porterait l'estocade. Elle n'allait pas tarder.

— Vous êtes conscients, reprit Talaat, que la guerre est à nos portes et elle sera, n'en doutons pas, une guerre du tout ou rien. Une question se pose : dans quel camp décidons-nous de nous ranger ?

La réponse, Enver la connaissait déjà, comme la connaissait celui qui avait posé la question. Djemal, seul, en imaginait une autre, c'est pourquoi il eut l'air décontenancé.

— Notre choix n'a-t-il pas déjà été déterminé ? Ne l'ai-je pas moi-même anticipé, avec votre accord, en proposant à la France de signer un traité d'alliance en bonne et due forme ? Oublierais-tu qu'il m'a été répondu que l'on se satisferait amplement de la neutralité de la Turquie ? Et que l'on nous presse même de nous décider dans ce sens.

Talaat se retourna sur le dos et congédia le masseur.

— Je sais, je sais. Toutefois, je reste perplexe.

— Pourquoi ? protesta Djemal. La sagesse nous souffle de nous tourner vers les puissances de l'Entente. Nous...

Ismaïl Enver l'interrompit sèchement :

— Les puissances de l'Entente ? La Russie, la France et l'Angleterre ? Ces nations qui nous ont mis à genoux et qui n'aspirent qu'à se partager nos restes ? En particulier cette Russie, qui n'a eu de cesse de piller notre terre ? Tu déraisonnes, Djemal.

Le ministre de la Marine se dressa :

— C'est toi qui déraisonnes ! En adoptant la position contraire, c'est précisément à notre ennemi de toujours que nous présenterons le flanc. Nous ne résisterons pas. Le Trésor est vide. Notre effectif militaire, épuisé par la guerre que nous avons livrée dans les Balkans, est réduit à moins de cinq cent mille hommes. Nos moyens de communication sont limités, les Alliés ont la maîtrise des mers, de la Méditerranée à la mer Rouge et d'une partie de la mer Noire. Nous ne résisterons pas !

— Erreur ! Grossière erreur. Nous résisterons si nous disposons d'un allié suffisamment puissant.

— Que veux-tu dire ?

Pour toute réponse, le ministre de la Guerre se contenta d'échanger un regard ambigu avec Talaat.

Djemal scruta les deux hommes avec une inquiétude soudaine.

— Que se passe-t-il ? Vous me cachez quelque chose.

Devant leur mutisme, il insista.

— Très bien, annonça Talaat d'une voix posée. Je t'informe que nous nous apprêtons à signer avec l'Allemagne un traité d'alliance défensive. En cas d'agression du tsar, elle sera ce puissant allié auquel Enver vient de faire allusion. De plus, le gouvernement allemand nous octroie une aide financière de 2 millions de livres.

— Un pacte ? Avec le kaiser ?

— Parfaitement. Nous tenions à ce que tu le saches.

— J'imagine que les discussions ne datent pas d'hier ?

— Elles ont commencé voilà plusieurs semaines.

— Et vous ne m'en avez rien dit ?

— Les Allemands ont exigé le secret absolu. Seul Saïd Halim a été tenu au courant.

— Le grand vizir ? Il savait, alors qu'il me laissait entreprendre des pourparlers avec la France ?

Talaat reprit la parole :

— Il semble que tu n'aies pas bien analysé la situation. N'oublions pas que le but de notre participation n'est pas seulement de nous sauver nous-mêmes du péril qui nous menace, mais que nous poursuivons un but plus important : l'accompagnement de notre idéal national. L'idéal national de notre peuple et de notre patrie nous pousse à écraser l'ennemi et à obtenir une frontière naturelle qui nous permettrait de nous unir avec tous nos frères de race. D'autre part, notre sentiment religieux nous commande de libérer le monde musulman de la domination des Infidèles.

L'incrédulité des premiers instants s'était transformée en consternation. Djemal se voûta.

— Vous avez perdu la tête…

— Ce n'est qu'un traité d'alliance défensive, rappela Enver.

— Mon cher, sache qu'un traité signé avec le diable, s'appelle une damnation. Qu'Allah protège la Turquie..

7

Erzeroum, 1ᵉʳ juillet, 13 heures

Dans un brouhaha de bazar, Anna posa le dernier plat sur la table. Il rejoignit les *beureks* au fromage, les *lahmadjoun*, les *soudjouks*, les *khorovadz* et autres mets qui embaumaient la pièce de senteurs épicées.

À la famille Tomassian réunie au grand complet s'étaient mêlés le *zabtieh*, son épouse Ajda et Nedim, leur fils aîné de vingt ans. Vahé présidait, Hovanès lui faisait face. L'allure de ce dernier offrait un contraste saisissant : costume trois pièces, cravate, col dur et mocassins soigneusement cirés. De sa poche poitrine jaillissait un mouchoir immaculé. Sur son crâne dégarni, ni bonnet et encore moins de fez. Dans ses gestes empreints de raffinement, on devinait celui qui a vécu long-temps dans un pays d'Europe, en France en l'occurrence. On était loin du *fedaï* qui, un jour d'août 1896, avait fait irrup-tion, arme au poing, dans la Banque impériale ottomane et tenu en respect sir Edgar et les autres. Après avoir déposé leurs quarante-cinq bombes et leurs onze kilos de dynamite, lui et ses dix-huit camarades rescapés avaient embarqué à bord de *La Gironde*. Une fois à Marseille, ils avaient été placés aux arrêts dans la prison Saint-Pierre, avant d'être relâchés au bout de quelques semaines. Quinze de ses compagnons avaient choisi de s'exiler en Argentine. Armen Garo ainsi que l'un de ses condisciples de l'École des mines de Nancy, Hratch

Kirakian, avaient préféré partir pour la Suisse, poursuivre des études de minéralogie. Pour Hovanès, demeurer en France était une évidence.

Bien sûr, il avait traversé des moments difficiles. Des temps âpres, immergé dans un univers où tout lui était inconnu. Néanmoins, à force de courage et de ténacité, il avait non seulement réussi à maîtriser admirablement le français mais, à l'instar de son illustre compatriote Nubar Pacha, il était parvenu à décrocher son diplôme de l'École centrale des Arts et Manufactures.

Les quelques années passées au sein d'une administration française lui avaient fourni l'occasion de fréquenter des membres de la communauté arménienne en exil et de sympathiser avec les idées de la Révolution française et les socialistes marxistes. De même avait-il eu l'opportunité de croiser des écrivains, comme Anatole France – qui n'avait pas hésité à qualifier ouvertement Abdül-Hamîd de « despote fou d'épouvante » – ou Alphonse Daudet ; Jean Jaurès, grand défenseur de la cause ouvrière, ou encore Georges Clemenceau, célèbre éditorialiste du journal *L'Aurore*. Tous, sans exception, étaient de farouches défenseurs de la cause arménienne. Des soirées entières, il avait écouté les récits enflammés d'étudiants grecs évoquant l'indépendance chèrement acquise de leur pays, les exploits de leurs héros qui avaient mené le combat avec la France pour idéal. Cette France si présente, affirmaient-ils, que l'un de leurs premiers nationalistes, Konstantinos Rhigas, avait pris pour hymne de son parti : « Allons enfants de la Grèce », calqué sur *La Marseillaise* révolutionnaire.

De jeunes Milanais lui avaient expliqué comment s'était formée l'Unité italienne et Hovanès s'était pris à rêver qu'un jour il serait Garibaldi. À la veille de ses trente-deux ans – il en avait aujourd'hui huit de plus –, il avait adhéré au parti Hentchak, d'obédience marxiste, fondé par un groupe d'étudiants arméniens genevois. En 1908, alors qu'une nouvelle ère s'ouvrait en Turquie grâce au putsch accompli par les Jeunes-

Turcs et aux perspectives d'instauration d'un régime constitutionnel et libéral à l'occidentale, Hovanès était revenu à Constantinople. Très rapidement, il avait été engagé au ministère des Travaux publics et s'était hissé au poste d'ingénieur en chef, succédant ainsi à un autre Arménien, Krikor Sinapyan. Un an plus tard, une fois Abdül-Hamîd banni du pays, il était entré au Parlement en même temps qu'une dizaine d'autres camarades parmi lesquels... son vieil ami, Armen Garo. Ce dernier, après avoir décroché un doctorat de physique et chimie à l'université de Genève et séjourné aux États-Unis, avait lui aussi décidé de retourner en Turquie. Récemment, il était question qu'il soit nommé assistant de l'un des inspecteurs européens (un Norvégien) chargés de veiller à l'application des mesures prévues par le comité Union et Progrès en faveur des minorités chrétiennes dans les sept provinces orientales. Mais cette nomination dépendait de Talaat Pacha en personne et le ministre ne s'était toujours pas prononcé.

Dans toute cette aventure, Hovanès était bien l'opposé de son frère cadet, Achod, qui avait toujours refusé de s'impliquer en politique ; l'opposé aussi de son père, pour qui les politiciens étaient les mêmes partout, capables de vous promettre de construire un pont même là où il n'y avait pas de fleuve. De ce parcours, s'il était une chose qu'il regrettait le plus, c'était de n'avoir pu être aux côtés de Mariam, sa mère, pendant ses derniers moments.

— Silence !

La voix de Vahé tonna dans la pièce.

Le vieil homme fit le signe de croix : le front, le thorax, l'épaule droite et pour finir, l'épaule gauche.

— Puissent saint Thaddeus, saint Barthélemy et saint Grégoire nous délivrer du mal et nous permettre de goûter dans la paix les nourritures qui nous sont offertes par le Seigneur. Béni...

L'appel du muezzin, venu du haut du minaret de la mosquée, couvrit partiellement le reste de sa phrase. Son visage s'empourpra. Il serra les dents et scanda : « Béni soit-Il pour tous ses dons ! Amen. »

Ce n'était pas la première fois que le septuagénaire manifestait sa contrariété à l'égard de celui qu'il appelait son « rival », Osman Bulut, le muezzin d'Erzeroum. Systématiquement, l'un des cinq appels à la prière coïncidait avec l'heure du déjeuner familial.

— À présent, mes enfants, proposa Anna, goûtez-moi ces *beureks,* vous m'en direz des nouvelles !

Alors que les mains plongeaient dans les plats, Vahé lança, l'œil noir :

— Cette mosquée, quelqu'un pourrait m'expliquer comment il se fait qu'elle tienne encore debout ? Elle a mille ans !

Asim corrigea timidement :

— Sept cents ans, m'a-t-on dit.

— Et alors ? Elle aurait dû s'écrouler cent fois, non ?

— C'eût été bien dommage, car nous aurions été obligés d'en construire une autre, qui aurait été certainement moins belle.

— En construire une autre ? Pourquoi ?

— Comment ? Selon toi, vous seuls, les Arméniens, auriez droit à des lieux de prière ? Je te rappelle que nous sommes tout de même plus de soixante-cinq mille musulmans à Erzeroum.

— Et nous, une misérable poignée de chrétiens, je sais.

— Trente-sept mille, c'est une poignée plus qu'honorable, nota Ajda, l'épouse du *zabtieh.*

— Soixante-quatorze mille, corrigea Asim, moqueur. Un Arménien vaut bien deux Turcs, non ? N'est-ce pas, Vahé *effendi* ?

Les enfants s'esclaffèrent.

Vahé décocha un regard faussement dédaigneux à Asim.

— Jette le chanceux dans la rivière, il en ressortira avec un poisson dans la bouche. Si seulement j'avais eu vingt ans de moins, tu aurais fait preuve de bien moins d'arrogance !

Dans la foulée, il brandit ostensiblement son verre de raki sous le nez du *zabtieh* :

— *Guénatz't baron*[1] Asim !

Le *zabtieh* leva à son tour son verre, mais rempli d'eau.

— À la tienne, Vahé *effendi* !

Il se pencha vers Hovanès.

— Alors, mon ami, combien de temps comptes-tu rester parmi nous ?

— Aussi longtemps que possible. On ne se ressource vraiment qu'auprès des siens.

— Tu parles d'or, approuva Vahé. Entre ton travail, le Parlement et tes réunions politiques, nous ne te voyons jamais ! Et le pire : tu n'as même pas eu le temps de prendre épouse !

Hovanès eut un petit rire et montra Anna.

— Est-ce ma faute si mon frère a pris la meilleure d'entre toutes ?

— Oui, grogna Vahé. Flatte, flatte…

— Et quelles sont les nouvelles de la capitale ? interrogea Asim.

Une moue désinvolte apparut sur les traits de l'Arménien.

— Les sept collines dominent toujours le Bosphore, la cathédrale de la Sainte-Sagesse ne s'est toujours pas remise d'être devenue une mosquée et le couchant sur la Corne d'or est plus resplendissant que jamais. Tu vois, rien ne change.

— D'accord. Mais je parlais du climat politique. A-t-on du nouveau ?

— Disons que l'atmosphère est assez tendue, les rumeurs de guerre en sont certainement la raison.

— N'aie crainte. La Turquie restera en dehors de tout cela. Les « trois pachas » ne sont pas complètement déraisonnables.

— De ta bouche aux portes du ciel, comme on dit. En

---

1. À ta santé, monsieur.

attendant, il est indispensable que nous, les Arméniens, adoptions une position claire.

— Que veux-tu dire ? questionna Achod.

— Si un ordre de mobilisation générale était décrété, serait-il légitime que nous nous dérobions à notre devoir ?

— Parce que, selon toi, nous devrions tous nous engager dans l'armée ?

— Rassure-toi, dit Hovanès, tu ne ferais pas partie du lot. La loi sur le service militaire prévoit des exemptions pour certaines professions ; celle d'enseignant en fait partie.

Asim fit remarquer :

— Ne perdez pas de vue non plus qu'en échange du *bedel*[1] une quarantaine de livres, je crois, n'importe quel individu peut être exonéré de servir dans l'armée.

— De toute façon, il me semble que la limite d'âge a été fixée entre vingt et quarante ans, précisa Hovanès. Mais comme je vous le disais, il est important que notre communauté se prononce clairement. Sinon, soyez sûrs que les autorités ne se priveront pas de nous accuser, une fois de plus, de trahison. Nous sommes convenus, avec le patriarche, Mgr Zaven Der-Yéghiayian, et Armen Garo de nous réunir à Galata pour débattre de la situation.

Vahé s'insurgea.

— Une réunion ? Pour débattre ? Débattre de quoi ? Ne savez-vous donc pas que si la Russie nous attaquait, vous trouveriez en face de vous des soldats qui sont de notre sang ? Ils sont des centaines de milliers d'Arméniens qui vivent depuis des décennies sous la tutelle du tsar. Eux aussi seront sous les drapeaux, mais dans le camp adverse. Vous voulez donc que des Arméniens tuent des Arméniens, leurs propres frères ? Auriez-vous perdu la tête ?

Une certaine tension s'instaura dans la pièce.

La voix du fils d'Asim s'éleva soudain :

---

1. Tribut.

— De toute façon, vous n'avez pas le choix. Vous devez vous battre à nos côtés et donner votre vie pour la Turquie Les Arméniens sont avant tout des citoyens turcs !

Asim observa le jeune homme avec consternation.

— De quoi te mêles-tu ?

— Qu'ai-je dit d'inconvenant ? En quoi les Arméniens sont-ils différents de nous ?

Le ton était farouche, presque agressif.

— Tu ne comprends rien ! Tu ne sais rien ! Ton cerveau est creux comme une outre.

Nedim haussa les épaules.

— Évidemment. Tu as toujours pris leur défense...

Le *zabtieh* bondit de son siège.

— Dehors ! Sors d'ici immédiatement !

— Calme-toi, Asim, implora son épouse. Ce n'est qu'un enfant, il ne sait pas ce qu'il dit.

— Celui qui ne respecte pas le toit qui l'accueille n'est pas digne d'y rester.

Il saisit son fils par le col de sa chemise.

— Dehors !

Nedim, le visage blême, se rua hors de la maison comme on fuit un incendie.

— Allons, Asim, intervint Anna, Ajda a raison. C'est un enfant.

— Être un enfant ne lui interdit pas d'avoir une âme et un cœur !

La voix du muezzin s'était tue.

— Père, puis-je quitter la table ? demanda Choucnane.

Achod examina sa fille avec étonnement. Une expression un peu triste avait envahi son regard. Il fit observer pour la forme :

— Nous n'avons pas fini de déjeuner.

— Je sais, mais je n'ai vraiment plus faim.

Il insista, toujours pour la forme.

— Ce n'est pas une raison.

— S'il te plaît. (Elle chuchota :) Il n'est pas bien que Nedim reste seul.

Un temps passa.

— Va donc. Mais sois ici pour le dessert.

— Laisse tomber ce mécréant ! vociféra Asim Terzioğlu. Il ne mérite pas que l'on s'intéresse à lui.

Elle était déjà sortie.

Vahé leva les bras au ciel.

— Tu as vraiment un foutu caractère, Asim ! Ton fils aime son pays et veut le voir défendu par tous ceux qui l'habitent. N'est-ce pas normal ?

— *Medz baba* a raison, dit Aram avec force. Si j'étais en âge, moi aussi je prendrais les armes contre les envahisseurs !

— Toi, menaça Anna, silence ! On ne se mêle pas de la conversation des grands. Compris ?

Dépité, le garçon happa une part de *lahmadjoun* qu'il avala d'une bouchée.

— Nedim ?

Le jeune homme, la tête obstinément tournée vers les montagnes, ne réagit pas.

Elle posa la main sur son épaule.

— Je comprends ta réaction. Mais il ne faut pas en vouloir à ton père. C'est notre ami. Il nous aime.

— Et moi, j'aime la Turquie.

— Et lui, il aime la Turquie *et* il nous aime. Est-ce incompatible ?

Il éluda la question.

— Ton père t'a-t-il jamais dit où il avait été muté, il y a une vingtaine d'années ?

Il répondit par la négative.

— Dans la ville de naissance du prophète Abraham. À Urfa. Tu venais à peine de naître. Estimant l'endroit peu sûr, il a préféré que ta mère et toi restiez à Erzeroum. À Urfa, ton père fut le témoin d'un événement qui l'a marqué à vie.

Venu de la vallée, un souffle chaud d'aromates sauvages roula sur le visage des deux jeunes gens.

Elle articula d'une voix calme :

— C'était en 1895. Un 28 décembre. Le soleil était à peine levé lorsque des escadrons de *hamidiés* déboulèrent dans la ville. Après avoir pris position devant le *gümrük hani*, le caravansérail des douanes, ils exigèrent que tout le bétail que possédaient les familles arméniennes leur soit remis. La demande était criminelle puisque ce bétail était leur seul bien. Ils supplièrent, protestèrent, les Kurdes restèrent intraitables. Alors tous les hommes en état de se battre prirent les armes. L'affrontement fut terrible. Il dura des jours entiers et des nuits. Finalement, à bout de force, à court d'eau et de nourriture, une délégation composée d'une dizaine de chefs de famille décida de se rendre auprès du *vali* pour implorer son soutien. Le gouverneur les écouta attentivement, donnant l'impression qu'il comprenait leurs doléances et qu'il était même disposé à y répondre favorablement. C'est au moment où ils allaient repartir qu'il donna ordre de les arrêter. On leur lia les poignets derrière le dos. On les aligna comme des bêtes, et on les fit mettre à genoux. Le gouverneur tira son yatagan du fourreau et récita un verset du Coran : « Accomplissez pour Allah le pèlerinage et l'*Umra*[1]. Si vous en êtes empêchés, alors faites un sacrifice qui vous soit facile. » Les dix émissaires eurent la tête tranchée.

Elle s'interrompit.

— Ensuite ? questionna Nedim, incrédule.

— Trois mille personnes environ, essentiellement des femmes, des vieillards et des enfants coururent se barricader

---

1. À la différence du « grand pèlerinage » (*Hadj*) qui se déroule dans un temps ou mois bien défini, l'*Umra*, « petit pèlerinage », n'est pas obligatoire et peut s'accomplir durant toute l'année.

dans l'église. Les Kurdes, assistés cette fois par des soldats turcs, encerclèrent le bâtiment et scellèrent la porte afin que nul ne pût ressortir. Ils entassèrent des bottes de paille contre les murs et sur le toit. Des cris montaient de la nef. Des cris d'enfants. Des cris de fin du monde. Il était une heure de l'après-midi. Deux heures plus tard, l'église n'était plus qu'une montagne de cendres.

— Ils… bredouilla Nedim, ils sont tous morts ?

— Les trois mille. Oui. Et le massacre se poursuivit encore et encore jusqu'au lendemain. Lorsque les *hamidiés* et les Turcs se retirèrent, cent vingt-six familles avaient été anéanties. Pas un bébé, pas un enfant, pas une femme n'avait survécu [1].

— Mon père faisait-il partie de ces criminels ? En faisait-il partie ?

— Dans les premières heures, oui. Il ne pouvait qu'obéir aux ordres. Ensuite, à la vue de tant d'horreurs, il fut pris de nausées et se mit à vomir jusqu'à en perdre conscience, accroupi devant l'église. Puis, dans un état second, il s'est relevé et a marché vers les collines en poussant des hurlements de bête, comme si c'étaient des membres de sa propre famille qu'on avait massacrés. Il n'a jamais oublié.

Une charrette, tirée par un cheval poussif, était apparue en contrebas. Tenant nonchalamment les rênes, le conducteur fredonnait une mélopée nostalgique, un chant millénaire qu'aurait peut-être entendu Ibrahim, l'Abraham de l'islam.

— Je ne me serais jamais imaginé… Pourquoi mon père ne m'a-t-il jamais raconté cette histoire ?

— Sans doute parce qu'un feu en éteint un autre. Des horreurs comme celle qui s'est déroulée à Urfa ont jalonné l'existence de mon peuple. Et ton père le sait. Peux-tu comprendre maintenant pourquoi il ne songe qu'à nous protéger ?

---

1. Le nombre exact des victimes est des plus approximatifs. La plupart des ouvrages mentionnent un chiffre entre six et huit mille morts.

Quitte à pardonner à certains Arméniens si ceux-ci refusaient de rejoindre vos rangs. Peux-tu comprendre ?

Le garçon ne dit rien, il courba la tête. Chouchane lui prit doucement la main et l'attira dans la maison.

Constantinople, siège central du comité Union et Progrès,
5 juillet 1914

Seule une petite lanterne en cuivre éclairait de sa lumière blafarde le numéro 12 de la rue Nuri-Osmaniye.

Une berline venait de stopper devant l'entrée. Un homme descendit, frappa trois coups. La porte s'entrouvrit. L'homme s'annonça d'une voix gutturale : général Liman von Sanders. Après avoir jeté un coup d'œil furtif par-dessus son épaule, il se faufila à l'intérieur.

Dans la salle où on l'introduisit, six personnes étaient réunies autour d'une immense table ovale. Von Sanders reconnut d'emblée quatre d'entre elles : Talaat Pacha, le baron Hans von Wangenheim, ambassadeur d'Allemagne, le colonel Cevad, gouverneur militaire de Constantinople, et Aziz Bey directeur de la sûreté générale au ministère de l'Intérieur.

Talaat se leva pour souhaiter la bienvenue au militaire et s'empressa de lui présenter les personnalités qui lui étaient inconnues : les docteurs Nâzim et Baheddine Chakir. Si Nâzim avait une allure quelconque, Chakir, lui, par la dimension extravagante de ses moustaches effilées, n'aurait pu passer inaperçu. Le général claqua des talons et prit place à côté du ministre de l'Intérieur, face à l'ambassadeur. Les yeux sombres qu'il posa sur ce dernier en disaient long sur le désagrément que cette réunion lui causait. S'il n'avait tenu qu'à lui, il y a bien longtemps qu'il eût plié bagage pour Berlin. Malgré tous ses efforts, l'aristocrate prussien qu'il était n'avait jamais réussi à ressentir d'affinités pour ce pays, non plus que pour ses actuels dirigeants. Il avait très vite compris que Talaat n'était qu'un vulgaire arriviste doublé d'un dangereux mégalomane et se demandait encore pourquoi, un an plus tôt, le haut commandement avait décidé de le nommer, lui, Liman von Sanders, chef de la mission militaire allemande pour l'Empire ottoman ; lui qui n'avait jamais livré le moindre combat. La mission en question n'était d'ailleurs pas des moindres, puisqu'elle consistait à réformer l'ensemble de l'armée turque selon le modèle européen.

L'autre élément qui échappait à la compréhension de von Sanders était la raison ayant motivé la signature de ce pacte d'alliance défensive qui liait son pays à la Turquie. Pourtant, lorsque, quelques mois auparavant, l'ambassadeur d'Allemagne, à la suite d'une requête d'Enver Pacha, avait sollicité l'opinion de von Sanders, la réaction du Prussien avait été lapidaire : *Echter wahnsinn* ! Pure démence ! À ses yeux, l'armée ottomane était trop faible et ses dirigeants bien trop incompétents. Au cours de l'année qui s'était écoulée, il avait eu tout loisir de se faire une opinion sur l'état des forces armées du pays. Dans les premiers temps, il avait été agréablement surpris car ce qu'il découvrait dépassait ses espérances. Il aurait continué à se laisser longtemps berner si, un jour, l'un de ses agents ne lui avait révélé le pot aux roses. Enver Pacha s'arrangeait pour préparer systématiquement ses troupes la veille de l'inspection de manière à ce qu'elles présentent un aspect irréprochable. Il se débrouillait aussi pour faire passer discrètement les équipements militaires d'un régiment à l'autre afin que von Sanders n'en découvrît pas les carences ! Ce constat étant fait, von Sanders devait admettre que ces failles étaient largement comblées par l'indiscutable combativité du soldat turc. Sa vaillance et son endurance étaient à toute épreuve.

— Mon général ?

La voix de Talaat Pacha ramena von Sanders au présent.

— Je vous écoute, monsieur le ministre.

— J'ai tenu à vous informer que, depuis quelques jours, les prérogatives de l'OS ont été étendues. La gravité de la situation l'exige. Étant donné nos récents accords, je souhaitais vous faire part de cette décision.

Le général échangea une moue dubitative avec son ambassadeur. Apparemment, lui aussi ignorait ce que cachaient ces initiales : OS. Le pacha dut s'en apercevoir, car il se reprit :

— Pardonnez-moi, messieurs. Je suis allé trop vite. L'OS sous-entend la *teşkilât mahsusa* ou Organisation spéciale. Elle fut créée sous mon égide, il y a environ un an, au moment de la seconde guerre des Balkans. À l'époque, sa mission était de conduire des actions de guérillas contre les ennemis de l'Empire, tant en Bulgarie, en Macédoine que sur les côtes de la mer Égée. Il est inutile de vous préciser que ce mouvement est né dans le plus grand secret et, aujourd'hui encore, nous ne sommes que quelques-uns à en connaître l'existence.

Son regard se déplaça de Sanders à Wangenheim comme s'il voulait s'assurer de la bonne compréhension de ses propos.

— Ainsi que je vous l'indiquais au préalable, j'ai décidé d'élargir les prérogatives de cette Organisation, ou plutôt d'en créer une branche parallèle. Elle sera dirigée par le docteur Baheddine Chakir, ici présent, et son centre opérationnel sera basé à Erzeroum.

Le baron considéra Talaat avec perplexité :

— Pardonnez-moi, monsieur le ministre, pouvez-vous nous en dire plus sur cette... branche ?

Talaat sortit son chapelet qu'il fit tournoyer autour de son index.

— Si, comme nous le craignons tous, la guerre éclate, il sera indispensable que nous disposions d'un organe capable de surveiller le territoire et, le cas échéant, de décimer les ennemis de l'intérieur.

Von Sanders plissa légèrement les yeux.

— Les ennemis de l'intérieur ? À qui songez-vous ?

Curieusement, le Turc laissa au docteur Baheddine Chakir le soin de répondre.

— Mon général, ainsi qu'il est écrit : « Les pieux demeureront dans une maison sûre. Seuls les hypocrites devront se méfier. »

— Je ne vous suis pas.

Chakir laissa tomber :

— C'est un verset du Coran.

Von Sanders n'insista pas. Après tout nous étions en Orient. De plus, il ignorait tout de son interlocuteur. Il pouvait être aussi bien un agent double qu'un mercenaire kurde ou tcherkesse [1].

En réalité, l'Allemand se trompait. Le docteur Chakir n'était rien de tout cela. Né en Bulgarie en 1870, il avait fait ses études à l'École miliaire de médecine et en était sorti avec le grade de capitaine, à la suite de quoi il avait été nommé professeur assistant de médecine légale dans ce même établissement avant que la providence ne l'amène à devenir le médecin personnel de Yousouf Izzeddine, propre fils du sultan Abdül-Aziz et héritier présomptif du trône. Ses idées républicaines lui avaient valu d'être versé dans la 3e armée stationnée à Erzindjan. C'est en 1907 qu'il était entré en rapport avec les dirigeants de l'*Ittihad*. Leurs idées ne rejoignaient-elles pas les siennes ? La vision d'un pays où l'idéal, la langue et la religion seraient communs à chaque individu ? En 1913, il avait été successivement promu directeur de la Morgue de Constantinople, directeur du Comité médical du ministère de la Justice et, aujourd'hui, il était à la veille d'être nommé colonel. Non. Rien d'un agent double ni d'un mercenaire.

— Cette Organisation spéciale, reprit von Wangenheim, j'imagine qu'elle devra disposer de moyens conséquents ? On ne tisse pas une toile d'araignée à travers un pays aussi vaste

---

1. Plus connus sous le nom de Circassiens, les Tcherkesses sont un peuple montagnard du Caucase du Nord.

que le vôtre sans un minimum d'effectifs humains. Ces gens, vous devrez les rémunérer, je suppose ? Or vous ne possédez que très peu de marges financières.

— Rassurez-vous, répliqua le docteur Chakir avec une sérénité presque dérangeante. Nous avons tout prévu. Ils ne nous coûteront rien.

L'Orient, plus que jamais, songea le général.

Talaat ne laissa pas le temps au diplomate d'approfondir.

— À présent, Excellence, j'aimerais que nous abordions un autre sujet. Vous n'êtes pas sans savoir que deux cuirassés auraient dû nous être livrés par le Royaume-Uni. Or, selon nos dernières informations, il semblerait que le premier lord de l'Amirauté, Winston Churchill, se fasse tirer l'oreille. Il manifesterait certaines réticences à remettre à un allié potentiel de l'Allemagne deux puissants navires qui, toujours selon monsieur Churchill, seraient capables de remettre en question l'équilibre des forces en Méditerranée.

L'ambassadeur nota :

— Monsieur Churchill doit être doté d'un instinct hors du commun, puisque nul n'est au courant de notre pacte.

— Il est anglais, ne l'oublions pas. Et, par conséquent, comme tous les gens de son espèce, il vit dans la méfiance.

Von Sanders faillit répliquer qu'on le serait à moins, connaissant les méandres de la politique turque, mais il n'en fit rien.

— Vous savez aussi bien que moi, poursuivit Talaat, sinon mieux, l'importance stratégique des détroits. En cas de conflit, ils seront l'un des enjeux principaux. Si nous étions privés de ces navires, rien ne pourrait plus arrêter les Russes qui opéreraient alors leur jonction avec la flotte alliée en Méditerranée. Vous me suivez ?

— Parfaitement. Je vous suis si bien que je vais même anticiper. Vous souhaiteriez que l'Allemagne mette à votre disposition le *Breslau* et le *Goeben*. Est-ce exact ?

Talaat Pacha plissa nonchalamment les yeux.

— Votre requête est pour le moins délicate, reprit le diplomate. Si nous y répondions favorablement, elle risquerait fort de déclencher un tollé général de la part des forces de l'Entente. Peut-être même serait-elle le signal de l'ouverture des hostilités.

— Vous avez raison. Enver Pacha et moi-même avons mûrement réfléchi. Il faudrait trouver un moyen de contourner l'obstacle.

L'ambassadeur médita.

La demande du Turc n'était pas pour lui déplaire. L'arrivée de ces navires dans les Dardanelles pouvait être le triomphe de sa carrière de ministre, la première victoire diplomatique remportée en fait par l'Allemagne. Depuis des années, Wangenheim ambitionnait le poste de chancelier impérial. Il y avait là une occasion en or de marquer des points. La transaction du *Goeben* et du *Breslau* serait son œuvre personnelle ; en se concertant avec le Cabinet turc, il pourrait préparer leur entrée dans les détroits et scellerait définitivement l'alliance germano-turque. Oui ! Le plan demandait à être peaufiné, mais il était parfait.

Il masqua sa jubilation.

— Il y a peut-être une solution, dit-il sur un ton pondéré. En apparence, du moins, vous vous rendriez acquéreurs de nos cuirassés. De la sorte, nous couperons court à toutes les objections. (Il se hâta d'apaiser l'enthousiasme de son interlocuteur :) Vous imaginez bien que je n'ai aucun pouvoir décisionnel. Je dois consulter mon gouvernement. Mais soyez assuré que je le ferai dans les plus brefs délais. À présent, permettez-moi de vous poser une question qui me paraît majeure.

Le pacha resta dans l'expectative.

— Si l'Allemagne participait à la guerre, avez-vous décidé de l'attitude que tiendrait la Sublime Porte ?

Talaat parut interloqué.

— Excellence ! Que faites-vous du traité d'alliance que nos

deux gouvernements ont signé ? Nous serons bien à vos côtés. N'en doutez pas.

— Parfait. Il me semble que nous avons fait le tour de la question.

Le baron repoussa son fauteuil et se leva, imité par von Sanders.

— Permettez-nous de nous retirer. Je vous tiendrai au courant de la décision du kaiser.

Une fois les deux hommes partis, Talaat se laissa tomber dans le siège qu'il venait de quitter et s'enquit auprès du colonel Cevad, le gouverneur militaire de Constantinople :

— Tout à l'heure, et je lui en sais gré, le docteur Chakir a volontairement laissé planer le flou sur la manière dont nous nous y prendrions pour recruter les nouveaux effectifs indispensables à l'extension de la *teşkilat mahsusa*. Ces Occidentaux n'auraient certainement rien compris. Ils sont.

Il chercha le mot.

— Tatillons ? suggéra le colonel Cevad.

— Tatillons, oui, c'est exact. Au nom de la morale, ils n'auraient pas manqué de critiquer que nous recrutions des prisonniers de droit commun. Ils oublient que la morale est un luxe que s'offrent ceux qui n'en ont pas les moyens. Selon vous, docteur Chakir, sur combien d'hommes pouvons-nous compter ?

— Le chiffre de dix mille ne me paraît pas exagéré, auquel il faudrait additionner les cinquante mille hommes qui, depuis trois ans, font déjà partie de l'Organisation.

Talaat inscrivit le nombre sur sa feuille.

Chakir enchaîna :

— Ainsi que vous venez de le mentionner, nous ferons appel aux détenus qui croupissent dans nos prisons et qui, jusqu'ici, n'ont servi à rien. Néanmoins, il est indispensable qu'une fois hors de leurs cellules nous imposions à ces *tchétés* [1]

---

1. Irréguliers, mercenaires.

un entraînement. Qu'ils soient des assassins ou des voleurs ne signifie pas qu'ils seraient aptes à monter des opérations militaires. Par conséquent, nous devrons envisager la création de camps d'entraînement, en toute discrétion, cela va de soi.

Talaat approuva d'un hochement de tête.

— Évidemment. La bonne application du droit et de la justice l'exige.

Le colonel Cevad réprima un sourire ironique. La création par un gouvernement d'une organisation constituée de criminels confirmés, protégée par les plus hautes instances de l'État et nantie de pleins pouvoirs pour exécuter sa mission était à ses yeux un non-sens juridique. À quelle justice pouvait prétendre un État qui abolissait sa propre loi ?

Il s'autorisa à demander :

— Tout à l'heure, devant le général von Sanders, vous avez évoqué « les ennemis de l'intérieur ». Devrions-nous donc nous méfier de nos propres citoyens ?

— Mon colonel, je me contenterai de vous répéter les propos du docteur Chakir : « Les pieux demeureront dans une maison sûre. Seuls les hypocrites devront se méfier. »

Le gouverneur n'insista pas. Après tout, moins il en saurait, mieux il se porterait. Il avait tout de même sa petite idée sur l'identité de ce mystérieux « ennemi de l'intérieur ». Le sultan Abdül-Hamîd allait pouvoir danser dans sa prison dorée du palais de Beylerbey.

8

Erzeroum, 17 juillet 1914

Encadré par Chouchane et Aram, Hovanès parcourut encore quelques mètres, avant de s'arrêter pour mieux savourer la vue. Là-bas, au creux de la vallée du Kara-Sou, entre les minarets et les clochers, le soleil se vautrait dans des nappes d'or. Ici, à près de deux mille mètres de hauteur, ni brume ni poussière, mais seulement un air d'une transparence incomparable.

– J'aime ce paysage, commenta Hovanès. Je me sens revivre.

— Dans ce cas, pourquoi ne viens-tu pas habiter avec nous ? interrogea Chouchane.

— L'année prochaine, si Dieu le veut. Pour l'instant, j'ai trop de travail. Il y a les séances du Parlement. Nous ne sommes que quatorze Arméniens sur deux cent quatre-vingts députés. La présence de chacun de nous est importante.

— Tu es aussi le chef du « tocsin », observa Aram avec fierté.

Hovanès sourit.

— Que racontes-tu là ? Je ne suis le chef de rien. Je fais partie du Comité politique du Dachnak et je siège au Parlement. C'est tout. Mais, entre nous, appartenir au Hentchak ou au Dachnak n'a pas vraiment d'importance à mes yeux. Je suis arménien avant tout.

— Ah… J'étais persuadé pourtant que tu étais le grand chef…

Hovanès n'écoutait plus.

Il s'était assis sur le bord du chemin, l'air tout à coup lointain.

— Regardez. Regardez ces maisons là-bas, au pied du massif. Ici vécurent les Apardjian, les Chovroyan, les Yakoubian, et tant d'autres. Vos frères, vos sœurs, vos pères et vos mères de sang. Ils étaient ici, il y a des centaines d'années. Les hommes ont la mémoire courte, mais la terre, elle, n'oublie pas. Elle garde dans ses entrailles l'empreinte de nos ancêtres ; celle de l'Arménie à laquelle nous appartenons.

— L'Arménie ? dit Aram. Mais l'Arménie n'existe plus, oncle Hovanès.

Hovanès leva les bras au ciel. Une expression lumineuse et passionnée éclaira son visage.

— Mais, mon petit, l'Arménie n'est pas uniquement un espace géographique, c'est une identité. Réfléchis un peu. As-tu essayé d'imaginer le nombre de peuples qui nous ont traversés ? occupés ? tyrannisés ? Ces envahisseurs ont pu raser nos maisons, dévaster nos champs, mais ils ne sont jamais parvenus à éradiquer notre mémoire. La mémoire arménienne, sache-le, est immortelle. Souviens-toi que nous avons été le premier royaume officiellement chrétien de l'Histoire, un îlot de foi dans un océan de paganisme. C'était il y a plus de mille six cents ans. Et que vois-tu aujourd'hui ? Nous sommes toujours là, ancrés plus solidement que jamais dans notre religion. Et la sainte cathédrale d'Etchmiadzine, la reine de nos cathédrales est toujours debout. Souviens-toi que c'est dans nos vignobles que le patriarche Noé s'est enivré ! Que ce même Noé, en débarquant de son arche au sommet du mont Ararat, s'est exclamé : *Yerevants !* « C'est apparu ! »

— D'où le nom de la ville d'Erevan ? C'est une légende, bien entendu ?

— Qui sait ? Peut-être. Mais si tu veux continuer à rêver, entre la légende et la réalité, préfère toujours la légende.

Il enchaîna, le ton plus passionné :

— Et combien de capitales avons-nous eues ? Presque autant que de fleuves. Armavir, Kars, Van, Ani, Artaxata, Dvin, Etchmiadzine ! Et nous en aurons une autre encore. Un jour. Tout est possible, même l'impensable. Nous avons même été gouvernés par un prince français !

— Un prince français ?

— Un Lusignan. À l'époque où les rois arméniens s'étaient alliés avec les Croisés. Mais c'est une autre histoire.

Un pâtre venait de surgir au détour d'un sentier, guidant ses chèvres vers une destination connue de lui seul.

Chouchane questionna :

— Tu crois vraiment que nous aurons à nouveau un pays ?

— J'en suis convaincu. Un jour, l'Arménie renaîtra de ses cendres.

Le silence retomba.

Hovanès continua de fixer le paysage comme plongé dans la lecture d'un invisible manuscrit. Ni Chouchane ni Aram n'osèrent le déranger.

Finalement, il sortit de sa méditation et tendit la main vers une petite pierre noire à moitié enfouie entre les herbes.

— Une *oltu tasi*, annonça-t-il en récupérant l'objet. C'est votre jour de chance.

Aram répéta, émerveillé :

— Une *oltu* ? Montre-moi ! C'est incroyable ! Elle doit valoir une fortune !

— N'exagère pas. Ce n'est qu'une pierre semi-précieuse. La région en est couverte. La preuve…

— Il n'empêche. C'est la première fois que je vois une *oltu* à l'état naturel.

— Eh bien, elle est à toi. Garde-la précieusement.

Hovanès se remit sur ses pieds.

— À présent, si nous rentrions ? La fête de l'eau va commencer.

— C'est vrai ! s'exclama Chouchane. Je n'y pensais plus. C'est Vardavar aujourd'hui ! Je dois me changer !

Elle fut la première à bondir sur le chemin.

La table des grands jours était dressée.

Au centre, comme le voulait la tradition, Anna avait disposé un plat creux, décoré de boutons de rose, rempli de grains de blé où l'on avait piqué un petit crucifix en bois taillé. À l'une des extrémités était disposée une poupée faite de plantes séchées égayées de petites grenades. Comme chaque année, c'est Achod qui, à l'aide de baguettes en forme de croix, avait confectionné *l'arbre apporteur de joie* et l'avait décoré avec les fruits trouvés dans la maison.

Au-dessus du foyer, un mouton suspendu depuis la veille dégouttait sa graisse dans une grande marmite de pilaf.

Anna avait revêtu une longue robe aux larges manches en damassé rose qui descendait jusqu'aux talons. Ses pieds étaient chaussés de pantoufles en cuir de chèvre, ornées de fils dorés. Une large ceinture en toile, brodée de fleurs, ceignait sa taille. Un voile transparent attaché à une *tepelik*, une petite coiffe pourpre, pendait gracieusement de la nuque à la taille.

— Tu es resplendissante, complimenta Achod. Aussi belle que la déesse Astrig.

Elle esquissa une révérence.

— Pour vous, mon seigneur.

Il l'attira doucement contre lui.

— Que jamais le Seigneur ne te prenne à moi.

— Que jamais le Seigneur ne te prenne à nous.

— Qui est Astrig ? demanda une voix.

C'était celle de Chouchane, campée sur le seuil de la salle à manger, poings sur les hanches.

— Comment t'es-tu fagotée ? se récria Anna, horrifiée.

La jeune fille avait enfilé un *şalvar*, un pantalon ample et bouffant attaché aux chevilles, sur lequel elle avait jeté une chemise en toile écrue qui filait jusqu'aux genoux.

— Qu'y a-t-il ? Je ne vous plais pas ?

— Mais c'est une tenue de garçon !

— C'est ainsi que je m'aime. N'insiste pas, *mayrig*, je ne me changerai pas.

— Tu es habillée comme ton frère, gronda Achod. C'est absurde ! Pire, même, c'est un gâchis.

Chouchane fit celle qui n'avait pas entendu.

— Qui est Astrig ?

— Va mettre une robe, fut la réponse d'Achod.

— Je t'en supplie, *hayrig*. Épargne-moi !

— Une fille ne peut se déguiser de la sorte ! Que vont dire les voisins ?

— Je t'en prie, c'est Vardavar aujourd'hui. Je...

Vahé venait d'entrer dans la pièce.

— Qu'est-ce donc que ce charivari ? On vous entend jusqu'au Bosphore !

— C'est elle, expliqua Anna, pointant un doigt accusateur sur Chouchane. Voyez comme elle s'est accoutrée !

Le vieil homme examina la jeune fille.

— Que lui reprochez-vous ? Je la trouve ravissante.

— Ravissante ? Habillée à la garçonne ?

— Qu'importe ! Elle a toute l'existence pour connaître la douleur d'être femme. Allons !

Il tendit les bras à Chouchane.

— Viens, *imchakeres*, mon sucre, tes parents ne comprennent rien à la vie.

— Dis-moi, *medz baba*, qui est Astrig ?

— Comment ? Tu ne le sais pas ? Pourtant, c'est son jour que nous célébrons aujourd'hui. Vardavar lui est dédié. Astrig, c'est la déesse de l'amour et de la beauté. La fille du patriarche Noé, née après le Déluge. Je crois bien qu'elle s'est penchée sur ton berceau le jour de ta naissance.

— Sur *mon* berceau ?

— Certainement, Chouchane. De ses jardins célestes, il est connu que non seulement Astrig versait des pétales de rose sur notre pays, mais que ces pétales se déposaient sur les femmes enceintes. C'est pourquoi les Arméniennes, nées de ces femmes, sont les plus belles.

Il se leva et tendit la main à sa petite-fille.

— Viens ! Allons rejoindre la fête !

Une partie du bétail était rassemblée devant l'église, le front orné de curieuses décorations en bois qui, en théorie du moins, avaient le pouvoir de chasser le mauvais œil. Le moment venu, on emmènerait le troupeau jusqu'au parvis afin que Bedros Der Agopian, le prêtre, leur accorde sa bénédiction. La place était noire de monde. Des éclats de rire, des échanges de vœux tentaient de couvrir, mais sans succès, l'assourdissant roulement des *dhol*[1] et le chant perçant et criard du *zourna*[2]. Des femmes de tous âges, en robes multicolores, dansaient les bras chargés d'épis de blé. Le prêtre les bénirait à leur tour, car on n'est jamais trop pieux lorsqu'il s'agit d'écarter l'orage, la sécheresse ou la grêle. Quelqu'un lâcha des colombes qui filèrent vers le ciel dans un battement d'ailes libérateur.

Chouchane et Aram avaient rejoint Nedim et un groupe d'enfants qui, réunis autour de la fontaine, jouaient à qui arroserait le plus copieusement son camarade ; d'autres s'échinaient à fabriquer des boules avec de la boue pour les projeter à terre de toutes leurs forces ; le gagnant était celui dont la boule faisait le plus grand bruit en heurtant le sol. Ce folklore, c'était aussi Vardavar.

---

1. Tambour dont chaque face est recouverte d'une peau de chèvre ou de veau, tendue par des cordes.
2. Sorte de hautbois primitif.

Assis à l'écart, sur un banc de pierre, Achod, Anna et Hovanès observaient le spectacle. Vahé Tomassian, lui, s'était installé sur la terrasse du café qui jouxtait l'église et fumait un narguilé en compagnie d'Asim.

— Si seulement Vardavar pouvait ne jamais s'arrêter, commenta Hovanès. Quand je vois tous ces gens heureux, je me dis que le malheur n'a jamais existé.

— Mon bien-aimé frère, rétorqua Achod, aurais-tu oublié que le malheur est quelquefois le tremplin du bonheur ?

— Le tremplin du bonheur ?

— De quoi naît le bonheur, sinon du malheur ? Observe ceux qui nous entourent. Parmi eux, il y en a qui ont perdu des êtres chers au cours de ces dernières années, qui ont souffert, versé des larmes. Qui ont cru mourir de douleur. S'ils n'avaient pas connu des heures tragiques, crois-tu qu'ils seraient capables aujourd'hui de vivre pleinement ces instants de fête ? Méfions-nous des vies sans tourments. Elles nous installent dans un état trompeur et nous donnent l'impression d'être immortels.

Hovanès balaya l'air de la main.

— Ah ! Mon frère ! Tu ne changeras jamais. Toujours à philosopher !

Anna nota en se levant :

— Tu ne crois pas si bien dire, Hovanès. Ton frère est un sage ! (Elle lui décocha un clin d'œil espiègle :) Parfois un peu trop d'ailleurs ! Je vous quitte. Je vais aller voir Ajda. L'épouse de notre *zabtieh* a l'air de s'ennuyer.

— Ta femme a raison, reprit Hovanès. Je t'ai d'ailleurs toujours admiré pour ta capacité à prendre du recul face aux événements. J'aurais aimé te ressembler.

— Oh ! Admirer est un grand mot. Mettons que ma vision de la vie, si elle ne m'a rien apporté, m'a beaucoup épargné.

Changeant de sujet, Achod annonça avec une gravité soudaine :

— Je suis inquiet, Hovanès. Non pour moi, mais pour la

famille. Si la guerre éclate, « ils » ne nous laisseront pas tranquilles, n'est-ce pas ?

— « Ils » ? Je suppose que tu veux parler de ceux qui gouvernent le pays, les Jeunes-Turcs ?

— Évidemment. Tu as pu constater comme nous tous que les espoirs que nous avions fondés sur leur arrivée au pouvoir se sont révélés stériles. Aurais-tu oublié leur participation aux massacres de 1909 qui ont fait vingt-cinq mille victimes, à Adana ? Comment leur faire confiance ? Vois un peu les hommes qui se sont imposés à la tête du pays : Talaat, un personnage glacial, sans cœur. Enver, fou et vaniteux. Djemal, cruel et versatile.

— Oui. Mais au risque de t'étonner, je n'ose imaginer que le comité Union et Progrès réitère les atrocités commises par Abdül-Hamîd. Je n'ose l'imaginer. Vaille que vaille, le dialogue n'a jamais été rompu avec les responsables de l'*Ittihad*. Certains d'entre nous sont même très proches de gens comme Talaat ou Enver. Ils les tutoient, ils jouent au *tavlou* ou aux cartes avec eux. Et, pour finir, nous sommes représentés au Parlement.

— Quatorze députés ?

— C'est mieux que rien !

Hovanès secoua la tête à plusieurs reprises et conclut :

— Non. « Ils » ne récidiveront pas.

Tout le temps que son frère s'était exprimé, un sentiment de malaise avait envahi Achod. Est-ce bien lui qu'Hovanès tentait de rassurer ? Ou cherchait-il à se convaincre ? Il fut à deux doigts de le lui faire remarquer, lorsque des exclamations attirèrent son attention.

— Regarde ! N'est-ce pas Hagop Tehlirian et son fils, Soghomon ? (Il se leva d'un seul coup.) Et celui qui marche à leurs côtés ! N'est-ce pas ton ami Armen ? Armen Garo !

— C'est exact. Comment se fait-il ? Et un jour de Vardavar !

Les trois visiteurs avaient un mal fou à se frayer un chemin à travers la masse compacte d'hommes et de bétail rassemblés sur la place. Il fallut qu'à l'instigation de Vahé Asim Terzioğlu se décide à abandonner son narguilé et use de l'autorité que lui conférait son rang de « *zabtieh* le plus gradé de tout le *vilayet* » pour leur ouvrir un passage.

— Hagop ! Hagop Tehlirian ! Quel bonheur !

Le septuagénaire et son ami tombèrent dans les bras l'un de l'autre sous l'œil amusé de Soghomon. On aurait pu croire que les deux hommes ne s'étaient pas vus depuis des mois, alors que leur dernière rencontre remontait à peine à deux semaines.

Vahé se tourna ensuite vers Armen Garo et l'examina un moment, en se renversant légèrement en arrière.

— Armen… Armen, répéta-t-il. Tu ne changes pas. La dernière fois c'était il y a trois ans, et tu as toujours aussi fière allure. Toujours aussi distingué. Dire que je t'ai connu presque gamin ! Viens que je t'embrasse !

L'homme que Vahé venait de serrer entre ses bras n'avait plus rien en commun avec le jeune rebelle du temps de la prise de la Banque ottomane. À l'instar d'Hovanès, lui aussi s'était incroyablement métamorphosé. Dans son costume à la coupe impeccable, avec son nœud papillon et son col cassé, il aurait pu aisément passer pour un consul ou un ambassadeur ; en tous les cas, un diplomate.

Sans plus attendre, Vahé voulut les entraîner vers le café.

— *Yeguek !* Venez ! Un bon raki…

— Je te remercie, mon ami, s'excusa Garo. Nous n'avons malheureusement pas beaucoup de temps. Nous devons parler à Hovanès. Rassure-toi. Rien de grave. Sais-tu où il est ?

Vahé sourit.

— Il suffirait que tu jettes un coup d'œil par-dessus ton épaule.

Hagop et Armen pivotèrent de concert. Hovanès et Achod se tenaient juste derrière eux. Le moment d'effusion passé, Hovanès proposa :

— Rentrons à la maison. Nous serons plus tranquilles.

— Puis-je venir aussi ? s'enquit Soghomon qui était resté discrètement en retrait.

— Bien entendu, mon fils. Après tout, il s'agit aussi de ton avenir.

Vahé tendit la main vers la grande assiette de baklavas qui ornait la table, en saisit un qu'il jaugea en connaisseur.

— Ton épouse est la reine des pâtissières, dit-il à Achod. Juste ce qu'il faut de pistaches et de miel. Même à Aintab [1], on n'en trouve pas de meilleurs !

Il ne fit qu'une bouchée du gâteau et interpella Armen Garo :

— Ainsi, vous avez l'intention de réunir le congrès annuel du Dachnak, ici, à Erzeroum ?

— Oui. Le 24. Dans sept jours.

— N'est-ce pas un peu précipité ? fit observer Hovanès. En principe, il était prévu que nous nous réunissions à Galata, en octobre.

— Je sais. Mais étant donné la tournure que prennent les événements, nous avons jugé nécessaire d'avancer la date. L'accord des autres membres du Conseil politique est acquis. L'évêque Timaksian a été convié ainsi que les représentants de tous les courants, sans exception aucune. Et, ce qui n'est pas négligeable, le patriarche Zaven Der Yéghiayian nous honorera de sa présence.

Hovanès sourcilla. En l'absence du catholicos, le chef suprême qui résidait à Etchmiadzine, en territoire russe, Zaven Ier était l'ecclésiastique le plus important dans la hiérarchie de l'Église. Siégeant à Constantinople, il était responsable des affaires sociales, économiques et éducatives des Arméniens qui vivaient dans l'Empire et leur représentant officiel auprès

---

1. Aujourd'hui Gaziantep. Réputée pour la qualité de ses baklavas.

de la Sublime Porte. Depuis plus de cinq siècles, un peu moins d'une centaine de patriarches s'étaient ainsi succédé, s'efforçant de défendre, avec plus ou moins de bonheur, les droits de leurs ouailles auprès des autorités turques.

Hagop Tehlirian précisa :

— Bien entendu, cette réunion ne signifie pas l'annulation de celle que nous avions prévue en octobre. Mettons que c'est une première approche qui nous permettra de définir et d'affirmer clairement notre position vis-à-vis de la nouvelle situation.

Achod fixa son frère.

— C'est précisément le discours que tu tenais il y a quelques jours. Tu te souviens ? Tu avais dit : « Il est indispensable que nous, les Arméniens, adoptions une position claire, si un ordre de mobilisation générale était décrété. »

Il poursuivit, mais à l'intention de Garo :

— Car c'est bien de cette question qu'il s'agit ?

— Absolument.

— Et qu'en pense le patriarche ? questionna Hovanès, et les autres membres du Dachnak ?

— Les avis sont partagés. C'est pourquoi ce congrès est important. Il faut qu'une motion claire et sans ambiguïté se dégage, dans un sens ou dans l'autre.

— Bien sûr. J'imagine que Krikor fera aussi le déplacement ? Il serait bien qu'il soit là.

Hagop confirma d'un mouvement de la tête.

— De quel Krikor parlez-vous ? s'enquit Vahé.

— Krikor Zohrab, répliqua Hovanès. Nous siégeons côte à côte au Parlement. C'est un avocat brillant, professeur de droit pénal, mais c'est aussi un tribun redouté, un journaliste pugnace et un écrivain de talent. Il a soutenu fidèlement les Jeunes-Turcs au moment de la révolution de 1908, et il fait partie du cercle des intimes de Talaat et d'Enver. Vous n'imaginez pas les soirées que ces trois-là ont passées à jouer des parties effrénées de *tavlou*.

— Monsieur Zohrab a épousé aussi une très belle femme, commenta soudain Soghomon qui, jusque-là, n'avait fait qu'écouter.

Vahé partit aussitôt d'un éclat de rire.

— Eh bien, Hagop, ton fils a du goût !

Hagop se contenta d'acquiescer.

— Il est vrai que Clara est assez jolie. Mais revenons à des choses plus sérieuses. (Il se tourna vers Hovanès :) Sais-tu qu'il y aura aussi un de tes vieux camarades de classe lors de la manifestation ?

— Qui donc ?

— Le député d'Erzeroum.

— Vartkès ? Vartkès Séringulian ?

— Lui-même. Vous étiez bien ensemble ici, au collège Sanassarian ?

— C'est exact, confirma Hovanès. Mais je l'ai perdu de vue depuis qu'il s'est lancé dans la politique.

— Il a parcouru un sacré chemin. En 1908, il fut l'un des plus ardents défenseurs des révolutionnaires. Comme Krikor Zohrab, il a participé activement aux côtés des Jeunes-Turcs à la destitution d'Abdül-Hamîd. Tu ne le croiras pas, mais lui aussi tutoie Talaat. (Hagop fit une pause avant de demander :) Dis-moi, Hovanès, pouvons-nous compter sur ta participation active au congrès ? Plus nous serons unis et nombreux, plus les décisions prises ce jour-là pèseront sur le gouvernement. Et puis, à l'instar d'Armen, tu es une personnalité… Tout le monde se souvient du 26 août 1896.

Hovanès approuva sans hésitation.

— Bien sûr. Je serai là. Comment peux-tu en douter ?

— Et toi, Achod ? Seras-tu aussi des nôtres ?

Il n'y eut pas de réponse.

— *Hayrig !* s'offusqua une voix féminine, pourquoi ne réponds-tu pas ?

Chouchane était entrée si discrètement dans la pièce que

personne ne s'en était rendu compte. Elle fit un pas vers son père et lui saisit la main.

— Alors ? Tu participeras au congrès, n'est-ce pas ?

Achod s'accorda encore quelques minutes de réflexion, puis :

— Oui. Je participerai. Mais, je l'avoue, sans grande conviction quant au résultat.

— Pourquoi ce pessimisme ? s'inquiéta Armen Garo.

— Il ne s'agit pas de pessimisme, mais de réalisme. Avant que tu n'arrives, j'étais en train de confier mes craintes à mon frère. Crainte qu'en cas de guerre on ne nous prenne – une fois de plus – comme bouc émissaire. Je ne sais ce que vous espérez de ce congrès. Un vote en faveur de l'enrôlement de nos frères dans les rangs de l'armée turque et notre soutien inconditionnel à l'*Ittihad* ? Ou un ralliement aux ennemis de la Turquie ? De toute façon, quel que soit le résultat, je crains que les pachas n'en aient rien à faire. S'ils veulent reprendre leur politique répressive, ils la reprendront. Personne au monde, aucune motion, aucun parti, ne pourra les en empêcher. Vous comprenez ?

Armen observa Achod avec attention avant de répliquer :

— Je pense que tu as tort. Si, le 24, notre communauté affirme haut et fort sa loyauté envers l'Empire, le gouvernement ne pourra justifier d'aucun prétexte pour s'attaquer à nous. Quant aux pachas… Nous verrons bien. Je vois Talaat bientôt et je compte bien lui rappeler les engagements que son parti a pris à notre égard et lui arracher ma nomination aux côtés de Hoff, l'inspecteur norvégien chargé de surveiller l'application des mesures en notre faveur. Il m'écoutera.

— Tu es bien sûr de toi, mon ami, remarqua Vahe.

— Non sans raison.

Après une pause, il annonça :

— Figurez-vous qu'il m'a proposé un portefeuille ministériel dans son cabinet.

— C'est une plaisanterie ?

— Pas du tout. Toutefois, je ne suis pas dupe. Je sais ce qui lui inspire cette générosité : il souhaite m'écarter. La perspective de me savoir auprès de l'un des inspecteurs désigné par les puissances l'irrite au plus haut point et il se dit qu'une fois ministre je me désintéresserai de vous et de la communauté. En quoi il se fourvoie totalement.

Les traits d'Achod parurent se détendre. Il dodelina de la tête.

— Dans ce cas, j'ai sans doute tort de m'inquiéter pour notre avenir.

— Je le pense, en effet, répondit Armen, mais, dans le cas contraire, alors…

Comme il se taisait, Vahé l'interrogea.

— Alors ?

— Alors, il ne nous reste plus qu'à prier.

Chouchane réprima un frisson. Son regard chercha spontanément celui de Soghomon. Dans les prunelles du jeune homme, il n'était pas question de prière. Seulement une détermination farouche, désespérée, dévastatrice.

Il murmura d'une voix presque inaudible :

— Ou à nous battre.

9

Télégramme chiffré, adressé par le secrétaire responsable de l'*Ittihad* à Brousse, au Comité central de Constantinople, concernant le recrutement des bandes de l'Organisation spéciale.

Précédemment, de nombreuses lettres ont été écrites à tous les comités exécutifs généraux, ainsi qu'à Suleïman Askéri Bey, sur la nécessité d'enrôler des *tchétés*. Évidemment, un tel besoin a dû être constaté après enquête. En réalité, le nombre d'hommes aptes à servir dans ces bataillons d'irréguliers a nettement diminué. Néanmoins, nous pourrions trouver, parmi les jeunes gens qui n'ont pas été mobilisés, des personnes dévouées, acquises aux points de vue du gouvernement. Ces jeunes gens sont pléthore parmi les condamnés à mort, les voleurs et les brigands. Il serait donc possible de les rassembler et de former ainsi une troupe de cinq cents à mille hommes dans la seule circonscription de Brousse. Si vous êtes d'accord pour accepter de tels individus, veuillez simplement nous le faire savoir.

13 novembre 1914, quartier de Galata

Malgré le ciel maussade, Constantinople jetait ses ombres sur les eaux scintillantes et sur les navires à l'ancre. Au loin, on voyait les collines de la vieille cité et les cimetières hérissés de cyprès. Les dépôts de tabac et les églises byzantines à l'état de ruine. Les mosquées mêlées aux bicoques et aux étroites ruelles. Les raidillons et les collines obscures.

Hovanès se tourna vers les enfants et leur recommanda de prendre garde au moment où le bac accosterait sur la rive occidentale ; ce qui ne tarda pas. Quelques minutes plus tard, dans un choc sourd, l'embarcation se rangea le long du débarcadère. Une véritable bousculade s'ensuivit. Sans attendre qu'elle soit complètement amarrée, les passagers impatients avaient bondi sur le ponton. Il y avait là des commerçants, des fonctionnaires, des militaires, des Grecs, des Albanais, des voyageurs arrivés d'Anatolie par la route ou par la voie ferroviaire, Tcherkesses, Kurdes, Syriens ; un peu d'Europe, beaucoup d'Asie.

— C'est quand même un curieux surnom, objecta Aram. Tu es vraiment sûr que Bosphore signifie le « passage de la vache » ?

— Oui, confirma Hovanès. Je te l'ai dit. L'expression vient du grec : *Bous poros*. Elle est liée à une légende. Un conte mythologique.

— Qui raconte quoi ?

— Que, dans des temps très anciens, le dieu Zeus et la déesse Io vivaient des jours heureux. Héra, l'épouse de Zeus, furieuse de son infidélité – il la trompait souvent –, décida de dissiper le nuage derrière lequel se cachaient habituellement les deux amants. S'apercevant qu'ils allaient être découverts, Zeus changea sa maîtresse en une ravissante génisse.

— En génisse ?

— Oui. Je sais, c'est surprenant. Malheureusement, Héra, peu dupe du subterfuge, exigea de son époux qu'il lui fît cadeau de la jolie bête. Zeus n'eut d'autre choix que d'accepter. Héra confia alors la pauvre Io à l'un de ses parents, le garde Argos. Argos, qui avait la particularité d'être doté de cent yeux dont seulement cinquante se fermaient pendant qu'il dormait.

— Cent yeux ! se récria Aram, horrifié.

— C'est une légende, rappela Chouchane avec une pointe de condescendance.

— Et après ?

— Zeus demanda à Hermès, son fils, d'arracher la prisonnière à son gardien. Patiemment, Hermès, jouant d'une flûte de Pan, réussit à fermer un à un les yeux d'Argos, le tua et libéra la captive. Hélas, bien que délivrée, Io ne jouit pas longtemps de sa liberté : Héra lui envoya un méchant taon. L'insecte qui s'attacha à ses flancs la rendit si furieuse que la malheureuse génisse erra pendant des mois à travers toute la Grèce. Poursuivant sa course folle, elle arriva dans cette région et traversa le détroit que nous venons de franchir : Le « passage de la vache ». *Bous poros*. Et en turc, il se dit *boaz*, qui signifie la gorge.

— Et qu'est devenue Io ?

— Quelle importance ? dit Chouchane. Puisqu'on te dit que c'est une légende !

— Tu as la mémoire courte, protesta le garçon. Tu ne retiens rien !

— De quoi parles-tu ?

Aram leva les yeux vers son oncle :

— Ne nous as-tu pas recommandé il y a quelque temps : « Si tu veux continuer à rêver, entre la légende et la réalité, préfère toujours la légende. » Ce sont bien tes mots, oncle Hovanès ?

Il plongea la main dans sa poche et en ressortit en brandissant une petite pierre noire.

— Tu te souviens ? C'est le jour où tu as trouvé cette *oltu tasi*...

Hovanès sourit.

— Tu l'as gardée ? Ce sont mes mots, en effet. Io gagna l'Égypte, où elle reprit sa forme humaine de belle jeune femme et donna naissance à un enfant. Satisfait, *Baron* Aram ?

Il héla une calèche.

— Montez ! Nous ferons plus vite. Il ne me reste plus beaucoup de temps avant mon rendez-vous.

Il cria au cocher :

— Galata ! Église du Saint-Sauveur.

Et demanda aux enfants :

— Alors, êtes-vous contents de votre séjour ?

— Ravis !

— C'est vrai. En nous permettant de t'accompagner, tu nous as fait un merveilleux cadeau. Je n'imaginais pas que Constantinople était une si belle ville.

— Si grande, surtout ! renchérit Aram.

— Il ne lui manque que la paix du cœur, murmura Hovanès.

— La paix tout simplement, rectifia Chouchane. Ne sommes-nous pas en guerre désormais ?

— Oui. Malheureusement.

— Papa pourrait-il être mobilisé ?

— Non. Les instituteurs sont exemptés. De plus, comme moi, il a dépassé la limite d'âge. L'ordre de mobilisation s'adresse aux hommes qui ont entre vingt et quarante ans.

Il y eut un bref silence, puis Chouchane murmura timidement :

— Et Soghomon ?

— Le fils d'Hagop Tehlirian ? Il est parti faire ses études en Allemagne. De toute façon, il était trop jeune.

Ils gardèrent le silence, les deux enfants dévorant chaque détail de la ville à pleins yeux, jusqu'au moment où ils arrivèrent devant une bâtisse qui, avec sa petite croix au sommet, ses murs tout blancs, n'était pas sans rappeler les chapelles grecques.

Ils mirent pied à terre.

— Vous m'attendrez ici, recommanda Hovanès. Je n'en ai pas pour longtemps.

Et il s'engouffra sous le porche de l'église.

À l'intérieur, la multitude de cierges faisait de l'abside un buisson ardent. À part deux vieilles femmes vêtues de noir, agenouillées au pied de l'autel, l'endroit était désert. Dans un flottement d'ombre et de lumière, Hovanès remonta discrètement la nef jusqu'à la sacristie. Une fois devant la porte, il frappa deux coups secs, attendit quelques secondes, le battant s'écarta.

Dans la salle, quelques meubles, un prie-Dieu de paille et une armoire vitrée dans laquelle on avait rangé les vases sacrés et les ornements sacerdotaux.

— Soyez le bienvenu, *Baron* Tomassian, déclara le patriarche Zaven. Nous n'attendions plus que vous.

L'ecclésiastique ajusta la *saghavart*[1] qui couvrait son crâne et désigna la dizaine de personnes rassemblées :

— Je pense que vous connaissez tout le monde ?

En effet, aucune des personnalités qui faisait partie du Conseil politique du Dachnak ne lui était inconnue et tous savaient qui était Hovanès. Depuis toujours, et pour la grande majorité d'entre eux, même les plus jeunes, il restait le héros de l'attaque de la Banque ottomane, celui qui avait osé défier Abdül-Hamîd et ses suppôts. Il fit un geste amical en direction de Vartkès Séringulian et de Krikor Zohrab. Seul Armen Garo était absent. Il avait dû se rendre à Van afin de rencontrer des financiers américains qui, du moins l'espérait-il, accepteraient de financer une voie de chemin de fer reliant Constantinople, Erzeroum et Van. Voilà des mois que ce projet, baptisé *Chester*, était devenu son rêve suprême, son obsession.

Le patriarche invita Hovanès à prendre place et consulta la vieille horloge adossée contre un mur. 10 h 45.

— Il ne nous reste guère beaucoup de temps, mes frères. Les personnalités que nous attendons ne vont plus tarder, aussi je vais aller droit à l'essentiel. Plus de trois mois se sont écoulés depuis notre congrès d'Erzeroum. Trois mois qui ont été le centre d'événements dramatiques, certainement inspirés par le

---

1. Coiffe ronde.

Malin. Les hommes ont une fois de plus oublié que personne ne sort jamais victorieux d'une guerre, sinon la mort.

Une expression soudaine de tristesse passa dans ses yeux.

— Les forces navales anglo-françaises ont bombardé les forts des Dardanelles en réponse au bombardement des côtes russes par la flotte du sultan. Depuis huit jours, la Turquie est en guerre. Vous l'avez bien compris : je n'ai pas changé d'avis. Lors du congrès d'Erzeroum, j'ai défendu, comme la plupart d'entre vous ici, une seule idée : celle d'une communauté arménienne loyale où chacun remplirait ses obligations militaires et renouvellerait sa fidélité à la patrie ottomane. Nous avons, par l'intermédiaire de notre ami Bedros Haladjian, assuré les chefs de l'*Ittihad* que chaque Arménien accomplira son devoir civique, que nul ne manquera à l'appel. En échange, il nous a été affirmé que le gouvernement ferait preuve de la plus grande bienveillance à notre égard. C'est pourquoi..

Le patriarche brandit un feuillet qu'il avait tenu dans sa main durant tout ce temps.

— J'ai rédigé ce texte qui sera distribué à travers le pays ainsi qu'auprès des autorités concernées. Je le soumets à votre approbation ; j'ose croire que vous me l'accorderez.

Il ajusta ses lunettes et lut d'une voix claire :

— « Notre pays n'a malheureusement pas échappé à la guerre générale qui a éclaté entre les puissances européennes. Le gouvernement impérial, en appelant à la mobilisation générale, a mis les unités militaires sous les armes, afin d'être prêt à toute éventualité. Ces trois derniers mois, tous les télégrammes et les lettres qui nous sont parvenus de tous les coins de la province nous ont montré que notre peuple, se conformant à l'appel sous les drapeaux, aux réquisitions de guerre et aux directives gouvernementales, ainsi qu'aux demandes de fonds pour les besoins divers de l'armée et du gouvernement, a bien volontiers apporté sa contribution, en sorte que la direction prise jusqu'à ce jour confirme la nation arménienne comme partie indissociable de la patrie ottomane, prête à tous les sacrifices pour montrer, comme il se doit, sa fidélité et son patriotisme. En outre, nous croyons à propos d'attirer tout particulièrement, par la lettre circulaire suivante, l'attention de tous nos primats, coadjuteurs, vicaires et personnalités officielles sur les points suivants :

1 – Que dans les églises et qu'en toutes occasions, oralement comme par écrit, sans arrêt, ils exhortent notre peuple, afin que, comme il a accompli ses obligations à l'égard de la patrie ottomane depuis des siècles, il continue encore à les assumer en toute sincérité, notamment aujourd'hui que le pays a nécessairement besoin d'eux.

2 – Que notre peuple réponde volontiers aux appels faits au nom du gouvernement de la patrie ; qu'il est nécessaire de l'exhorter, en plus de sa participation matérielle, que, nous en sommes certains, il ne refusera pas à ne pas ménager sa peine, jusqu'à sa vie, même s'il n'est pas habitué à la vie militaire, lorsque la patrie a besoin de lui.

3 – Il appartient plus particulièrement aux villes importantes et aux organismes officiels d'adoucir les souffrances inhérentes à cet état de guerre. Il est indispensable d'organiser des sociétés de bienfaisance ou de renforcer celles déjà existantes, en faisant appel à la bienveillance et au patriotisme de la population, afin de subvenir aux besoins des familles sans soutien des soldats mobilisés et d'alléger les souffrances des autres nécessiteux et des orphelins. Quand le besoin s'en fera sentir, nous sommes certains que notre peuple saura faire preuve de compassion, qu'il se mettra à la disposition de ses institutions officielles chargées du repos des soldats et notamment de ceux qui sont malades ou blessés, en servant dans les hôpitaux. Quand les circonstances l'exigeront, notre peuple accueillera bien évidemment dans ses foyers ses frères chrétiens et musulmans. Il n'est pas nécessaire d'insister sur le fait que dans les actes de compassion, l'appartenance religieuse ou

nationale ne peut être prise en compte, puisque tous sont les enfants d'une même patrie.

4 – Nous recommandons tout particulièrement à nos frères primats et à tous les organismes officiels d'entretenir des relations harmonieuses avec les administrations locales du gouvernement, de les aider dans leurs efforts, d'adresser aux administrations concernées leurs remarques relatives aux agissements non conformes aux lois de certains avec amabilité et en marquant leur affliction devant de tels actes.

5 – Nous recommandons aussi tout particulièrement à tous nos primats, compte tenu des délicates circonstances actuelles, de se contrôler, parler et agir sans cesse avec beaucoup de précautions.

Que la paix de Dieu éloigne de notre patrie et de notre peuple toute souffrance et les préserve de tout danger, qu'il offre au plus vite la paix au monde, et qu'il nous accorde à tous le repos de la vie éternelle. Signé : le patriarche des Arméniens de Turquie, archevêque Zaven. »

Après un moment de silence, l'ecclésiastique dit :

— J'attends vos observations.

Hagop Tehlirian prit le premier la parole :

— Votre Sainteté, personnellement, je ne peux qu'approuver le contenu de ce message. Il a le mérite d'être sans ambiguïté. J'espère seulement qu'il sera reconnu comme tel par le comité Union et Progrès.

Un murmure approbateur salua la remarque de Tehlirian.

Krikor Zohrab ajouta :

— Et par les Allemands. Leur influence va compter.

Le patriarche secoua la tête avec réprobation.

— Là n'est pas le sujet. Il s'agit de nos futures relations avec la Sublime Porte.

— Dans ce cas, Monseigneur, permettez-moi donc d'exprimer une certaine inquiétude. Lors du congrès d'Erzeroum, nous avons bien reçu une délégation de Jeunes-Turcs et à la requête qu'ils nous ont soumise, nous avons opposé une fin de non-recevoir. N'était-ce pas quelque peu maladroit ?

— Ce que la délégation souhaitait n'était pas réaliste. Ces gens auraient voulu que le Dachnak suscite une révolte des Arméniens de Russie afin de faciliter la pénétration des armées ottomanes en Transcaucasie. Une action aussi absurde qu'inexécutable.

— Peut-être. Mais en échange, ils promettaient – une fois la guerre finie – la formation d'un État autonome qui comprendrait l'Arménie russe et plusieurs *vilayet* d'Erzeroum, de Van et de Bitlis.

— Parce que vous pensez, mon ami, qu'ils auraient tenu leurs engagements ? Quelles garanties nous offraient-ils ? Aucune, hélas. Nous ne pouvions accepter.

— Monseigneur a raison, approuva Vartkès Séringulian. En réalité, leur proposition était un cadeau empoisonné. Le malheur est qu'ils risquent d'exploiter notre refus et de s'en servir comme prétexte.

Le patriarche leva les bras et les laissa retomber.

— Nous verrons bien. Si…

Quelques coups frappés à la porte l'interrompirent.

— Rostom, ordonna-t-il à l'un des membres, voulez-vous ouvrir ? Ce sont les personnes que nous attendions.

Contre toute attente, ce n'était pas *des* personnes, mais une seule qui apparut dans l'encadrement. C'était un homme d'une quarantaine d'années, de taille moyenne, le visage épais et rude. Il portait un complet gris, ouvert sur un gilet de même couleur où l'on pouvait apercevoir la chaîne en or d'une montre à gousset. Il tenait son fez à la main. Sans doute l'avait-il ôté en entrant dans l'église.

— Cavid Bey ? s'exclama le patriarche. Où sont les autres ?

— Ils ont été retenus.

Dans la voix de son interlocuteur, le prêtre avait détecté une infime pointe d'hésitation.

— Retenus ?

Le Turc éluda la question.

— Je ne vais guère pouvoir rester. Je suis juste venu vous annoncer que votre coreligionnaire, Oskan Mardikian, le ministre des Postes, a remis son portefeuille ce matin, à 8 heures. À partir de maintenant, il n'y a plus de représentants arméniens au sein du gouvernement.

Il prit une brève inspiration puis :

— Je vous informe aussi que j'ai moi-même démissionné de ma fonction de ministre des Finances. Des dirigeants qui prennent la décision d'entrer en guerre lors de la réunion d'un conseil partiel des ministres ne méritent plus d'être servis. Il y a aussi plus préoccupant…

En s'excusant, il se déplaça jusqu'à la fenêtre et écarta le rideau.

— Ils ont commencé.

— Que se passe-t-il, Cavid Bey ? s'affola Zaven.

— Poussés par le sultan, les *ulémas* ont lancé un appel au *djihad*. Les premiers manifestants défilent actuellement dans le centre de la capitale. À mon avis, il n'y a pas encore lieu de s'inquiéter ; ce ne sont très vraisemblablement que des figurants auxquels on a jeté quelques piastres, mais c'est déjà un début.

Hovanès blêmit.

Chouchane et Aram, songea-t-il. Pourvu qu'ils soient restés sagement devant le parvis !

Pivotant sur les talons, l'ex-ministre reprit :

— Je suis triste. J'espérais tant qu'avec l'arrivée au pouvoir de mon parti la Turquie changerait de visage.

— Nous aussi nous avons cru à l'*Ittihad*, dit Tehlirian. (Il cita avec emphase :) « Nous sommes tous frères ! Il n'y a plus en Turquie des Bulgares, des Grecs, des Serbes, des Roumains, des musulmans, des juifs, des chrétiens ! Il n'y a plus que des Ottomans. » Qui d'entre nous pourrait oublier ces phrases prononcées par Enver à Salonique ?

— Et il y a à peine six ans, rappela une voix, à l'appel

des cadets de l'École militaire, la foule envahissait le cimetière arménien de Férikeuï pour se prosterner devant le tumulus où sont enterrés les corps de victimes des massacres de 1896. Cinq jours plus tard, c'est nous qui nous rendions, aux accents de la marche nationale et de l'hymne à la liberté, aux jardins du Taksim où se sont succédé des discours exaltant la fraternité des peuples. À croire que tout cela n'a jamais existé.

— C'est exact, dit Cavid Bey. Au départ, tout paraissait si évident. Ils ont tout raté.

Le Turc s'inclina devant le petit groupe.

— La paix soit sur vous, messieurs. J'aurais souhaité être porteur de meilleures nouvelles. Hélas…

Une voix questionna avec empressement :

— Un instant, Cavid Bey, que nous conseillez-vous de faire ?

Le Turc pencha la tête comme s'il confessait son impuissance.

— Achetez un turban blanc et gardez-le dans votre poche. Si vous vous sentez menacé, sortez-le, enroulez-le autour de votre fez et criez : « Je suis musulman ! »

L'homme qui avait posé la question battit des paupières, abasourdi.

— Il n'en est pas question ! Quand mes frères arméniens du Sassoun se sont fait massacrer, ont-ils renié leur foi ?

Mehmet Cavid eut un haussement d'épaules.

— Dans ce cas, achetez une arme.

— Une arme ? Ce serait pure folie. Si je tuais un seul de mes agresseurs, on massacrerait tous les miens. Non. Finalement, je préfère m'en remettre à Dieu.

— À Dieu ?

— Oui. Dieu est miséricordieux.

— Miséricordieux, répéta Cavid en écartant d'un petit geste un fil imaginaire du revers de sa veste. Bien sûr.

Il soliloqua en se dirigeant vers la porte.

— Le monde entier baigne dans le sang. Et Dieu est miséricordieux... oui.

À peine Cavid sorti, Hovanès bredouilla quelques mots d'excuse et fonça au-dehors. Haletant, il dévala l'allée centrale et s'arrêta sur le seuil de l'église. Son regard scruta la rue. Ni Chouchane ni Aram n'étaient là ! Ils avaient pourtant promis. Il se mordit la lèvre jusqu'au sang. Pourquoi avait-il cédé ? Pourquoi avait-il accepté de les emmener dans ce voyage ?

Des rumeurs enflaient dans les ruelles avoisinantes dans lesquelles il crut reconnaître les mots « infidèles » et « Allah ».

Il leva les yeux. La tour de Galata accrochait les rayons du soleil. Hésitant, il descendit les marches. Partir à leur recherche ? Et si, dans le même temps, ils revenaient vers l'église ?

Il risqua quelques pas de plus.

Un porteur d'eau faillit le renverser.

Au bout de la rue, les émeutiers formaient une masse sombre. Ils devaient être une centaine. La plupart brandissaient des drapeaux turcs, d'autres, une banderole de calicot sur laquelle se détachaient en caractères arabes : *Al-jihad fi sabil Allah.* « Le combat sacré sur le chemin de Dieu. »

Une femme, apeurée, courut se blottir sous le porche à côté d'Hovanès.

— *Panaghiamou*, chuchota-t-elle.

Elle s'était exprimée en grec, et comme elle tremblait, il essaya de la rassurer :

— Ne vous inquiétez pas. Ils font plus de bruit que de mal.

Elle se signa discrètement.

— *Ermeni ?*

Il se demanda à quoi elle avait reconnu qu'il était arménien. Il confirma.

— Vous savez ce que m'a dit ma voisine, la semaine dernière ? Une fois vainqueurs, ils vous massacreront, tous, jusqu'au dernier. Et après, viendra notre tour, les Grecs.

Il ouvrit la bouche pour répondre, mais la voix de Chouchane claqua tout près de lui.

— Oncle Hovanès !

— Bon sang ! Où étiez-vous passés ?

— Là...

Aram montra une fontaine à l'angle de la rue.

— Je vous avais pourtant recommandé de ne pas vous éloigner, fulmina Hovanès.

— Votre père a raison, approuva la Grecque. Vous devez rester auprès de lui.

Du pouce, elle traça spontanément une croix sur le front d'Aram et de Chouchane et s'éloigna.

Maintenant la manifestation était presque parvenue à leur niveau.

— Venez ! ordonna Hovanès d'une voix sourde. Et ne lâchez pas mes mains.

Était-ce le soleil qui chauffait soudainement avec plus d'intensité ou l'appréhension qui donnait à Hovanès cette sensation de brûlure au milieu de la poitrine ?

Une voix vociféra :

— *La illah el lallah* ! Il n'y a de Dieu que Dieu !

Une autre lui fit écho :

— *Wa Mohammed rassoul Allah* ! Et Mahomet est son Envoyé.

Hovanès allongea le pas.

Projetée dont ne sait où, une pierre frappa violemment l'épaule d'Aram qui poussa un cri de douleur.

— Ils sont devenus fous ! hurla Chouchane.

— Plus vite ! Plus vite !

Les enfants avaient du mal à suivre le rythme de l'adulte. Le monde chuchotait autour d'eux, des glissements dans la lumière, des corps frémissants d'angoisse, un vent d'ouest venu de la mer se déployait sur les maisons, même les arbres enflaient méchamment. *Non*, pensa Hovanès, *ce sont des illusions.*

Il chassa ces images fantomatiques.

Où aller ?

— J'ai peur, gémit Aram.

Chouchane le rassura.

Une deuxième pierre roula à leurs pieds. Puis une troisième. À présent, des encouragements au meurtre avaient supplanté les versets coraniques. Dans le prolongement de la rue apparut la masse sombre du Rüstem Pasa hani, le vieux caravansérail et, sur la droite, un bâtiment à l'allure flamboyante où l'on pouvait apercevoir, flottant au sommet d'une hampe, un drapeau étoilé et deux soldats en faction.

— Nous sommes sauvés ! s'exclama Hovanès. Encore un effort.

Déjà les deux militaires avaient saisi leur fusil.

— Ne tirez pas ! rugit Hovanès.

Mais la mise en garde était inutile ; les hommes avaient cerné la situation. L'un des deux tira un coup de fusil en l'air ; l'autre ouvrit la porte et poussa le trio à l'intérieur du bâtiment, les enfants en premier.

Une cour. Une fontaine. Un bougainvillier couvrait une partie des murs. L'ombre, la fraîcheur. Autant de signes rassurants.

Aram se jeta dans les bras de sa sœur. Son épaule saignait.

Dehors, le silence était revenu. On n'entendait plus que la très lointaine rumeur du « gué de la vache ».

— *Effendi ?*

Un homme en bras de chemise, la soixantaine, venait de surgir dans la cour.

Il demanda avec un accent turc épouvantable :

— Que vous est-il arrivé ?

Hovanès répliqua en anglais et avec un accent tout aussi épouvantable :

— Mon nom est Hovanès Tomassian. Je suis arménien. (Il présenta Chouchane et Aram :) Ma nièce et mon neveu. (Et montra l'épaule d'Aram :) Il faudrait le soigner.

L'homme les examina des pieds à la tête, puis :

— Pourquoi ces gens vous poursuivaient-ils ?

— Je n'en sais rien. Ou plutôt si, je sais. Ce matin, les responsables religieux ont proclamé le *djihad*. Alors…

— Je vois… Savez-vous où vous êtes ?

— J'ai cru reconnaître le drapeau américain. Ce doit être l'ambassade.

— C'est exact. (L'homme tendit une main ferme à Hovanès.) Mon nom est Henry Morgenthau. Je suis l'ambassadeur.

10

Constantinople, résidence de l'ambassadeur des États-Unis,
14 novembre 1914, 9 heures

Aram fit une pirouette et examina le pansement de son épaule dans la psyché qui ornait la chambre à coucher. Il se rapprocha, détailla ses cheveux aile de corbeau, son nez aux narines un peu évasées, ses prunelles brunes mouchetées de noir et se recula d'un pas en inclinant la tête sur le côté.

— C'est curieux. C'est la première fois que je me vois en entier.

— Et tu t'admires ? ironisa Chouchane, encore allongée sous les couvertures.

— Je ne m'imaginais pas aussi grand de taille. À la maison, je ne me suis toujours vu qu'à moitié. (Il retourna vers le lit.) Il est bien, l'ambassadeur. Je n'aurais pas cru qu'il nous offrirait l'hospitalité.

— Il a fait bien plus. Il nous a sauvé la vie. Je me demande encore pourquoi ces gens cherchaient à nous tuer. Nous ne leur avons pourtant rien fait.

— Je n'en sais rien. Je n'ai jamais eu aussi peur de ma vie.

Chouchane s'étira à la manière d'un chat.

— Ce lit me fascine. Il est incroyablement grand.

— C'est normal. C'est un lit américain.

— Américain ou pas, un jour j'aurai le même.

— Dans ce cas, il te faudra épouser un mari très riche ! Un lit comme celui-là doit coûter une fortune.

— Me marier ? Jamais !

Aram plongea à son côté et lui chuchota à l'oreille :

— Même pas avec Soghomon ?

Elle bondit comme sous l'effet d'une morsure.

— Soghomon ?

— Soghomon. Si tu crois que je n'ai pas vu la manière dont tu le regardes.

— Qu'a-t-elle de particulier ? Je le regarde comme tout le monde.

Il répliqua d'un air inspiré en levant l'index :

— Non. Soghomon, tu le regardes avec le cœur.

— Tu es fou...

Elle sauta hors du lit.

— Je meurs de faim. Le petit déjeuner doit être servi.

La salle à manger était bien plus impressionnante que le lit. Immense, de hauts murs couverts de tentures, une table en chêne massif qui aurait pu accueillir une vingtaine d'invités. Et au plafond, un lustre en cristal de Bohême.

Une salle à manger américaine, pensa Chouchane.

Son oncle et l'ambassadeur étaient déjà en pleine discussion.

— *Pari Louÿs* ! lança Hovanès. Enfin réveillés ?

Morgenthau leur fit signe :

— Venez, mes enfants, prenez place. On va vous servir un petit déjeuner.

Le diplomate souleva une clochette en argent qu'il fit tinter.

— Que boivent-ils ? Du café ? Du thé ?

— Du thé, répondit Hovanès. Enfin, si c'est possible.

— Bien sûr. Du thé pour ces jeunes gens, répéta Morgenthau au majordome qui était apparu.

Et il s'informa :

— Vos enfants ne parlent pas l'anglais, je présume ?

— Non. Mais il s'agit de mon neveu et de ma nièce, rectifia poliment Hovanès.

— Oh ! Pardon. Je ne m'en souvenais plus. La mémoire ! Pour un ancien avocat, ce n'est pas brillant ! (Il avala la dernière gorgée de café et enchaîna :) Ainsi, vous êtes député et membre de la Fédération révolutionnaire arménienne.

— Le Dachnak, oui.

— Intéressant. Vous êtes une vingtaine, je crois, au Parlement ?

— Quatorze, très précisément.

— Il faut espérer que l'on vous y maintienne. Avec ce qui se prépare, je crains de nombreux bouleversements. Ces pachas ont fait preuve d'une incroyable légèreté en entrant dans cette guerre aux côtés des Allemands. Lorsque je vois comment se comporte l'envoyé militaire du kaiser, ce général von Sanders qui a pris le commandement du premier corps d'armée turc, je me dis que les choses ne pourront qu'empirer.

Il se resservit du café, deux sucres, et développa :

— Figurez-vous que le 18 février, je donnais mon premier dîner officiel. Le général figurait au nombre des invités ; il était le voisin de table de ma fille Ruth, qui ne passa pas une soirée très agréable, car le cher homme, sanglé dans son pompeux uniforme, la poitrine constellée de décorations, ne dit pas un mot de tout le repas. Il mangea d'un air maussade, et tous les efforts de ma fille pour entamer une conversation n'aboutirent qu'à lui arracher, de temps à autre, quelques monosyllabes. Après le dîner, von Untius, le chargé d'affaires allemand, vint me trouver, surexcité : « Vous avez commis une terrible erreur, monsieur l'Ambassadeur, me dit-il. — Laquelle ? demandai-je, forcément interdit. — Vous avez grandement offensé le général von Sanders en lui assignant une place à table de rang inférieur à celle des ministres étrangers. Il est le représentant personnel du kaiser, et, comme tel, il aurait dû être traité à l'égal des ambassadeurs. » Ainsi j'avais fait un affront à l'empereur lui-même ! C'était l'explication de l'attitude grossière de von Sanders. Et, du reste, son compatriote, le baron von Wangenheim, ne se montre pas plus subtil.

— Le baron Wangenheim ?

— L'ambassadeur d'Allemagne. Quelques minutes de conversation m'ont suffi pour cerner le personnage. C'est le genre d'homme pour qui l'humanité se divise en deux catégories : les gouvernants et les gouvernés.

Morgenthau soupira en levant les yeux au ciel.

— Vous comprenez maintenant pourquoi je pense qu'avec de tels alliés les choses ne pourront que tourner mal pour les Turcs ? Ni Talaat, ni Enver, ni Djemal Pacha n'ont compris que le vrai but poursuivi par l'Allemagne est de s'emparer des nations balkaniques et de transformer la Turquie en vassale.

— Je crains qu'ils n'y parviennent.

— Je suis au contraire persuadé que les forces de la Triple Alliance perdront cette guerre. Ces pachas sombrent dans la décadence et la prévarication. Il n'est qu'à voir la manière dont vit Enver pour en avoir la preuve. Je peux en témoigner.

Hovanès haussa les sourcils, surpris.

— Parfaitement ! Il y a environ deux mois, le bruit a couru que le gouvernement turc avait l'intention d'abolir le système des Capitulations – vous voyez de quoi il s'agit ? C'est un système qui permet à toutes les nations, y compris les États-Unis, de posséder leurs propres tribunaux et leurs propres prisons consulaires pour juger et punir les crimes commis en Turquie par leurs nationaux. Même les écoles sont soumises, non à la législation turque, mais à celle du pays qui les entretient.

— Reconnaissons que c'est un système plutôt inique, releva Hovanès. Un pays que l'on prive de moyens législatifs pour appliquer la loi en est réduit à…

— Oui, oui, je vois ce que vous voulez dire. Mais c'est un autre débat. Nous parlions d'Enver et de son mode de vie.

Donc, il y a deux mois, alerté par cette rumeur, je demandai à le rencontrer. Il me fit répondre qu'il préférait que je me déplace chez lui, et non au ministère de la Guerre, car il était alité à la suite d'une légère opération chirurgicale, conséquence d'un orteil infecté. J'eus ainsi l'occasion de voir l'homme en famille et de constater jusqu'où il s'était élevé. Sa maison est située dans un des quartiers les plus résidentiels de la ville. On m'escorta jusqu'à une belle pièce, où Enver était étendu sur un canapé, vêtu d'un long peignoir en soie. Il tenait un violon dans la main. La pièce était magnifiquement tapissée et contenait – détail surprenant – une estrade sur laquelle était placée une chaise dorée : c'était le trône nuptial de l'épouse impériale d'Enver – vous n'êtes pas sans savoir qu'il est marié à la nièce du sultan. En considérant l'étalage de ce luxe, je me suis posé la question que se pose tout Constantinople : d'où Enver tire-t-il l'argent que suppose une installation aussi luxueuse ? Il ne possède pas de fortune personnelle, ses parents sont notoirement dans la misère, et son traitement de ministre du Cabinet ne s'élève qu'à 8 000 dollars ; sa femme touche une modeste rente en qualité de princesse impériale et, cependant, il mène un train de vie supposant de larges revenus. Alors ?

Leur conversation fut interrompue par l'arrivée d'une jeune femme mince, les cheveux coiffés en chignon.

— Pardonnez-moi, excellence, s'excusa-t-elle en traversant la salle à manger, mais vous m'aviez demandé de vous apporter le journal dès qu'il aurait été livré.

Elle remit un quotidien à Morgenthau et se retira aussi discrètement qu'elle était entrée.

— C'est *La Turquie*, précisa le diplomate en chaussant ses lunettes. L'organe de presse quasi officiel, la voix du comité Union et Progrès.

Il parcourut silencieusement la une. Sa bouche exhala un soupir avant de commenter :

— C'est clair. On comprend mieux l'agression dont vous avez été l'objet hier. Je vous lis quelques extraits :

« Le gouvernement oppresseur qui porte le nom d'Entente a ravi aux peuples musulmans des Indes, de l'Asie centrale et de la plupart des contrées africaines leur indépendance politique, leur gouvernement et même leur liberté. Et, depuis plus d'un demi-siècle, il nous a fait perdre les plus précieuses parties de l'Empire ottoman. [...] En encourageant et en protégeant nos voisins, il a été la cause morale et matérielle de l'anéantissement de centaines de milliers de musulmans innocents, du viol de milliers de vierges musulmanes et de la profanation fanatique des choses sacrées de l'islam, et il vient encore de susciter des complications de nature à transformer le monde en un immense champ de bataille. [...] Il est évident que ceux qui persécutent la religion musulmane seront, tôt ou tard, les victimes du courroux céleste qui les écrasera moralement et matériellement. Aussi le Serviteur des deux Villes saintes, Calife des Musulmans et Commandeur des Croyants, a-t-il considéré comme le plus grand de ses devoirs d'appeler à la Guerre sainte les peuples musulmans.

« Ô peuple de Mahomet !

« Ô peuple musulman !

« Conformément à la promesse divine, ceux qui se sacrifient pour la cause du droit auront la gloire et le bonheur ici-bas, le paradis là-haut. [...] En ce jour où notre État se trouve en guerre avec la Russie, la France, l'Angleterre et leurs alliés, ennemis mortels de l'Islam, le Commandeur des Croyants, Calife des Musulmans, vous appelle à la Guerre sainte ! »

Morgenthau jeta négligemment le journal sur la table.

— Et voilà ! L'appel au crime est lancé.

Hovanès fronça les sourcils, l'œil inquiet.

— Qui a signé ?

— Douze ulémas... Parmi lesquels Hussein Kiamil, le président du Conseil des études théologiques.

Il y eut un silence.

— Je présume que ces nouvelles ne changeront rien à la

détermination de votre président ? L'Amérique restera dans la neutralité.

Morgenthau adopta une moue dubitative.

— À vrai dire, la question n'est pas de savoir si l'Amérique entrera en guerre ou non, mais quand. Wilson est un pacifiste convaincu ; comme je le suis d'ailleurs. Seulement, le pacifisme a ses limites. Il faut savoir s'en méfier dès lors qu'il risque de se transformer en illusion béate.

Il marqua une pause, avant de noter gravement :

— C'est un peu comme pour les gens de votre communauté, monsieur Tomassian.

Hovanès resta interdit.

— Oui, poursuivit Morgenthau, je crains que vous et vos amis ne soyez plongés dans cette illusion béate que je viens d'évoquer. Vous n'êtes probablement pas encore au courant, mais le gouvernement turc a donné l'ordre d'expulser tous les inspecteurs européens censés veiller à l'application des réformes en faveur des Arméniens de l'Empire ottoman. Tous, sans exception.

— Quoi ? Vous êtes sûr ?

— Parfaitement. En ce moment précis, ils sont en train de plier bagage. (L'ambassadeur rejeta la tête légèrement en arrière.) Voyez-vous, j'appartiens à une famille d'émigrés juifs allemands. Je sais ce que signifie appartenir à une minorité. Une minorité devient toujours, tôt ou tard, le bouc émissaire de quelqu'un. Si les événements tournent en défaveur des Turcs, vous et les vôtres êtes tout désignés, monsieur Tomassian.

— Un bouc émissaire ? Pourquoi, diable, faudrait-il qu'il y ait un bouc émissaire ?

— Parce que, lorsque certains individus sont dans l'incapacité d'agir directement sur la source de leur frustration, ils déplacent leur agressivité sur une cible faible ou vulnérable. Et afin de justifier cette agression, ils attribuent à cette cible des traits négatifs ou indésirables Croyez-moi, je sais de quoi je parle.

Le teint d'Hovanès était devenu blême.

— Pourtant, les Jeunes-Turcs…

— Les Jeunes-Turcs ? Ils sont à la botte des trois pachas. Et les pachas, à la botte des Allemands. Quiconque a lu, même superficiellement, la littérature pangermanique connaît la méthode spéciale prônée à l'égard des populations gênant l'Allemagne : c'est la déportation pure et simple. Le déplacement par force de peuples entiers, transportés d'une extrémité de l'Europe à l'autre, fait partie depuis des années des projets de conquête de l'Allemagne. Voyez comme ils ont poussé les Turcs tout récemment encore à expulser les sujets grecs d'Asie mineure. Vous êtes au courant, n'est-ce pas ?

Hovanès fit oui de la tête.

— J'en ai entendu parler.

— C'est une réalité. Il y a tout juste deux mois, à Smyrne, cette politique a conduit au renvoi de tous les employés grecs qui travaillaient dans des sociétés étrangères et à leur remplacement par des musulmans. La Singer Manufacturing Company, firme américaine, a connu ce sort.

— N'avez-vous pas cherché à vous opposer outre mesure ?

— Bien entendu. J'ai demandé à être reçu par Talaat. Je lui ai exprimé mes plus vives protestations, je lui ai dit qu'il provoquerait une impression désastreuse à l'étranger et que les sympathies américaines en seraient affectées.

— Que vous a-t-il répondu ?

— Il s'est lancé dans une explication passionnée de sa vision nationale. Selon lui, les différents blocs minoritaires au sein du pays auraient toujours conspiré contre la Turquie. C'est la raison pour laquelle l'Empire ottoman se serait affaibli et qu'à présent il est près de disparaître. Il a précisé, mot pour mot : « Pour que survive cette dernière parcelle de notre patrie, nous devons nous débarrasser des peuples étrangers. La Turquie aux Turcs. »

La voix de Chouchane s'éleva tout à coup. Elle n'avait pas perdu un mot de la discussion entre les deux hommes.

— Oncle Hovanès !

— Oui ?

— Qu'y avait-il écrit sur la banderole que portaient les manifestants ?

— *Al-jihad fi sabil Allah.* Qui veut dire : « Le combat sacré sur le chemin de Dieu. »

— Combat sacré ? Contre qui ? Contre ceux qui nous ont déclaré la guerre, je suppose ?

Il mit quelques secondes avant de répondre par l'affirmative.

— Et pourquoi y mêler Dieu ?

— Parce que certains musulmans estiment qu'ils ont le droit de tuer au nom d'Allah, de la même manière que les Croisés considéraient qu'il était légitime de trancher des têtes et l'Inquisition de jeter des innocents dans les bûchers. À une nuance près : les Croisades, c'était il y a neuf cents ans. Et il n'y a plus d'Inquisition depuis bien longtemps.

— Mais alors ?

— Alors quoi ? C'est ainsi, Chouchane. Il y a toujours eu dans l'histoire des imbéciles qui s'entêtent à consulter l'heure sur des montres arrêtées.

Se tournant vers l'ambassadeur, il s'excusa de s'être exprimé en arménien.

— Point d'excuses, monsieur Tomassian. Vous faites bien d'élever vos enfants dans l'amour de votre langue. Elle est votre patrimoine. Le seul bien qui reste lorsque l'on a tout perdu.

Il baissa d'un ton pour ajouter, très sombre tout à coup :

— Prenez garde qu'elle ne devienne votre cercueil.

Ministère de la Guerre, au même moment

Il pleuvait à torrents. Jamais de mémoire de Stambouliote on n'avait connu un tel déluge. Le bâtiment officiel, vague copie d'un Schönbrunn affublée d'un gigantesque arc de triomphe, se devinait à peine derrière les trombes d'eau.

Au deuxième étage, dans la salle de réunion embrumée de fumée de cigarettes, Enver Pacha s'arrêta devant une immense carte de la Turquie et assena sa paume sur la région anatolienne.

— Erzeroum ! Nous partirons d'Erzeroum. C'est bien Izzet Pacha qui commande la 3ᵉ armée ?

Un officier confirma.

— Parfait. Qu'il place les troupes en alerte maximale et attende mes ordres. Prévenez-le aussi que je me rendrai sur place dans les jours qui viennent.

Il revint s'asseoir entre les responsables militaires réunis au grand complet et en face de Djemal Pacha qui, tripotant son rosaire, cachait mal sa nervosité. Dès qu'Enver fut installé, le ministre de la Marine questionna :

— Le plan que je t'ai soumis est-il toujours d'actualité ?

— Absolument. Talaat a confirmé ta nomination au poste de gouverneur de Syrie.

La réponse parut soulager Djemal qui répliqua aussitôt :

— Dans ce cas, je partirai pour Damas à la fin de cette semaine. Une fois sur place, comme il a été prévu, j'organiserai le corps expéditionnaire avec l'aide du colonel von Kressenstein et je chasserai les Anglais d'Égypte. Sur combien d'hommes puis-je compter ?

— Quatre-vingt mille. Il me semble que ce sera amplement suffisant.

Djemal afficha un sourire satisfait.

— Amplement.

144

Il y eut un bref silence, puis Enver se pencha vers le gouverneur militaire de la ville, le colonel Cevad :

— Avez-vous transmis les instructions du ministre de l'Intérieur pour ce qui concerne l'autre dossier ?

— Oui, Votre Excellence. Tous les *valis* ont été informés. Les ordres seront appliqués à la lettre.

Une lueur illumina les prunelles d'Enver.

Pourquoi, à ce moment précis, revint à l'esprit du colonel Cevad la réflexion qu'il s'était faite quatre mois auparavant ? *Le sultan Abdül-Hamîd allait pouvoir danser dans sa prison dorée du palais de Beylerbey*

11

Erzeroum, 10 décembre 1914

Les coups répétés firent sursauter Vahé. Assis près de l'âtre, il lorgna vers sa montre. *Six heures ! Qui est l'inconscient ?*

Les martèlements reprirent.

— Ce n'est pas vrai ! Il va réveiller tout le monde !

Le vieil homme posa sur un coin de table la tasse de café qu'il s'apprêtait à boire, serra contre lui l'épaisse couverture et alla ouvrir.

Un inconnu, engoncé dans un complet noir, droit, raide, figure hâve sous un fez au gland de soie, se tenait dans le contre-jour. À sa main droite pendait une serviette de cuir râpé ; noire elle aussi. La première idée qui vint à l'esprit du septuagénaire fut : « Un collecteur de taxes. »

— Tomassian *effendi* ?

— Je suis Vahé Tomassian.

— Je me présente : Mustafa Kahveci. Puis-je entrer ?

Kahveci ? Cafetier ? Curieux nom pour un fonctionnaire des finances.

— Savez-vous l'heure qu'il est ?

— Ce sont les ordres.

— Vous avez l'ordre de réveiller les gens qui dorment ?

L'homme grimaça un sourire.

— Vous avez de l'humour, *effendi*. Puis-je entrer ?

— Il n'en est pas question ! Revenez plus tard. Quand j'aurai bu mon café et que tout le monde sera réveillé.

— Impossible. Vous êtes le dernier sur ma liste et je dois être à Erzindjan en début de soirée.

— Plus tard, vous dis-je ! D'ailleurs, que voulez-vous ?

L'attitude du visiteur se métamorphosa d'un seul coup. Il fouilla dans sa serviette et en sortit un document qu'il remit à Vahé non sans une certaine solennité

— Qu'est-ce que c'est ?

— Un décret de notre ministre de l'Intérieur, son excellence Talaat Pacha.

— Je n'ai pas mes lunettes. De quoi s'agit-il ?

— Tous les citoyens arméniens du *vilayet* sont dans l'obligation de remettre leurs passeports.

— Nos *tezkérés* ? Vous savez ce que cela signifie ? Nous ne pourrons plus nous déplacer à travers le *sandjak*[1] et encore moins à travers le pays !

— Ou hors du pays. Oui. Je connais la loi.

— La loi ! La loi ! De quel droit se permet-on de nous empêcher d'aller où bon nous semble ? Hein ? Répondez-moi !

En guise de réponse, l'homme insista :

— Puis-je entrer ? Car vous n'êtes pas le seul concerné. Il y a aussi votre fils et son épouse.

— Allez au diable ! jura Vahé.

Il fut à deux doigts de repousser l'intrus lorsque quatre individus, restés cachés dans l'ombre jusqu'à cet instant, escaladèrent les marches et repoussèrent sans ménagement le vieil homme à l'intérieur de la maison. Tous étaient armés de fusils Mauser.

— Holà ! Que se passe-t-il ici ?

Alerté par les cris, Achod, cheveux hirsutes, venait de débouler dans la pièce.

---

1. Canton. Sous-ensemble du *vilayet*.

— Il est question de nous emprisonner dans notre propre ville ! expliqua Vahé.

Le fonctionnaire protesta sur un ton sirupeux.

— Tomassian *effendi* s'emporte pour rien. Personne ne veut vous faire le moindre mal et encore moins vous emprisonner.

Achod le toisa.

— Je vous écoute.

Comme il l'avait fait un instant auparavant, l'homme brandit le décret.

— Vos *tezkérés*. Ordre du ministère de l'Intérieur. Vous devez les restituer.

Il se hâta de s'enquérir :

— Êtes-vous Achod Tomassian ?

Achod confirma.

— Très bien. Les passeports vous seront rendus plus tard.

— Plus tard ?

— Une fois la guerre terminée.

— Expliquez-vous.

— N'êtes-vous pas exempté du service militaire ? Vous, en raison de votre statut d'instituteur, et... (Il désigna Vahé du menton :) Votre père, parce qu'il a dépassé l'âge de combattre ?

— Quel rapport avec nos *tezkérés* ?

— Il est interdit aux citoyens exemptés du service de se déplacer : question de sécurité. Ainsi les autorités responsables pourront mieux veiller sur eux. Vous comprenez ?

— *Tous* les citoyens ? ironisa Vahé. Tout à l'heure vous avez dit : « Les citoyens arméniens. »

Le fonctionnaire ferma les yeux avec une affliction feinte.

— Je vous en prie, ne me compliquez pas la tâche. Malheureusement, c'est la guerre. Même les citoyens étrangers sont obligés de se soumettre à des contraintes, et...

— Citoyens étrangers ! Vous nous assimilez à des citoyens étrangers ? Vous ? Vous ? Alors qu'à l'époque où mes ancêtres vivaient sur cette terre et bâtissaient des royaumes les vôtres n'étaient que des larves dans les testicules des nomades ! Nous ? Des citoyens étrangers ?

Achod saisit son père par les épaules et essaya de maîtriser les tremblements qui secouaient ses membres.

— *Hayrig*, je t'en conjure, *hantard guetsir*, calme-toi. Je t'en prie !

La voix du fonctionnaire s'éleva à nouveau, plus déterminée :

— Allons ! Tout ceci est ridicule. Vous ne souhaitez pas que nous employions la force, n'est-ce pas ? Ce serait déplorable ! (Il baissa la voix d'un ton :) Surtout pour les enfants. Car vous avez bien deux enfants, *effendi* ? (Il fit mine de sursauter.) Tiens ? Mais les voici ! Qu'Allah les bénisse. Ils sont magnifiques.

Achod opéra une volte-face. Chouchane et Aram, les yeux encore pleins de sommeil, les avaient rejoints. Anna, arrachée du lit elle aussi, eut un mouvement d'effroi en apercevant les soldats.

— Achod ? Que se passe-t-il ?

— Ce monsieur exige que nous lui remettions nos passeports.

— Momentané, momentané, susurra le fonctionnaire en secouant la tête à plusieurs reprises.

Achod leva la main vers les quatre individus postés dans un coin.

— Qui sont-ils ? Ils ne portent ni l'uniforme de l'armée régulière ni celui des gendarmes. Qui sont-ils ?

Pour toute réponse, le fonctionnaire regarda fixement Achod, mais avec dureté.

— Vos *tezkérés*, *effendi*.

Après un silence qui parut interminable, Achod se dirigea vers un bahut d'où il récupéra trois documents qu'il remit à l'homme.

— Pourquoi fais-tu cela ? rugit Vahé. Ils n'ont pas le droit !

— Laisse faire, *hayrig*, ce n'est pas important.

Le fonctionnaire salua en effleurant son cœur, sa bouche et son front avec componction.

— Je vous remercie. Qu'Allah soit avec vous ! Et je vous le redis : momentané, tous ces tracas sont momentanés.

Il sortit, entraînant les hommes dans son sillage.

— Pour quelle raison as-tu cédé ? répéta Vahé. Dis-moi !

— Je n'avais pas le choix, tu le sais bien.

— On a toujours le choix !

Anna prit sur elle de répondre à la place de son époux.

— Pardonnez-moi, père, Achod ne pouvait pas faire autrement. Vous avez vu ces gens. Que faire contre des fusils ?

Le vieil homme, résigné, se laissa choir sur une chaise. Aussitôt, Chouchane s'empressa de le rejoindre.

— Ce n'est pas grave, *medz baba*. Après tout, ce ne sont que des papiers.

— Des papiers ? Non, Chouchane *djian*[1], ce ne sont pas uniquement des papiers, mais notre droit. Le droit d'exister. Le droit à la liberté. Le droit d'être considérés comme des citoyens à part entière.

Il fit signe à Aram de s'approcher et serra les deux enfants contre lui. D'une voix presque inaudible, on l'entendit qui disait :

— Où est Artavazd ? Où est-il ? Quand va-t-il briser ses liens, vos liens ? Quand va-t-il sortir de l'obscurité et des abîmes de vos âmes ? Quand va-t-il sortir ? Où est-il, où est mon Artavazd ?

Des larmes perlaient-elles dans les yeux las du vieil homme ? Ou était-ce juste le reflet du ciel de pluie tendu sur Erzeroum qui donnait cette impression ? Le ciel de pluie, sûrement.

— Il fait froid, dit Anna en réprimant un frisson. Ce mois de décembre s'annonce glacial. (Elle leva les yeux vers son mari :) Veux-tu que j'aille chercher du *tezek*[2] dans la remise ?

---

1. « Mon âme. »

2. Sorte de tourbe comprimée qui servait habituellement de combustible.

— Non. J'y vais.

Anna récupéra la tasse de café que Vahé avait abandonnée un instant plus tôt. Sur ses traits se lisaient de la tristesse, mais aussi une grande appréhension.

— Je vais vous en refaire un autre, bien chaud.

Il n'eut aucune réaction.

— *Medz baba*, questionna doucement Chouchane, qui était Artavazd ?

— Un roi. L'un de nos grands rois. Condamné à être enchaîné dans une grotte de la montagne sacrée de l'Ararat, il dut un jour se libérer de ses chaînes pour sauver notre peuple.

Il ajouta d'une voix ténue :

— Il n'est pas près de revenir, parce que...

— Écoutez ! coupa Aram. Écoutez !

Une rumeur sourde avait pris naissance quelque part, dans les entrailles de la ville, et on la sentait qui croissait, mélange confus de piétinements, de hennissements et de cliquetis.

Le garçon s'était précipité sur la terrasse.

— Venez voir ! Venez voir !

Là-bas, dans la plaine, au pied du château byzantin, oscillaient des vagues de fusils, d'uniformes kaki et de casques sans visière. À l'arrière, on distinguait des unités de cavalerie. Et, plus loin, des artilleurs, reconnaissables entre tous grâce à leurs chapeaux en peau d'agneau ornés de tissu vert.

Anna se signa.

— Mais c'est toute l'armée turque qui est rassemblée ici !

— L'armée turque ? s'alarma Vahé.

Il se rendit sur la terrasse et se signa à son tour.

— *Asdvadzim* ! Mon Dieu !

— Mais... Pourquoi ? Que font-ils à Erzeroum ?

— *Hayrig*, nous sommes tout proches de la frontière, et de la Géorgie en particulier. Comme lors de la précédente guerre, on peut supposer que c'est de cette région que les troupes russes surgiront.

— Regardez ! cria Chouchane. Cet homme, là-bas ! On dirait le chef.

— Il est bien plus que le chef, corrigea une voix.

C'était Asim Terzioğlu que personne n'avait entendu arriver.

— Oui, répéta-t-il, en gravissant les marches, il est bien plus que le chef. Vous ne le reconnaissez pas ? Observez-le attentivement.

L'homme avait fière allure, dressé sur sa monture : manteau long, galons brodés de fils d'or et d'argent, pantalon bleu clair, bottes jaunes, baudrier et ceinturon blancs. Mince. Traits lisses. Seule une fine moustache roulée en pointe apportait une touche de virilité dans ce visage presque féminin.

— Alors ? insista le *zabtieh*. Vous ne voyez toujours pas ?

Malgré leurs efforts, aucun membre de la famille ne fut capable de mettre un nom sur le personnage.

Asim laissa tomber :

— Son Excellence Ismaïl Enver Pacha... !

— Le ministre de la Guerre ? se récria Achod. Que fait-il ici ?

Le *zabtieh* haussa les épaules.

— Il inspecte sans doute. C'est ce tintamarre qui m'a réveillé. Et l'homme qui chevauche près de lui n'est autre que le général Izzet Pacha.

— Je vais aller faire le café, annonça Anna, et je vous suggère de rentrer. (Elle pointa son index vers le ciel :) Il va pleuvoir. (Elle demanda au gendarme :) Du café pour vous aussi, Asim ?

— Avec plaisir, *hanim* [1].

Vahé prit place près de la cheminée tout en apostrophant le Turc avec ironie :

— Peux-tu me dire où se trouvait le « *zabtieh* le plus gradé de tout le *vilayet* » ce matin à six heures ?

---

1. « Dame. »

— Chez lui. Dans son lit. Pourquoi ?

Le vieil homme prit Achod à témoin.

— Dis-lui !

— Un envoyé du ministère de l'Intérieur est venu nous confisquer nos passeports.

— Vos passeports ? Pour quel motif ?

— Un décret. Mais le plus curieux, c'est que le fonctionnaire n'était accompagné ni de soldats ni de gendarmes, mais de civils armés.

Le Turc médita un instant avant de déclarer :

— Maintenant, je comprends. Il y a quelques jours, des hommes ont fait irruption à la gendarmerie. Ils étaient une dizaine. Deux d'entre eux ont décliné leur identité. Le premier s'est présenté comme étant le vice-consul d'Allemagne. Il avait un nom imprononçable. Quelque chose comme Heuber-Richter [1]. L'autre s'appelait Baheddine Chakir. Un médecin. Un type vraiment bizarre. Je n'ai pas aimé ses yeux ; de petits yeux fouineurs, des yeux qui vous veulent du mal. Pas aimé non plus ses cheveux gominés, ni son énorme moustache qui débordait de ses joues. De but en blanc, il m'a annoncé qu'il avait ordre de réquisitionner une partie de nos locaux afin de s'y installer en compagnie de l'officier allemand et de son équipe.

— Son équipe ?

— C'est le terme qu'il a utilisé, équipe. J'ai dû avoir l'air hésitant, car il m'a aussitôt mis sous le nez un ordre signé par Talaat Pacha en personne.

— A-t-il expliqué les raisons de cette réquisition ? questionna Achod.

---

1. Max Scheubner-Richter. Plus tard, à Munich, le 9 novembre 1923, il participera au putsch de la Brasserie durant lequel il sera mortellement blessé, alors qu'il se tenait aux côtés d'Adolf Hitler. En recevant la balle qui aurait pu frapper le futur dictateur, il a, sans le savoir, changé le cours de l'Histoire.

— Non. Et je ne lui ai rien demandé. Croyez-moi, ce n'est pas le genre d'homme qu'on interroge. Mais à présent que vous me parlez de civils armés, je me demande s'ils ne feraient pas partie de l'équipe en question. Il y a aussi autre chose. Le lendemain, je suis tombé sur Hidayet, tout échevelé, comme s'il avait découvert une potion magique.

— Hidayet, le pharmacien ?

— Lui-même. Figurez-vous qu'il me lance, comme ça : « Notre ville est à l'honneur ! Tu as vu qui vient de s'installer dans la maison du *vali*, Tahsin Bey ? » Comme je restais perplexe, il a poursuivi : « Le docteur Baheddine Chakir ! — Oui, dis-je, j'ai fait sa connaissance, hier. Et alors ? Qu'a-t-il de si important ? » Et Hidayet de m'expliquer qu'il a connu ce docteur Chakir à l'école de médecine militaire du temps où il occupait la fonction de professeur de médecine légale. Toujours selon Hidayet, Chakir ferait désormais partie des collaborateurs les plus proches de Talaat Pacha, et il serait ici en mission spéciale.

Achod haussa les sourcils.

— Le café ! annonça Anna.

Soulevant le *djezvé*, un petit récipient en cuivre muni d'une longue poignée, elle versa l'épaisse décoction dans les tasses et servit tour à tour Vahé puis Asim et Achod.

Ce dernier reprit :

— Tu as bien dit « mission spéciale » ?

— Ce sont les mots de Hidayet.

Vahé se massa le front, perplexe.

— Il se prépare quelque chose, mais quoi ?

— Nous ne le saurons sans doute jamais, ironisa Asim.

— Ou bien quand il sera trop tard, murmura Achod.

Il retourna vers la fenêtre et demeura silencieux jusqu'au moment où Anna posa tendrement sa main sur son épaule.

— Tu sembles bien soucieux tout à coup.

— Comment ne le serais-je pas ? On nous prive de nos passeports. Et maintenant, cette armée, ces mystérieux individus, ce docteur Chakir, le consul d'Allemagne… Tout cela ne me dit rien qui vaille. Je me demande si nous ne devrions pas…

Il s'interrompit net.

— Où sont passés les enfants ? Ils vont être en retard à l'école !

Anna porta la main à son front. Emportés par leur discussion, aucun d'entre eux ne leur avait prêté attention.

— Ils sont sans doute sur la place de l'église, comme d'habitude, suggéra Vahé.

— J'y vais ! dit Anna.

Au moment où elle sortait sur le palier, un éclair zébra le ciel, aussitôt ponctué par un coup de tonnerre, et une pluie fine commença à tomber sur Erzeroum.

12

Tapie derrière un muret, Chouchane, subjuguée, continuait de fixer Enver Pacha avec la fascination morbide de la proie devant son prédateur.

Incapable de quitter le ministre des yeux, indifférente aux gouttes d'eau qui ruisselaient sur son visage, elle demeurait là, immobile, hypnotisée.

Aram la tira par la manche.

— Allez, partons. Nous allons être en retard pour l'école.

— Encore un instant. Je...

— Hé, vous, là-bas !

Les deux enfants tressaillirent en même temps. Deux soldats les tenaient en joue.

— Suivez-nous ! commanda le plus âgé.

Un nouvel éclair perça le ciel, suivi d'un nouveau coup de tonnerre.

— Avancez !

— Nous... nous ne faisions rien de mal, bégaya Aram. Nous...

— J'ai dit : avancez !

Et comme ils hésitaient encore, le soldat balança un coup de crosse dans les reins de l'enfant.

— Ne le touchez pas ! rugit Chouchane.

— La ferme ! Avance !

Ils parcoururent une dizaine de mètres, jusqu'à ce qu'apparaissent les premiers éléments d'un contingent entre la mosquée et la mairie.

— Qu'est-ce que tu nous amènes, là ? lança une voix goguenarde. Déjà des prisonniers russes ?

— Ils espionnaient, répliqua l'un des soldats.

— Jamais de la vie ! protesta Chouchane. C'est faux !

Un militaire, apparemment un gradé, s'approcha et tourna lentement autour de la jeune fille en la dénudant des yeux.

— Pas mal. *Ermeni* ?

Elle leva le front.

— Arménienne.

— Tu es mignonne. Quel âge as-tu ?

Elle se replia dans le silence.

Il entama un autre tour, mais en resserrant le cercle. À un moment donné, sa main, dans un premier geste qui se voulait anodin, effleura la taille de Chouchane puis, dans un second mouvement, se déplaça vers ses hanches avant de descendre vers le bas du dos.

Alors, tout se passa très vite.

— *Chan zavagner* ! Fils de chien ! cria-t-elle en essayant de planter ses ongles dans les joues de l'homme.

— Hé ! Mais elle est folle !

Autour d'eux, des rires égrillards fusaient.

— Arrête ! ordonna le soldat, sinon…

Il avait emprisonné les poignets de Chouchane et la maintenait fermement.

— Lâchez-moi !

— *Gue pavé* ! Arrête ! supplia Aram. Ils vont nous tuer.

Les rires et les roulements du tonnerre se confondaient.

Le soldat força la jeune fille à plier. En dépit de tous ses efforts, ses jambes cédèrent, et elle s'écroula genou à terre sans pour autant cesser de se débattre. Le militaire menaça :

— Tu vas te calmer ou je te ferai maudire le jour de ta naissance !

— Chouchane… adjura Aram, je t'en prie !

Mais entendait-elle ? Du revers de la main, le soldat exaspéré lui assena une gifle qui la fit basculer en arrière. Alors qu'elle allait se remettre debout, il la frappa de nouveau, mais du plat de la main.

— Ne lui faites pas de mal, supplia Aram.

Une voix claqua :

— Il suffit !

Dans un bruit de galop, un alezan cuivré avait surgi. Chouchane vit le moment où il allait la piétiner. Mais la monture pila tout près de son visage. Le cavalier sauta à terre.

D'abord, la jeune fille n'entrevit que les bottes jaunes et le bas du pantalon bleu clair. Ce n'est que lorsqu'il l'aida à se relever qu'elle découvrit le manteau noir et les galons brodés de fils d'or et d'argent.

— Acceptez mes excuses, *bayan*[1]. Ces gens ignorent tout de la courtoisie. Ce sont des rustres. Des paysans.

Enver Pacha.

Il plongea ses yeux dans ceux de Chouchane. Des yeux froids, impénétrables.

Elle soutint son regard.

Des cris ? D'où montaient ces cris ? Des gémissements, des sanglots, des supplices arrachés aux enfers, dans les enfers des enfers ? Ces silhouettes rampantes, implorantes, ce sang. D'où coulait ce sang ? Ces rivières empourprées, ces fleuves qui drainaient des cadavres meurtris et les ventres labourés des femmes ? Et le soleil ? Un soleil qui chutait vers l'horizon et s'enfonçait dans un désert sans fin. Et voici la bête immonde. Une immense araignée, mais avec des crocs de chacal. Elle crache et vomit. « Mon nom est Ay Yildiz ! clame-t-elle, l'Étoile de la lune. »

Chouchane se prit le visage entre les mains et éclata en sanglots.

— Qu'avez-vous ? s'étonna Enver.

---

1. Mademoiselle.

En guise de réponse, elle prit son frère par le bras.

— Viens, Aram. Viens, partons…

Un soldat voulut leur barrer la route, mais le vice-généralissime l'arrêta d'un geste de la main.

— Laisse !

On avait allumé les lampes à kérosène.

Anna effleura la joue boursouflée de Chouchane.

— Demain il n'y paraîtra plus.

Elle adressa un regard reconnaissant au pharmacien qui, informé de l'incident, avait insisté pour leur porter un onguent de sa composition.

Assis en bout de table, le prêtre, Bedros Der Agopian, avait lui aussi fait le déplacement, mais sans Aïda, son épouse. La présence du prêtre était assez exceptionnelle et témoignait de la gravité de la situation. En effet, il était rare de le voir abandonner sa maison ou son église, sauf lorsqu'il était appelé au chevet d'un mourant, quand bien même son état de prêtre marié ne l'autorisait pas à administrer les sacrements. En conciliant son amour pour Dieu et pour une femme, il s'était privé de tout espoir de gravir les marches hiérarchiques de l'Église, contraint de ne demeurer toute son existence que ce qu'il était : un simple prêtre de paroisse.

Installé entre Achod et Vahé, Asim avait la tête des mauvais jours, et ni le repas d'Anna, pourtant délicieux, ni l'*anouch abour* [1], qui embaumait la cannelle et l'eau de rose, n'avaient réussi à le détendre.

Il affirma d'une voix sombre :

— Vous avez tous conscience, je crois, que ce qui s'est passé est très préoccupant. S'en prendre à une enfant ? C'est inadmissible ! (Sa voix monta d'un ton et il frappa du poing sur la table.) Et je ne me suis pas privé de le dire à mon supérieur !

---

1 Dessert à base de fruits secs.

— Du calme, dit Achod. Tu vas réveiller Aram. Il vient à peine de s'endormir.

Le *zabtieh* s'excusa mollement.

— Et qu'a répondu ton supérieur ? questionna le prêtre.

Asim baissa la tête pour cacher sa frustration.

— Un chien vivant vaut mieux qu'un lion mort.

— Ce qui signifie ?

— Que j'avais intérêt à ne pas faire de vagues, qu'à moins d'être frappé de démence personne ne se risquerait à critiquer l'armée, surtout en ce moment.

Achod se leva et rapporta une bouteille de vin rouge.

— Quelqu'un en voudrait ? Il est de Kharpout. Je vous le conseille.

Prenant tout le monde de court, Asim, le premier, souleva son verre.

— Verse-moi à boire, mon ami !

Hidayet retint un cri horrifié.

— As-tu perdu la tête ?

Le *zabtieh* afficha un air détaché.

— Si l'enfer existe, ce soir il est dans mon cœur. Alors, qu'est-ce qu'un peu de vin y changera ? Allez, Achod ! Fais couler !

— Combien de temps pensez-vous que ces troupes resteront à Erzeroum ? interrogea le prêtre.

— Comment savoir ? répondit Asim. Soit elles marcheront à la rencontre des Russes, soit elles les attendront ici. Enver Pacha seul connaît la réponse. Pour ma part – mais je suis gendarme, pas expert militaire –, la logique voudrait que notre armée n'aille pas se fourvoyer dans le Caucase.

— C'est vrai, confirma Hidayet. Les Russes sont aguerris dans les combats d'hiver. (Il réprima un frisson.) À ce propos, monsieur Tomassian, pourriez-vous ajouter un peu de *tezek* dans la cheminée ? On se gèle.

— Je vais aller en chercher dans la remise.

Alors qu'il se dirigeait vers la porte, Chouchane se redressa.

— Je viens avec toi, *medz hayrig*.

— Tu n'es pas sérieuse, protesta Anna. Tu dois te reposer.

— Tout va bien, maman, j'ai besoin de prendre l'air.

La lune, pleine, se dégageait de la cime dentelée du Palandöken.

Au pied de la maison, la route dénouait son ruban crayeux jusqu'au creux de la vallée, où l'on devinait les bivouacs. L'armée sommeillait. Et Chouchane se dit qu'Enver Pacha devait en faire autant. Enver Pacha. Jamais elle n'oublierait son visage. Pas tant qu'elle vivrait.

Achod passa son bras autour de la taille de sa fille et, tout en marchant, la serra tendrement contre lui.

— Ne me fais plus jamais peur, Chouchane *djian*, jamais plus. N'oublie pas que lorsque l'on te fait du mal, j'ai mal aussi.

— Pardon. Je n'imaginais pas que les choses se passeraient de la sorte. Je voulais juste voir le pacha de près.

— Pourquoi ? Quel intérêt ? Tout pacha qu'il est, ce n'est qu'un homme comme les autres. Rien de plus.

— Peut-être. Mais les autres hommes n'ont pas droit de vie ou de mort sur leurs voisins. Alors que lui…

Elle s'arrêta brusquement et se blottit contre Achod.

— J'ai peur…

— Peur ? De quoi as-tu peur ?

— J'ai vu. J'ai vu du sang dans ses yeux, des cadavres, une immense araignée, mais avec des crocs de chacal. C'était horrible !

Il lui caressa les cheveux et essaya de masquer son trouble par une boutade :

— Dis donc, tu as une sacrée imagination ! Une araignée ? Avec des crocs de chacal ?

— Je te jure, *hayrig*, je l'ai vue. Que va-t-il nous arriver ? Dis-moi.

— Allons, *chekerim* ! Toi habituellement si courageuse. Toi qui veux être roi !

— Parce que tu me connais mal. Je me fais seulement croire que je suis courageuse, et tout le monde pense que je le suis.

— C'est faux. Aram nous a raconté avec quelle impétuosité tu t'es jetée sur ce soldat, et comment tu as failli lui arracher les yeux. N'est-ce pas du courage ?

— Non. C'est de la folie. Je sais que je peux devenir folle.

Elle avait dit cela avec une telle gravité qu'il ne put se retenir de rire.

— D'accord. Tu es folle. Mais dis-toi qu'il y a toujours de la folie dans le courage. Je ne connais pas d'actes héroïques dictés par la raison ou la sagesse. Tu te souviens de l'histoire de David de Sassoun [1] ? Tu l'as apprise à l'école. Crois-tu que s'il avait été sage, il aurait affronté le terrible, le monstrueux Mesramelek en combat singulier ? J'en doute.

— Il était quand même équipé de l'Épée Fulgurante, de la Sainte Croix de la Guerre et des armes que lui avait léguées son père ! Et par-dessus le marché, il montait Djalali, un cheval magique.

— Tu oublies l'essentiel.

Il s'agenouilla devant elle, lui prit les mains et récita :

— « Je suis venue pour te révéler un secret qui te permettra de porter convenablement les armures de ton père. Le Poulain Djalali te conduira sur la Montagne Bleue. Tu y verras une source. Bois l'eau de cette source, signe-toi par trois fois et seulement alors va affronter Mesramelek ! »

Elle eut l'air confuse.

— J'avais oublié ce passage.

— C'est pourtant le plus important, car dès l'instant où le jeune homme but de cette eau miraculeuse, il grandit, attei-

---

1. L'épopée de David de Sassoun est un mythe fondateur de la culture arménienne, qui raconte l'histoire de la lutte de ce peuple contre ses oppresseurs et aurait été écrit aux alentours du VIIIe siècle.

gnit la taille gigantesque de son père et de son grand-père. Sa force décupla aussi. Il était prêt à affronter son ennemi.

— Que cherches-tu à me dire, papa ?

— Ceci : le jour où tu sentiras la peur te gagner, quand tu seras face à l'araignée aux crocs de chacal, souviens-toi qu'il te faudra puiser dans mon sang et celui de ton grand-père la force d'affronter tes ennemis. N'oublie pas, Chouchane *djian*. Tu seras invincible...

Constantinople, 20 décembre 1914, ministère de l'Intérieur

Assis en face de Talaat Pacha, Armen Garo transpirait à grosses gouttes. C'était ainsi chaque fois que l'émotion ou la colère l'envahissait. Il scanda :

— C'est intolérable, Excellence ! Comment avez-vous pu donner cet ordre ? Interdire sans raison la publication du *Djagadamard* ? Le journal de notre parti ?

Le pacha riposta, imperturbable :

— Décidément, vous n'entendez plus, ou faites-vous semblant ? Puisque je vous répète que l'ordre n'émane pas de moi, mais du colonel Cevad, le gouverneur militaire de la capitale !

— Qui ne vous a pas tenu au courant de sa démarche !

— C'est vrai. Il n'avait aucune raison de le faire.

— Mais c'est un acte inique ! Ce journal...

— Ce journal ! Parlons-en ! Trouvez-vous normal qu'un quotidien porte un titre aussi provocateur ? « Front de combat » ! Vous ne pensez pas que vous et vos gens manquez de mesure ? Trouvez-vous normal que des volontaires arméniens soient passés du côté russe pour servir dans les rangs du tsar ? Savez-vous qu'à l'heure où nous parlons ils ont franchi la frontière et servent de guides à l'ennemi ? Vous allez trop loin, effendi Garo ! Trop loin !

— Et lorsque vous décidez de nous confisquer nos *tezkérés*, n'allez-vous pas trop loin ? Pendant des années nous avons été votre soutien. Nous avons marché à vos côtés lorsqu'il a fallu détrôner le tyran. Nous avons applaudi au nouvel élan que vous insuffliez à cette nation. Depuis plus de six ans, faisant preuve d'une docilité exemplaire, nous faisons tout pour que règne l'harmonie entre nos deux populations, tandis que vous, de votre côté, vous vous gardez bien de respecter vos promesses.

Le visage de Talaat s'empourpra. Il respira profondément et braqua sur l'Arménien des pupilles embrumées de colère.

— Je vous interdis de me parler sur ce ton ! C'est de la calomnie !

— De la calomnie ? Qu'en est-il de l'accord que nous avons signé il y a dix mois, le 8 février très précisément, et dans lequel vous vous engagiez à appliquer ces fameuses réformes qui devaient rendre le quotidien de mes frères plus juste ? Nous avons réclamé… (Il énuméra sur ses doigts :) le principe du moitié-moitié ; moitié de fonctionnaires arméniens et moitié turcs pour le *vilayet* d'Erzeroum. Vous avez dit non ! Interdiction d'entrée en Arménie pour les *muhacirs* [1]. Vous vous êtes contenté d'une promesse orale. En revanche, vous avez bien voulu accepter notre dernière requête : une participation des chrétiens aux conseils généraux dans les zones où ils sont minoritaires. Et que constatons-nous ? Rien ! Même cette infime concession n'est toujours pas entrée en vigueur.

— Vous…

— Et qu'en est-il de nos demandes réitérées concernant notre représentation au Parlement ?

Cette fois, le ministre ne le laissa pas poursuivre.

---

1. Les *muhacirs* sont des Turcs « ethniques » et autres musulmans, principalement originaires des Balkans, du Caucase et d'Asie centrale, accueillis en Turquie en tant que réfugiés en provenance de pays précédemment dominés par un régime islamique.

— Je vous ai répondu ! Les députés ne sont pas élus pour représenter une ethnie, mais toute la nation ottomane. En conséquence, je ne vois pas au nom de quoi nous devrions attribuer automatiquement aux Arméniens un nombre de sièges en fonction de leur poids démographique !

Le silence retomba. Les deux hommes s'observèrent longuement, puis Garo déclara avec gravité :

— Je vais vous dire, Excellence, votre *panturquisme*, cette idéologie qui consiste à vouloir rassembler à tout prix les populations turques, d'où qu'elles soient, dans un même État-nation, cette idéologie vous conduira à votre perte.

Il ajouta dans la foulée :

— Le pouvoir vous a tourné la tête ! Vous vous prenez pour Napoléon ou Bismarck !

Un petit rire ironique secoua Talaat.

— Bismarck ? Pourquoi pas !

— À la différence que vous, vous n'avez rien compris à l'histoire de ce pays. Ce n'est pas un pays, c'est une mosaïque ! Grecs, Tcherkesses, Arabes, Bulgares, Géorgiens, Syriens, Iraniens, Albanais, chrétiens, juifs, dönmes, sunnites, chiites, alévis [1], et j'en oublie ! Lorsque vous avez pris le pouvoir, nous avons vraiment cru que vous ne suivriez pas la même voie qu'Abdül-Hamîd, obsédé qu'il était par une seule et unique perspective : uniformiser, turquifier, islamiser. Nous avons adhéré à votre vision, soutenu vos appels à l'ouverture, à la fraternité. Pour quel résultat ? Vous vous êtes trahis et vous nous avez trahis. Vous voulez uniformiser ? Très bien. Parlons des Kurdes. À ce jour, aucun conquérant n'est parvenu à les absorber. Alors ? Comment comptez-vous vous y prendre pour les turquifier ? Comptez-vous les éradiquer ? Et nous ? Les Armeniens ? Si, par malheur, votre intention est de nous faire disparaître aussi, sachez que nous sortirons un jour de nos

---

1. *Elewî* en kurde. Membres de l'islam dits hétérodoxes.

tombes, sanglants, orphelins, veufs, veuves, décapités, mais libres !

Talaat blêmit. Il se leva, prenant appui sur son bureau, et annonça d'une voix sourde :

— Désolé. Il est l'heure de nous séparer. À la prochaine fois.

En quittant la pièce, Armen avait compris : il n'y aurait pas de prochaine fois.

13

Erzeroum, 2 janvier 1915

— Bientôt Noël [1], observa Vahé avec une pointe de mélancolie. Je vais vous dire une banalité : le temps passe trop vite.

Anna approuva tout en rangeant des couverts dans le vaisselier.

— J'imagine que tu as prévu de nous faire un de ces *gatnabours* [2] dont tu as le secret ?

— Oui, père, et vous aurez droit aux mézès, aux feuilles de vigne, aux *beureks*, aux *bamias*, aux fruits secs, à tout ! C'est promis.

— Dis-moi, grand-père, questionna Aram la tête plongée dans un livre, as-tu écrit ta lettre à *Garante baba* [3] ?

— Évidemment !

Le garçon écarquilla les yeux.

— Ne me dis pas que tu y crois encore !

— Parce que, pour toi, ce n'est pas le cas ?

---

1. Le Noël des Arméniens est décalé de deux semaines par rapport à celui des catholiques, l'Église arménienne ayant refusé de reconnaître le calendrier introduit par le pape Grégoire XIII en 1582, préférant s'en tenir au calendrier julien. La fête de la Nativité est donc célébrée le 6 janvier en même temps que l'Épiphanie.

2. Genre de riz au lait saupoudré de cannelle.

3. L'équivalent du père Noël.

— Pas depuis la nuit où j'ai surpris *hayrig* en train de placer les jouets sous le sapin.

— Je te plains. Je ne t'imaginais pas aussi influençable. Dommage.

— Influençable ?

— Naturellement. Qu'est-ce qui te prouve que les jouets en question n'ont pas été apportés par *Garante baba* et que ton père, lui, ne faisait que les déposer ? Hein ?

— Parce que j'ai *vu* mon père, en chair et en os, mais je n'ai pas vu *Garante baba*. C'est logique, non ?

Vahé eut un petit rire moqueur.

— Logique ? Sais-tu ce qu'il faut pour réussir un arbre de Noël ? Il faut trois choses. L'arbre, bien entendu, de jolis ornements, mais, surtout, il faut croire que les jours qui suivront Noël seront merveilleux. Cet état d'esprit s'appelle la foi. Et la foi, c'est la faculté de voir l'invisible. En la perdant, tu perds un extraordinaire pouvoir. Tu deviens comme tout le monde. Banal. Voilà pourquoi je t'ai dit que je te plaignais.

Le garçon ouvrit la bouche pour protester, mais Vahé ne lui laissa pas le temps. Sous les rires d'Anna, il sortit sur la terrasse et, indifférent au froid, examina la plaine enneigée. Depuis trois jours, les tentes avaient disparu, ainsi que les hommes et les véhicules. Il ne restait plus aucune trace de la 3ᵉ armée. Au dire de certains, commandée par Enver Pacha en personne, elle avait pris la direction de Sarikamich, à une centaine de kilomètres au nord-est d'Erzeroum. Depuis, les rumeurs les plus contradictoires circulaient. D'aucuns affirmaient que les Russes avaient été défaits ; d'autres assuraient qu'il n'en était rien, que les troupes turques dans le Caucase étaient en situation délicate. En réalité, personne ne savait vraiment ce qui se passait. Et l'on était sans nouvelles du seul être qui aurait pu leur communiquer des informations fiables : Hovanès. Six semaines s'étaient écoulées depuis qu'il était reparti pour Constantinople, et pas une lettre, pas le moindre signe de vie. Ce n'était pas dans ses habitudes. Le vieil homme lissa sa moustache avec agacement. *Allons, calme-toi. Il a promis qu'il serait là pour Noël. Tu n'as aucune raison de te tourmenter.*

— Vous allez attraper froid, père...

Vahé ne se retourna pas. D'un signe de la main, il invita Anna à le rejoindre.

— Vous avez l'air soucieux, fit-elle remarquer en s'approchant de lui.

— Soucieux ? Non. Pensif. Je m'interrogeais sur le silence d'Hovanès.

— Avec tout ce qui se passe, les réunions, les tensions, j'imagine qu'il est débordé. Ne vous faites pas de soucis. Je suis sûre que tout va bien. Il sera parmi nous à Noël.

— Que Dieu t'entende ! (Il changea de sujet.) Achod et Chouchane ne devraient-ils pas être de retour ?

— Ils ont sans doute eu plus de mal que prévu à trouver un sapin.

Elle prit Vahé par le bras.

— Rentrons, *medz hayrig*. Je suis transie.

Les pas de Chouchane s'enfonçaient dans la neige et elle semblait ravie. On ne pouvait en dire autant d'Achod, qui n'avait jamais aimé ce qu'il appelait la « boue blanche ». De plus, le sapin qu'il portait sur son épaule commençait à peser lourd.

— Allons, *hayrig*, courage ! (Elle montra un sentier à mulet qui se dessinait quelques mètres plus bas.) Regarde. Nous sommes bientôt arrivés !

— Oui. Bientôt. Mais bientôt, c'est long !

Il allongea le pas.

Autour d'eux, la blancheur du décor était aveuglante. Les cimes chargées de neige se confondaient avec les nues et, comme chaque hiver, confronté à cette vision, Achod, qui pourtant n'avait jamais vu la mer, se fit la même réflexion : on dirait des vagues enflées et écumantes.

— Ça y est ! s'exclama Chouchane qui venait d'atteindre le sentier. Maintenant, ce sera plus facile et...

Elle s'arrêta net.

Le reste de sa phrase se transforma en un cri d'horreur.

— Qu'y a-t-il ? s'alarma Achod.

Elle balbutia, les mains sur le visage :

— Mon Dieu !

Le père avait lâché le sapin et courait vers sa fille.

Pétrifiée, elle fixait un point droit devant elle.

Un crâne, ou plutôt sa partie supérieure, émergeait du sol.

— Ne regarde pas ! ordonna Achod, éloigne-toi !

Comme elle ne réagissait pas, il l'entraîna violemment en arrière.

— C'est horrible, gémit-elle, qui a pu faire ça ?

— Écoute-moi. Reste ici ! Ne t'avise pas de t'approcher. Promis ?

Elle murmura un « oui », vacillant.

Il revint sur ses pas et s'agenouilla devant leur découverte macabre. Avec précaution, il écarta la neige autour des tempes, des joues. Presque aussitôt, un âcre goût de nausée lui monta aux lèvres et il fut pris de vertige. Ces traits, qui apparaissaient sous ses yeux, cette figure lisse, cette expression naïve ! C'étaient ceux de Haig ! Haig Minassian. Le fils du tanneur. Il faisait pourtant partie des premiers conscrits d'Erzeroum ! Pris de frénésie, Achod entreprit de dégager le reste du corps. L'homme portait bien l'uniforme. Au niveau du thorax, on ne distinguait pas de blessure. Aucune trace d'agression. Achod retourna la dépouille sur le ventre. À nouveau la nausée le submergea. C'était donc ça ! À la base de la nuque on apercevait un trou de la taille d'une pièce d'un kuruş.

Il se releva et essaya de reprendre ses esprits. Il pivota pour retourner vers Chouchane et, cette fois, il crut que son cœur imploserait dans sa poitrine. Appuyée contre un arbre, la jeune fille pointait son index vers le sol, sur sa gauche. Une main aux doigts recroquevillés était dressée vers le ciel.

Les derniers rayons du crépuscule glissaient lentement sur les toits.

— Neuf cadavres, laissa tomber Asim. Tous des recrues, tous assassinés d'une balle dans la nuque. Je ne comprends pas. *Bissm illah el Rahman el Rahim*, je ne comprends pas !

Curieusement, ni le maire, Tahsin Bey, ni Soliman, le chef des gendarmes, ne firent le moindre commentaire. C'était pourtant la seconde fois que le *zabtieh* décrivait le charnier que lui et ses hommes avaient découvert sur les flancs de la colline au-dessus du sentier à mulet.

Achod se permit de faire remarquer :

— Et toutes les victimes étaient des Arméniens.

Le maire hocha la tête d'un air ennuyé.

— C'est embêtant, mon ami, vraiment embêtant. Je ne sais que penser. Il s'agit peut-être d'un règlement de comptes, d'une bagarre. Vous savez comment sont les jeunes et...

— Une bagarre ? Ces malheureux ont été abattus d'une balle dans la nuque !

— Oui, oui. Je vous l'ai dit, c'est très embêtant.

Assis en retrait, près du poêle – objet exceptionnel à Erzeroum –, le chef des gendarmes approuva sans quitter des yeux les bougeoirs alignés sur une étagère où se consumaient des bougies de suif.

— Que comptez-vous faire ? questionna Achod avec une fermeté qui le surprit lui-même.

Tahsin Bey s'apprêtait à répondre lorsqu'un bruit de pas le fit sursauter. Il se leva.

— Que la paix soit sur vous ! s'exclama-t-il, respectueusement.

Le chef des gendarmes, lui, s'était carrément mis au garde à vous. Et Asim – avec moins de spontanéité – en avait fait autant.

À toutes ces manifestations, le visiteur répondit par un vague salut de la main et se campa devant Achod.

— J'ai appris la nouvelle. Vous êtes l'instituteur, c'est bien exact ?

L'individu n'avait pas jugé utile de se présenter, mais pourquoi semblait-il tellement à son aise ?

Un médecin. Un type vraiment bizarre, avait expliqué le zabtieh. *Je n'ai pas aimé ses yeux ; de petits yeux fouineurs, des yeux qui vous veulent du mal. Pas aimé non plus ses cheveux gominés, ni son énorme moustache qui débordait de ses joues.*

Pas de doute. C'était certainement lui, ce personnage décrit quelques jours plus tôt par Asim.

— Je suis l'instituteur. Achod Tomassian.

— Et moi, le docteur Baheddine Chakir, responsable des questions de sécurité du *vilayet*.

Il alluma une cigarette et se laissa choir sur le siège laissé vacant par le maire.

— Ce qui s'est passé est regrettable. J'ai ordonné une enquête.

— Je vous remercie. Vous êtes bien conscient que ces jeunes gens ont été exécutés.

— Exécutés ? Pourquoi employez-vous cette expression ? Je préfère le terme : « assassinés ».

Achod croisa les bras.

— Parfait. Alors quel terme appliqueriez-vous lorsque neuf militaires, appartenant tous à la 3e armée, décèdent dans les mêmes circonstances · le même jour, d'une balle dans la nuque ?

— Et pas un seul n'était armé, osa souligner Asim.

Son supérieur lui décocha aussitôt un regard furibond. Mais l'homme n'en eut cure.

— Je dirais que ces malheureux ont été la proie d'un tueur fou. Un dément que nous ne tarderons pas à appréhender.

— Un tueur fou qui n'aurait pris pour cible que des Arméniens. N'est-ce pas curieux ?

— Pas plus curieux que lorsque vous suggérez une exécution. À moins que…

— Oui ?

Le médecin exhala un nuage de fumée.

— Nous sommes en guerre. Ces gens ont peut-être été tout simplement jugés par une cour martiale et condamnés.

— Uniquement des Arméniens ? releva Achod. Et pour quel motif ?

Baheddine plongea ses petits yeux de fouine dans les prunelles d'Achod.

— Traîtrise, monsieur Tomassian… Traîtrise…

Il chercha un cendrier. Ne le trouvant pas, il lança son mégot par terre et l'écrasa en se levant.

— *Tünaydın,* bonsoir, déclara-t-il en tendant la main à Achod. Et dormez tranquille. Nous veillons…

Longtemps après qu'il se fut éloigné de la mairie, Achod n'eut de cesse de se demander ce que le médecin avait voulu dire par : « Nous veillons », et une angoisse sourde l'avait envahi. Il est probable qu'elle eût été plus grande encore si on lui avait dit que, quarante-huit heures auparavant, le vicaire d'Erzindjan, Sahag Odabachian, et son cocher avaient été assassinés, au lieu dit Kanlidere, dans le canton de Susehir.

Constantinople, ministère de l'Intérieur, 8 janvier 1915

Les traits de Talaat Pacha auraient pu être ceux d'un agonisant tant ils étaient livides. Ses lèvres, étroitement serrées, ne révélaient rien. Seuls ses yeux noirs le trahissaient : on pouvait y lire un abattement sans fin.

Il finit par se ressaisir et demanda au colonel Cevad, gouverneur de Constantinople, de lui répéter mot pour mot les propos que celui-ci venait pourtant de lui tenir.

— Le vice-généralissime, Enver Pacha, s'est rendu fin décembre à Erzeroum au quartier général de la 3ᵉ armée pour préparer l'opération qui devait nous ouvrir la route de Bakou et nous permettre de gagner à l'Empire l'ensemble des territoires caucasiens. Le plan conçu par le vice-généralissime consistait à couper l'armée russe de sa base de Kars et l'enfermer à Sarikamich. Dans un premier temps, ce plan s'est révélé efficace car, selon nos informations, le commandant en chef russe a ordonné une retraite générale. Malheureusement, les généraux Prjévaslki et Youdénitch ont refusé d'obéir et, prenant tout le monde de court, ils ont lancé une contre-offensive. Nos forces, déjà très affaiblies par le typhus et le choléra, brûlées par le froid, paralysées par la neige, ne furent pas en mesure de résister au choc. La 3ᵉ armée a été pratiquement anéantie.

— Quel est le bilan des pertes ?

Cevad compulsa les notes posées devant lui.

— Soixante mille morts et douze mille prisonniers sur un total de quatre-vingt-dix mille hommes.

— Et les survivants ?

— Ils ont été contraints de battre en retraite et, selon nos dernières informations, ils fuiraient à travers les *vilayet* orientaux, talonnés par les troupes russes qui auraient pénétré profondément dans la province d'Erzeroum et menaceraient la ville de Van.

L'homme se tut. Il aurait pu transmettre aussi l'information de dernière heure qu'on lui avait communiquée : Enver, blessé à la jambe, n'avait échappé à l'enfer de Sarikamich que grâce à un officier arménien originaire de Sivas, ancien des guerres balkaniques, qui l'avait porté sur son dos. Mais son instinct lui soufflait qu'il était préférable de taire cet épisode.

Un silence effrayant avait enveloppé la salle.

Le général Liman von Sanders, convoqué d'urgence par Talaat, serra le poing. *La catastrophe était si prévisible…*

— Monsieur le ministre, s'empressa-t-il de déclarer, je tiens à vous préciser que j'avais mis en garde Son Excellence Enver Pacha. Je lui avais vivement conseillé de laisser les Russes s'avancer jusqu'à Sivas, où il aurait dû établir sa résistance ; mais il n'a rien voulu savoir.

Talaat ne parut pas entendre. Il murmura :

— Qui est le gouverneur de Van ?

— Tahsîn Bey, répondit un officier.

— Vous le remplacerez par Cevdet Bey.

— Le beau-frère de Son Excellence, Enver Pacha ?

— Vous m'avez bien entendu. Tahsîn est trop laxiste, trop conciliant. Vous nommerez aussi mon beau-frère, Mustafa Khalil, à Bitlis. Plus tard, je vous soumettrai d'autres nominations. Dorénavant, je veux des hommes sûrs et surtout impitoyables à la tête des zones sensibles.

Il griffonna quelques mots sur une feuille puis, s'adressant à von Sanders, il questionna :

— Avez-vous des informations concernant les projets des Anglais ?

— D'après nos agents, ils s'apprêtent à ouvrir un front en Mésopotamie [1]. Mais je crains qu'ils ne soient pas les seuls dont il faudrait se méfier : tout laisse croire que les Bulgares ne vont pas tarder à rejoindre le camp allié ; ce qui entraînera fatalement la Grèce et la Roumanie. Et ce n'est un secret diplomatique pour personne que, dès le printemps, l'Italie fera de même.

Talaat médita un moment, les yeux dans le vide, avant de reprendre :

— Sait-on combien d'Arméniens faisaient partie de la 3e armée ?

Cevad répondit :

— Non. Mais je pourrai obtenir l'information. En revanche, nous savons que le nombre total des Arméniens qui ont répondu à l'appel de mobilisation est d'environ soixante mille.

— Et dans les rangs ennemis ? Combien sont-ils ?

---

1. Correspond pour sa plus grande part à l'Irak actuel.

— On parle de cent quatre-vingt mille hommes [1]. Uniquement des volontaires. Là, nous disposons de renseignements plus précis. (Le militaire entrouvrit un dossier, le feuilleta et lut :) Le 4ᵉ bataillon est commandé par le général Kéri. Pseudonyme de Kaftar Arshag Kalfayan. Un des plus anciens responsables du Dachnak. Le 2ᵉ bataillon est sous les ordres de Dro. Drasdamard Ganayan de son vrai nom. Il compte parmi les terroristes les plus audacieux. Tout jeune, il a châtié l'administrateur arménophobe du district de Sourmalou : Galantsine. À Bakou, en 1905, sur décision du Comité central du Dachnak, il a abattu en plein jour le préfet Nagachitzé. On trouve aussi les dénommés Andranik et Avcharian, qui...

— Inutile de poursuivre ! coupa sèchement Talaat. Nous saurons apprécier en temps et en heure le rôle de ces... comment avez-vous dit ?

— Heu... volontaires ?

— Volontaires... oui. J'ignorais que c'était ainsi que l'on appelait les traîtres de nos jours. Mais pourquoi pas ? Volontaires. Parfait.

Liman von Sanders dévisagea le ministre avec perplexité. Que voulait-il dire ? Pouvait-on considérer ces soldats comme des traîtres ? Alors qu'en 1896, pour fuir les massacres fomentés par Abdül-Hamîd, plus de cent cinquante mille Arméniens avaient été contraints de chercher refuge en Transcaucasie... N'était-il donc pas naturel de retrouver certains d'entre eux, ou leurs descendants, près de vingt ans plus tard, sous les drapeaux russes ? Connaissant Talaat, l'officier allemand se dit qu'il était absurde d'ouvrir le débat sur ce sujet, il opta pour une autre question.

— Votre Excellence, dans la perspective – à laquelle je me

---

1. La disproportion entre ces chiffres s'explique par le fait que le service militaire n'avait été établi en Turquie pour les sujets chrétiens qu'à partir de 1908. Alors qu'en Transcaucasie et en Géorgie ils y étaient astreints depuis 1886.

refuse de croire, évidemment – où l'issue de la guerre tournerait en notre défaveur, avez-vous envisagé un plan pour la défense de la capitale ?

La réponse fusa, sans hésitation.

— Ils ne l'auront point ! Je ne leur laisserai qu'un amas de cendres et de ruines. J'ai l'intention de donner ordre pour que des bidons de pétrole soient placés à des points stratégiques. L'heure venue, nous y mettrons le feu ! Vous le savez, la plupart des maisons sont construites en bois. Par conséquent... Des ruines, vous dis-je, voilà ce que nos ennemis trouveront ! Qu'avons-nous à perdre ? On nous a volé la presque totalité de notre Empire. Que nous reste-t-il ? La Syrie, la Palestine ? Des lambeaux... Alors autant en finir !

— Et les monuments ? Ces admirables monuments ? Ces mosquées, Sainte-Sophie, les palais...

— Rien, général von Sanders, nous ne leur laisserons rien !

14

Constantinople, 18 janvier 1915

Mes amis,

Je suis infiniment triste de n'avoir pu passer les fêtes de Noël avec vous. Mais il m'a été impossible de me déplacer. Voilà plus de deux semaines que, pour des raisons aussi soudaines qu'inexplicables, nombre de mes camarades du Dachnak et moi-même avons été assignés à résidence. Ce raidissement à notre égard des gens de l'*Ittihad* est extrêmement préoccupant.

Ce matin, l'un de mes amis tcherkesses, Fouad Bey, député au Parlement m'a confié, sous le sceau du secret, une nouvelle à laquelle j'ai du mal à croire. Il est question de désarmer tous les soldats arméniens, sans exception, et de les retrancher de l'armée pour en faire des *amele tabouri*, « des travailleurs ». Ils seraient ainsi affectés à des travaux d'utilité publique. Simultanément, nos autres compatriotes qui n'ont pas été appelés sous les drapeaux devront restituer les armes actuellement en leur possession. J'en frémis par avance, car c'est exactement le même procédé qui fut engagé sous Abdül-Hamîd, et qui a précédé la longue série de massacres. Est-ce possible, mon Dieu ? L'horreur va-t-elle renaître ? J'en ai parlé avec Krikor Zohrab et d'autres membres du Dachnak. La plupart, sauf Krikor, l'éternel optimiste, sont convaincus que nous sommes à la veille d'un drame plus terrible encore que celui des années 1895. Leur appréhension est d'autant plus légitime qu'il semble que des centaines de nos frères auraient récemment péri noyés, fusillés ou poignardés (surtout aux environs d'Erzeroum et de la frontière persane), alors qu'ils servaient dans l'armée. Plus préoccupant encore : des brigands notoires ont été graciés et la libération d'autres détenus s'accélère. Selon certaines sources que je ne peux pas nommer ici, plus de dix mille prisonniers de droit commun ont été libérés sans raison, alors que, dans le même temps, le gouverneur arménien du Liban, Ohannès Kouyoumdjian, était démis de ses fonctions.

Ici et là, nous sont parvenues aussi des informations extrêmement alarmantes, je vous les cite en vrac : au début du mois de décembre, à Pelu-Pih, un petit village situé à la limite des kazâ [1] de Garzan et de Gevaş, le fil du télégraphe a été coupé. Aussitôt, les villageois ont été accusés par le kaïmakam, qui, entouré de gendarmes, a fait incendier le village. Heureusement, les habitants ont réussi à s'enfuir. À Gargar, entre Van et Bitlis, parce que deux jeunes gens se sont insurgés contre la violence des zabtiehs, le village a été livré aux Kurdes et pillé. J'ai aussi entendu dire que les autorités auraient l'intention d'interdire dans les jours qui suivent la publication de l'Azadamart, un autre journal publié par le Dachnak. Un étau est en train de se former dont l'importance nous échappe.

Que vous dire d'autre ? sinon qu'au lendemain d'une violente altercation qui l'a opposé à Talaat Pacha, Armen Garo a pris la folle décision de quitter le pays pour se porter volontaire et aller combattre dans les bataillons arméniens engagés dans l'armée du tsar. Je lui ai exprimé toute ma désapprobation, en vain. Alors, avec quatre de nos camarades, nous nous sommes réunis au domicile de notre ami Haladjian et nous avons essayé de le dissuader. Je vous précise au passage qu'Armen n'était pas le seul à vouloir partir dans le Caucase. Vartkès Séringulian partage le même désir. Des heures durant, nous leur avons exposé les nombreux désavantages que présentait une collaboration avec les Russes. Ils n'ont rien voulu savoir. Un dernier rendez-vous a été organisé dans les salons de

_____

1. Cantons.

l'Hôtel de l'île des Princes, cette fois en présence de l'un des dirigeants les plus libéraux des Jeunes-Turcs, Ahmed Pacha, et de Vahakn Datévian, l'un de ses amis intimes. À son tour, Ahmed s'est efforcé de leur démontrer que leur projet était voué à l'échec. « Vous voulez travailler pour les Russes, leur a-t-il dit. Alors sachez que ceux-ci retireront vite les marrons du feu. » Il a ajouté (et ce fut une maladresse) : « Vous avez déclenché le problème de l'intégrité de l'Empire ottoman. Nous sommes en difficulté et vous nous prenez à la gorge. Les étrangers vont profiter de notre faiblesse. Vous devez comprendre que nous ne pourrons nous contenter d'une telle position de votre part. Les conséquences peuvent être irrémédiables. »

Si Vartkès est revenu à la raison, Armen, lui, n'a rien voulu entendre. Les propos du leader unioniste, au lieu de l'apaiser, l'ont mis hors de lui. Il ne comprenait pas que l'on pût nous rendre responsables d'avoir « déclenché le problème de l'intégrité de l'Empire ». Il est parti en claquant la porte. Depuis, nous sommes sans nouvelles de lui. J'espère seulement qu'il est sorti indemne des combats qui ont opposé les Russes à la 3e armée dans les neiges de Sarikamich.

J'ai le cœur serré, mes amis. De ma fenêtre je contemple le pont de Galata, cette passerelle entre Orient et Occident, entre Asie et Europe, et je me dis qu'elle n'a jamais été aussi fragile. Demain, un jour, par la faute de fanatiques aveugles ou de nationalistes imbéciles, ce pont pourrait s'écrouler et la rupture entre les deux mondes sera consommée. Prions pour que ce jour ne se lève jamais.

J'ignore comment est la situation chez vous, à Erzeroum. Mais je vous en conjure, prenez toutes vos précautions et méfiez-vous de tout et de tout le monde. Je me demande si vous ne devriez pas envisager de quitter la ville et partir à la rencontre des troupes russes. Je sais ce qu'une telle décision implique, mais, devant le pire, ne faudrait-il pas y songer ?

Je vous serre très fort contre mon cœur. Sachez qu'il n'est pas un moment de la journée où je ne pense à vous. Que Dieu nous protège.

Hovanès

La mine grave, Achod réexamina la date inscrite sur la lettre et murmura :

— Nous sommes le 28 février. Elle a mis plus de cinq semaines pour nous parvenir !

— Encore heureux, commenta Vahé. Elle aurait pu très bien ne jamais arriver.

— En tout cas, fit remarquer Anna, tout ce qu'il dit à propos des bataillons de travailleurs s'est révélé exact. Asim nous a bien rapporté que l'on avait désarmé les soldats arméniens. Et pas plus tard que ce midi, une poignée de ces individus que dirige ce médecin dont j'ai oublié le nom…

— Baheddine Chakir, dit Achod.

— Chakir. C'est cela. Ces individus ont fait irruption au domicile des Avakian pour se faire remettre des armes. Et comme on leur a répondu qu'il n'y en avait pas, ils sont rentrés dans une rage folle et ont mis la maison sens dessus dessous. Ils ont tout dévasté.

Vahé haussa les épaules.

— S'ils osaient débarquer ici, je leur réserve un accueil dont ils se souviendront.

— Allons, *hayrig*, tu sais bien que de la violence naît la violence. D'ailleurs, nous ne sommes pas seuls. Il y a les enfants.

— Quelle importance ? défia Aram. Nous n'avons pas peur. (Il chercha l'appui de sa sœur :) N'est-ce pas, Chouchane ?

La jeune fille ne répondit pas. Elle aussi avait reçu une lettre. Une lettre qu'elle gardait serrée contre elle comme s'il se fût agi du seul objet précieux de sa vie. Elle l'avait lue et relue depuis le matin. Maintenant, elle la savait par cœur.

— Chouchane ? insista Aram. Je te parle !

Elle revint sur terre.

— Qu'y a-t-il ?

— Nous n'avons pas peur des miliciens, n'est-ce pas ?

Elle fit distraitement non de la tête.

— Tu es très occupée, la taquina le garçon.

Il fit mine de vouloir s'emparer de l'enveloppe qu'elle tenait, mais elle se déroba et fila hors de la pièce en lâchant un juron.

— Hé là ! gronda Anna. Pas de gros mots, ici ! Et toi, Aram, va rejoindre ta sœur !

— Mon frère a bien raison de nous mettre en garde, observa Achod. Ici même, il y a une dizaine de jours, notre ami Sétrak Pastermadjian, le directeur adjoint de l'agence de la Banque ottomane, n'a-t-il pas été assassiné en pleine rue par deux soldats ? Et bien que les coupables soient connus de tous, ils n'ont jamais été arrêtés. C'est un signe. (Après une pause, il demanda :) Dis-moi, père, que penses-tu de la suggestion d'Hovanès ?

Anna prit sur elle de répondre :

— Partir à la rencontre des troupes russes ? À l'aveuglette ? Je trouve que c'est extrêmement risqué.

— Peut-être moins risqué que de rester ici et...

Un grand coup donné sur la table l'interrompit net.

— *Khentèss* ! Tu es fou, mon fils ! Comment peux-tu envisager un seul instant de quitter notre maison, la maison où tu es né ; celle où tes enfants ont vu le jour ? *Khentèss* ! Jamais, tu m'entends, jamais je ne bougerai d'ici ! Ils devront m'enterrer vivant, me crucifier, me brûler vif. Je suis chez moi, personne ne me chassera.

— Il n'est pas question de déserter ni d'être chassé. Ce serait momentané. Nous...

— Non !

— Je t'en prie, père ! Laisse-moi finir. Tu as lu comme moi les nouvelles. Réfléchis. Ils ont commencé par nous confisquer nos *tezkérés*, ils ont interdit le journal du Dachnak et placé ses membres en résidence surveillée. On a retrouvé des soldats arméniens assassinés. Les autres ont été démobilisés et placés dans des chantiers. Et maintenant, ils ont décidé de désarmer aussi les civils. Nous sommes nus, sans défense ! Si les démons d'antan venaient à se réveiller, que deviendrions-nous ? (Il montra Aram.) As-tu songé à eux ? Es-tu prêt à jouer leur vie ?

Il allait répondre lorsque la silhouette vêtue de noir de Der Agopian apparut derrière la fenêtre. Le prêtre colla son front sur la vitre et frappa quelques coups avec son majeur replié.

— Que fait-il ici ? s'étonna Vahé. L'un de nous serait-il en train de mourir ?

Anna ouvrit la porte.

— *Parev, der hayr* [1]. Que nous vaut ce plaisir ?

— *Parev*, madame Tomassian. Pardon de faire irruption, mais je tenais à vous faire part de la bonne nouvelle.

Le prêtre avait à la main un exemplaire du *Osmanischer Lloyd,* un journal de Constantinople en langue allemande.

— Oui, répéta-t-il, une bonne nouvelle.

Le prêtre récupéra ses lunettes et expliqua avant de lire :

— C'est une lettre adressée à l'évêque de Konia. Écoutez. Je traduis : « Je regrette de n'avoir pu, durant mon court séjour à Konia, m'entretenir avec Votre Révérence. Depuis, j'ai reçu le courrier que vous avez eu la bonté de m'adresser et dans lequel vous exprimez votre reconnaissance. Je vous remercie de mon côté et saisis l'occasion pour vous dire que les soldats arméniens ottomans accomplissent consciencieusement leur devoir sur le théâtre de la guerre. Ce dont je puis témoigner pour l'avoir vérifié de visu. Je vous prie donc de transmettre l'expression de ma satisfaction et de ma gratitude à la nation arménienne connue de tout temps pour son parfait attachement au gouvernement impérial ottoman. » (Il referma le journal.) Devinez qui est l'auteur ?

Achod et Vahé affichèrent leur ignorance.

— Le vice-généralissime de l'armée impériale ! Ismaïl Enver Pacha en personne.

— C'est sérieux ? s'exclama Anna.

---

1. Bonjour, révérend père.

— Évidemment ! C'est dans le journal ! Et qu'il soit daté du 28 janvier ne change rien.

— Du 28 janvier ? Mais comment avez-vous obtenu cet exemplaire ? s'enquit Achod.

— Il m'a été apporté ce matin par mon voisin, monsieur Vramian. Il sait que je lis un peu l'allemand, et il m'a prié de lui traduire l'article. Comment l'a-t-il eu entre les mains ? Je n'en sais rien. Comme vous vous faites beaucoup de souci pour Hovanès, je me suis dit que cette information vous rassurerait un peu. Vous avez entendu les propos d'Enver à l'égard de nos frères. Il semble que nous n'ayons rien à craindre.

Vahé approuva de la tête. Achod, lui, ne semblait guère convaincu.

Le prêtre dut s'en apercevoir, car il demanda :

— Que se passe-t-il ? Vous pensez que cette lettre est un faux ?

— Non, mon père. Elle me paraît simplement en totale contradiction avec la réalité. D'un côté on loue les qualités de nos soldats, de l'autre on les désarme et on les transforme en *amele tabouri*, en ouvriers de chantier. On exprime sa gratitude envers la nation arménienne et on lui retire le droit de se déplacer et de se protéger. On déclare que nous sommes un peuple fidèle à l'Empire et on place nos hommes politiques en résidence surveillée. Et je ne vous parle pas de l'assassinat avéré de certains de nos soldats.

— Pourtant...

— Moi j'y crois ! dit Vahé. J'y crois parce qu'il n'y a aucune raison pour qu'une personnalité aussi éminente qu'Enver Pacha écrive ce genre de lettre pour se renier ensuite.

Achod et Anna échangèrent un coup d'œil discret. Dans sa volonté farouche de ne pas quitter Erzeroum et la maison familiale, le vieil homme était prêt à s'accrocher à n'importe quel brin d'espérance.

— Je suis de votre avis, assura Der Agopian. Enver est ce qu'il est, mais il possède tout de même un minimum de dignité.

Achod resta silencieux.

Dignité ? La vie lui avait enseigné que chez les honnêtes gens c'était une vertu, mais, chez les salauds, elle pouvait se transformer en arme de représailles.

Allongée sur son lit, Chouchane remonta la couverture jusqu'à la pointe du menton et relut pour la énième fois la lettre de Soghomon.

Berlin, 15 octobre 1914,

Très chère Chouchane,

Je me souviens de la promesse que je t'avais faite avant mon départ pour l'Allemagne. Il me semble que cela fait un siècle, tant ma terre me manque et ma famille. Je passe mon temps à compter les jours avant mon retour en Anatolie.

Berlin est une ville étonnante, parsemée de parcs, de lacs, d'allées verdoyantes. Figure-toi que les boutures de plantes sont confiées aux écoliers pour les sensibiliser au respect de la nature. Partout, on sent l'ordre, la méthode, la démesure mais aussi la laideur. Laideur qui vous saute aux yeux lorsque l'on contemple les bâtiments impériaux. La devise prussienne doit être : « Faire grand, faire riche, sans faire beau. »

Pour le reste, à chaque détour, l'œil s'étonne. Il y a ces milliers de globes laiteux, accrochés à des poteaux métalliques. Dès que la nuit tombe, ils s'allument d'un seul coup et l'on dirait de grosses prunelles fixes. C'est impressionnant, surtout lorsque l'on pense que chez nous, en Anatolie, nous nous éclairons encore avec des lampes à kérosène ou des bougies.

Tout ici est si différent, qu'il s'agisse de l'attitude froide et distante des gens ou de la manière irrévérencieuse avec laquelle les jeunes filles déambulent en jupes légères, le cou et les bras nus. Personnellement, je trouve cela assez choquant, mais c'est peut-être ma pudeur arménienne qui prend le dessus.

Au printemps, si Dieu le veut, je serai de retour. Je ne manquerai pas de venir te rendre visite. J'espère que la guerre sera alors terminée. J'ai un peu honte de l'avouer, mais au tréfonds de moi, je ne sais plus qui je préférerais voir vainqueur : la Turquie ou les Alliés.

J'espère que ta famille se porte bien et que vous ne souffrez pas trop en ces temps difficiles. Je t'embrasse très affectueusement. Ton ami.

Soghomon

P.-S. : Curieusement, depuis que je suis à Berlin, mes crises provoquées par le Grand Mal ont quasiment disparu ; le climat peut-être ?

Chouchane replaça les feuillets dans l'enveloppe. Fermant les yeux, elle se laissa lentement dériver loin d'Erzeroum, vers ces rues et ces avenues éclairées, vers ces bâtiments aux fenêtres ouvertes sur un monde qu'elle ne connaîtrait peut-être jamais. Elle repensa à cette boutade lancée un jour par son frère lorsque Soghomon leur avait annoncé son départ pour l'Allemagne tout en exprimant ses réticences : « Moi, à ta place, avait rétorqué Aram, j'aurais été au contraire ravi de voyager ! » Elle aurait pu en dire autant. Partir ! Découvrir d'autres visages, d'autres manières de vivre, d'autres paysages. Soghomon était choqué par les comportements vestimentaires de ces jeunes Allemandes ; elle ne l'était pas. Bien au contraire. Partir, mais aussi grandir. Et comment grandir tout en restant attachée à ses racines, son père, sa mère, son *medz baba* ? Peut-on s'arracher à l'adolescence sans quitter l'adolescence ? Vieillir sans devenir adulte ? Elle n'avait qu'une certitude : si un jour un malheur devait frapper les êtres qu'elle aimait, si un jour l'un d'entre eux venait à mourir, alors elle mourrait aussi. Sans hésitation.

Constantinople, ministère de la Guerre, 23 avril 1915

Les traits déformés de Talaat traduisaient sa rage et son incrédulité.

— Un soulèvement ? Vous avez bien dit un soulèvement ?

Le jeune *yüzbaşı* [1] confirma timidement.

— Oui, Votre Excellence. Le rapport de Cevdet Bey est formel. Depuis plusieurs jours, des insurgés arméniens, solidement armés, sont retranchés dans la ville de Van.

Ismaïl Enver, debout, près de son collègue, écarquilla les yeux.

— Les armes ? Quelles armes ? Tous les Arméniens n'ont-ils pas été désarmés !

— Bien sûr. Mais les insurgés ont mis le feu à la gendarmerie, percé des trous dans les parois de torchis du premier étage et ils ont accédé au dépôt.

— Et... ?

— Ils l'ont pillé. Ensuite, ce sont les femmes et les enfants qui ont transféré les caisses de munitions, les fusils et la dynamite.

— Les femmes et les enfants ? répéta Enver. C'est insensé ! Et mon beau-frère a laissé faire ?

— Cevdet Bey a réagi du mieux qu'il a pu. Hier, il a concentré ses cinq mille hommes pour tenter une percée. Les résistants ont abandonné un avant-poste pour éviter de subir trop de pertes, mais les positions clés ont tenu. Il semble que les rebelles – un ou deux milliers, dit-on – se déplacent constamment de maison en maison ou empruntent des souterrains. Tous se battent, sans exception. J'ai mentionné les femmes et les enfants, mais on dit qu'il y a aussi des vieillards et des religieux. Des ragots, sans doute. Une bonne nouvelle néanmoins : deux de leurs trois principaux chefs – les dénommés Archag Vramian et Ichkan – ont été tués. Seul un certain

---

1. Capitaine.

Aram Manoukian a survécu ; c'est d'ailleurs lui qui dirige actuellement les opérations.

Des perles de sueur étaient apparues sur le front de Talaat. Ses lèvres tremblaient.

— Un soulèvement ? Alors que nous sommes en guerre et que les Russes marchent sur Van ! C'est clair. Nous sommes devant un acte de haute trahison. Ces chiens ont bien prémédité leur action. Ils cherchent à faciliter l'avancée des troupes du tsar et la chute du *vilayet*.

Il intima au capitaine l'ordre de sortir, puis s'écroula dans un fauteuil. La mine furieuse.

— C'est grave, dit-il en fixant Enver. Très grave. Et, par-dessus le marché, les nouvelles venues d'Égypte sont catastrophiques.

— Je suis au courant.

— L'expédition de notre ami, Djemal Pacha, a viré au désastre. Les Anglais l'ont repoussé alors qu'il venait d'atteindre les rives du canal de Suez. Une débâcle aussi funeste que celle de… (Talaat fut à deux doigts de dire « Sarikamich » et se retint in extremis avant d'enchaîner :) Il laisse sur le terrain six mille tués, des prisonniers, du matériel et, c'est peut-être le plus embarrassant, les cadavres de plusieurs officiers allemands, dont celui de Wilhelm von dem Hagen, un proche, m'a-t-on dit, de l'ambassadeur d'Allemagne. Le plus affligeant est que cette défaite incomberait en partie, paraît-il, à la présence de… coqs et de poules dans les rangs de notre armée.

Enver écarquilla les yeux.

— Des poules ?

— Nogales Bey [1], ce mercenaire vénézuélien venu se battre à nos côtés, m'a rapporté que certains de nos soldats appartenant encore à la vieille école hamidienne avaient emporté des poules dans leur barda afin de pouvoir consommer des œufs

---

1. De son vrai nom : Rafael de Nogales.

frais ! Des poules, mais aussi des coqs. L'armée était à la veille d'attaquer les campements britanniques lorsque ces chers volatiles se sont mis à chanter, alertant l'ennemi et ruinant tout effet de surprise ! De toute façon, quelle que soit la raison, la défaite est indiscutable. (Il révéla d'une voix sourde :) Sache que j'ai donné des ordres, à contrecœur, mais je les ai donnés quand même. Les réserves d'or et les archives d'État vont être déplacées en lieu sûr, hors de Constantinople. Des trains seront apprêtés, chauffés, pour le sultan et les membres de la cour qui partiront pour Konia si le besoin s'en faisait sentir. Les ambassadeurs qui souhaitent quitter la ville ont déjà été prévenus que des wagons seront mis à leur disposition. Je…

Enver se récria :

— Tu as tort, Talaat ! Constantinople ne tombera pas ! Rien n'est joué ! Nous possédons des canons et des munitions en quantité, des batteries installées sur la terre ferme, tandis que les Anglais et les Français sont sur mer, par conséquent beaucoup plus vulnérables. Enfin, les avantages naturels des Détroits opposent une défense solide à toute tentative de débarquement. Fais-moi confiance, j'ai étudié la question, et je sais que j'ai raison.

— Ismaïl…

— Tant que je serai ministre de la Guerre, nous ne nous rendrons pas. Suppose que les navires de guerre anglais et français forcent les Dardanelles, pénètrent dans la mer de Marmara et atteignent Constantinople, qu'en tireront-ils ? Ils peuvent, il est vrai, bombarder la ville et la détruire, mais, quant à la prendre, je les en défie ! Ils ne disposent pas de suffisamment de troupes. Ils pourront, au mieux, stationner ici deux ou trois semaines, jusqu'à épuisement de leurs provisions, et alors il faudra qu'ils repartent, repassent le détroit en prenant à nouveau le risque d'être anéantis par nos canons. Fais-moi confiance ! Rien n'est perdu.

Depuis quelques jours, le vice-généralissime avait retrouvé toute la morgue et la superbe qui étaient les siennes avant la débâcle de Sarikamich. Pourtant, lorsque, fin janvier, il était rentré à Constantinople, il n'en menait pas large. Il se sentait tellement déchu que, pendant les premiers jours, il était resté terré chez lui. Ensuite, il y avait eu cette soirée donnée au bénéfice du Croissant-Rouge. Sur les conseils de Nadjié, son épouse, Enver s'était décidé à y assister, mais tapi au fond d'une loge, épouvanté à l'idée d'avoir à subir les railleries du public. Tous les personnages éminents de Constantinople, le prince héritier, les membres du Cabinet et de nombreux ambassadeurs étaient présents ce soir-là. À la fin du spectacle, selon la coutume, le prince avait fait appeler les personnalités pour les saluer ou les féliciter. À sa très grande surprise, Enver fut lui aussi sollicité, et cette marque d'attention inespérée lui redonna sur-le-champ le courage et l'assurance qui l'avaient abandonné jusque-là. Étonnamment revigoré, il s'était empressé de se mêler aux diplomates qui l'avaient traité – autre divine surprise – avec beaucoup d'affabilité et de courtoisie. À l'aube, ce fut comme si les soixante mille morts de Sarikamich et les douze mille prisonniers n'avaient jamais existé.

Talaat se leva et arpenta lentement le bureau.

— Nous verrons. Mais je me dois de prendre des précautions. Tout est devenu si fragile.

Il sortit un étui en argent de sa poche et proposa une cigarette à son interlocuteur qui se servit.

On frappa trois coups à la porte.

Talaat consulta sa montre à gousset et annonça :

— Il est en avance...

— De qui parles-tu ?

— Du Juif.

— Le Juif ?

— L'ambassadeur des États-Unis...

— Morgenthau ? Que veut-il ?

— Je n'en sais rien. Voilà deux jours qu'il me harcèle. Nous verrons bien. (Il ordonna :) Entrez !

Un secrétaire s'avança.

— Pardonnez-moi, Votre Excellence. Monsieur Morgenthau...

— Oui. Je suis au courant. (Et il chuchota à Enver :) Reste.

L'Américain apparut dans l'encadrement une mallette à la main. Il marqua un temps d'arrêt en apercevant le ministre de la Guerre, et traversa la pièce. Il salua les deux hommes, mais le ton était distant.

Talaat l'invita à s'asseoir. Enver, lui, alla se placer près d'une fenêtre, à contre-jour.

— Monsieur l'ambassadeur, que me vaut le plaisir de votre visite ?

Sans se départir de sa froideur, Morgenthau sortit de la mallette un document de plusieurs pages et le posa sur le bureau du ministre.

— Ceci... C'est un rapport signé du docteur Clarence Usher.

Talaat fronça les sourcils.

— Usher ?

— C'est le chef de la mission médicale américaine installée à Van, dont l'hôpital vient d'être détruit.

— Détruit par qui ? s'exclama Enver.

— Par qui ? (Morgenthau ironisa :) Vous n'êtes donc pas au courant, Excellence ? (Et sur un ton âpre :) Par les centaines de bombes que votre beau-frère, Cevdet Bey, fait pleuvoir depuis plusieurs jours sur la ville.

— En réponse aux centaines de bombes que lancent les traîtres à la patrie. Vous trouvez cela illogique ?

— Le télégramme du docteur Usher...

— Ce sont des traîtres, monsieur l'ambassadeur, gronda Talaat. Comprenez-vous ? Des traîtres ! Une ville qui se soulève alors que l'ennemi est à nos portes, c'est inadmissible. (Il martela :) Inadmissible !

Morgenthau serra les dents.

— Puis-je m'exprimer ?

Talaat acquiesça d'un geste désinvolte de la main.

— Seriez-vous aveugle à ce point ? Vous parlez de traîtrise ?

Après avoir massacré des centaines de milliers de ces malheureux dans l'espace de trente ans, outragé leurs femmes et leurs filles, après les avoir dépouillés et maltraités de façon inimaginable, vous prétendez quand même compter sur leur loyauté la plus scrupuleuse. Mais enfin ! Dans quel monde vivez-vous ! Ce n'est un secret pour personne que les préférences des Arméniens vont à l'Entente. Parce que vous imaginiez le contraire ? Dois-je vous rappeler ce qui se dit dans Constantinople ? « Si vous désirez savoir de quel côté penche la balance de la guerre, vous n'avez qu'à regarder un Arménien. S'il sourit, c'est que les Alliés triomphent ; s'il est abattu, cela signifie que les Allemands sont victorieux. »

— Superbe ! s'écria Enver en marchant vers l'Américain, vous voyez bien que nous avons raison !

— Faux ! La tête innocente que l'on place sur le billot et qui tente d'échapper au coup de hache, est-elle traîtresse ou victime ?

— Innocente ? C'est ainsi que vous qualifiez l'insurrection de Van ?

Un sourire amer apparut sur le visage de Morgenthau.

— Figurez-vous que j'ai entre les mains le rapport du docteur Usher, mais aussi celui de l'agent consulaire d'Italie, le signor Sbordoni, qu'on ne peut soupçonner de partialité.

— Des mensonges, des calomnies, comme à l'accoutumée !

— Savez-vous seulement pour quelle raison les habitants de cette ville se sont soulevés ? En avez-vous la moindre idée ? Non, bien entendu. Eh bien, je vais vous le dire !

Il reprit son souffle.

— Durant tout le temps que Cevdet Bey exerça les fonctions de défenseur des frontières turco-persanes, il n'a fait que piller et saccager des villes et massacrer la plupart des chrétiens qui s'y trouvaient. Lorsque vous l'avez nommé gouverneur de Van, sa première action fut de s'attaquer aux villages des alentours, villages, bien entendu, à majorité chrétienne. Ces massacres se firent avec des cruautés inouïes.

— Faux !

— On a ouvert le ventre des enfants, on a dépouillé les femmes et les filles de leurs vêtements, et on les a chassées nues comme des bêtes, dans les montagnes.

— Faux !

— Il y a une quinzaine de jours, ce même Cevdet a fait appeler cinq cents jeunes gens du village d'Akantz, toujours des Arméniens, sous prétexte de leur communiquer une ordonnance du sultan. Au coucher du soleil, on les a conduits hors de la ville, où ils furent fusillés.

— Faux !

— Il y a huit jours, il a eu l'outrecuidance d'exiger des habitants de Van de lui remettre pas moins de trois mille hommes pour – qui aurait pu le croire ? – les incorporer dans des bataillons d'ouvriers terrassiers. Les hommes ont essayé en vain de négocier, ils se sont même proposés de payer une somme à titre de compensation mais, immédiatement, Cevdet s'est mis à parler haut et fort de « rébellion » et de sa résolution de l'« étouffer à tout prix, si les rebelles tirent un seul coup de fusil ». Il a cru bon de préciser : « Je tuerai les hommes, les femmes et les enfants, à en avoir jusque-là », et il a désigné son genou Devant l'obstination de la population, le *vali* a alors opté pour une autre tactique. Il a décidé de se débarrasser des meneurs. (Morgenthau pointa son doigt sur le télégramme du docteur Usher.) Les noms sont indiqués, ici ! Je vous épargnerai les détails. Sachez simplement qu'ils ont été abattus.

Le diplomate se tut, haletant, fixa Enver et Talaat et laissa tomber :

— Voilà, Vos Excellences, l'histoire des prétendus traîtres de Van.

Talaat ralluma une nouvelle cigarette. Enver éteignit la sienne. Un silence lourd s'instaura dans la pièce.

Morgenthau finit par demander :

— Alors ? Quelles dispositions comptez-vous prendre ? À l'heure où nous parlons, il y a des innocents qui meurent.

— Je vais réfléchir, monsieur l'ambassadeur. Réfléchir… Mais pour le mieux, rassurez-vous.

Il y eut un nouveau silence. Morgenthau essayait sans doute de décoder ce que voulait dire « pour le mieux » dans l'esprit d'un Talaat Pacha.

Enver avança vers l'ambassadeur.

— Laissez-moi vous dire une chose. On nous a souvent reproché de n'avoir pas fait parmi les Arméniens de différence entre les innocents et les coupables. Savez-vous pourquoi ?

— Je vous écoute.

— Parce que c'est impossible.

— Impossible…

— Oui, monsieur Morgenthau, parce que les innocents d'aujourd'hui sont les coupables de demain.

L'ambassadeur se raidit.

— Permettez-moi de me retirer.

— Faites donc, Excellence, approuva Talaat. Mes amitiés à votre épouse ! À propos, je vous ai réservé un wagon à tous les deux ainsi qu'à vos collaborateurs. Il sera plus prudent pour vous de partir.

— Il n'en est pas question ! Je ne quitterai pas Constantinople. Il est de mon devoir de rester. Quant à ma position d'ambassadeur, je suis prêt à démissionner et à n'être plus qu'un simple consul général honoraire, plutôt que de suivre le sultan. Au revoir, Excellence !

À peine la porte refermée, Talaat récupéra le rapport et en examina la couverture, songeur.

— Tu as parlé de réfléchir, observa Enver. Longtemps ?

Le ministre secoua la tête.

— Les télégrammes codés partiront ce soir. Baheddine et les responsables de l'Organisation spéciale seront autorisés à déclencher le plan prévu.

Il leva des yeux terribles vers Enver.

— Les portes de l'enfer, mon frère. Nous allons leur ouvrir les portes de l'enfer.

SECONDE PARTIE

15

Constantinople, 24 avril 1915

— Ouvrez ! *Emniet* ! Police !

Hovanès battit des paupières. Il ne chercha pas à vérifier l'heure, il n'était qu'à voir la lueur tremblante des étoiles qui filtrait à travers les persiennes pour savoir qu'il faisait encore nuit.

— Ouvrez !

Son cœur se mit à cogner plus fort. Pourquoi cette certitude qu'il ne s'agissait pas d'un contrôle anodin ? D'où lui venait ce sentiment de temps achevé, de fin de route ? C'était stupide.

Il fit glisser le verrou.

Ils étaient six. Six individus en civil. Cinq d'entre eux étaient armés. Celui qui ne l'était pas déclina son identité :

— Bédri Bey.

Cette figure ne lui était pas inconnue. Hovanès avait déjà eu l'occasion de la voir. Où ? Dans quelles circonstances ? Sec, petit de taille, la cravate mal nouée sur un col douteux, son allure ne reflétait en rien la position majeure qu'il occupait : préfet de police de Constantinople.

— Que me voulez-vous ?

Un bruit de cavalcade couvrit partiellement la réponse. Des gens dévalaient l'escalier ou alors on les traînait de force. Hovanès se souvint alors qu'il n'était probablement pas le seul député assigné à résidence dans ce *yali*[1].

1. Maison en bois sur le Bosphore

— Suivez-nous !

Hovanès sourit. Il était nu jusqu'à la taille.

— Puis-je m'habiller ?

— Cinq minutes.

Jamais cinq minutes ne parurent si brèves. Quel jour étions-nous déjà ? Le 24 avril 1915 ? Le printemps était là. Dans deux jours, il aurait quarante et un ans. Il ne jugea pas utile de mettre une cravate et se présenta devant Bédri.

— Je suis prêt.

Une fois sur le palier, il aperçut des taches de sang qui maculaient les marches.

Un camion militaire bâché était stationné dans la rue. On hissa Hovanès à l'intérieur du véhicule. Une vingtaine hommes s'y trouvait déjà, alignés sur des banquettes. L'un d'eux lança avec un sourire forcé :

— *Pari kaloussd !* Bienvenue !

Hovanès resta interloqué. C'était Haïk Tirakian, membre du Dachnak et ancien député.

— Toi ? balbutia-t-il.

— Eh oui, mon ami ! (Il montra les autres d'un mouvement de la main.) Eux aussi…

— Quelqu'un aurait-il une idée de ce qui se trame ? interrogea l'un des occupants du camion.

— Aucune, répliqua Haïk. Mais je peux vous dire qu'on ne nous emmène pas prendre notre petit déjeuner chez le sultan.

— Moi je sais, lança une voix rageuse, ils ont décidé de couper la tête de notre peuple avant d'en fracasser les jambes !

Au moment où le camion s'ébranlait, Hovanès demanda :

— Êtes-vous tous des Dachnakzagans ?

— Pas moi, répliqua une autre voix. Je suis Roupen Zarta-rian, rédacteur en chef de l'*Azamart*. (Il montra son voisin du doigt.) Lui, c'est Nersès Papazian, un journaliste.

Un autre passager se présenta :

— Je n'appartiens pas non plus au Dachnak et je n'ai

jamais fait de politique. Mon nom est Aristakés Gasparian. Je suis avocat.

— Et moi, dit un jeune d'une trentaine d'années, je suis bien moins que vous tous. Mon nom est Varoujan et...

— Varoujan ? s'écria Hovanès. Daniel Varoujan ? Le poète ?

— Si l'on veut.

Il y eut un flottement.

Varoujan, Varoujan... Le nom était repris avec admiration.

— J'ai tout lu de vous, dit l'avocat. (Il récita dans la foulée :) « Sache bien, mon ami, que mon chant a conté les douleurs du plaisir et les plaisirs de la douleur. Le calice du cœur, lorsqu'il s'emplit de vin, voit celui-ci muer en sang de Dieu. » Vous êtes un génie !

Le jeune homme se contenta de baisser les yeux, gêné.

D'autres se présentèrent encore : Aram Andonian, journaliste, le père Krikor Balakian, le père Komitas...

Des perles de sueur étaient apparues sur le front d'Hovanès. Ainsi, comme il l'avait pressenti, il ne s'agissait pas d'un contrôle anodin. Non. Il y avait un autre terme pour qualifier ce que la police turque était en train de faire : une rafle.

C'était bien cela.

En effet, dans le même instant de cette même nuit, environ deux cent cinquante personnalités, notables, intellectuels, journalistes, hommes politiques, écrivains, artistes, étaient arrêtées. La liste des personnes interpellées avait été soigneusement dressée de longue date et des lettres cachetées renfermant les instructions précises envoyées par Bédri Bey à tous les commissariats de police de la capitale. Rien n'avait été laissé au hasard.

Des tirs sporadiques de canons résonnèrent par-dessus le ronronnement du moteur.

— Qu'est-ce que c'est ? s'inquiéta quelqu'un.

— Ce sont probablement les navires de guerre alliés qui pilonnent les fortifications autour de la capitale.

— Mais c'est formidable ! s'écria Varoujan. Cela voudrait dire qu'ils viennent à notre secours !

Les passagers échangèrent des regards en coin. Et Hovanès se dit que, décidément, les poètes étaient de bien doux rêveurs. À travers la bâche, on percevait le tremblement des eaux du Bosphore. Elles étaient d'un vert émeraude. Pourquoi les voyait-il rouge sang ?

Constantinople, 26 avril 1915, demeure de Talaat Pacha

Le majordome se répandit en cris de protestation, mais ni Krikor Zohrab ni Vartkès Séringulian ne lui prêtèrent attention. Après avoir traversé le vestibule, ils prirent le chemin du salon. Ils connaissaient les lieux par cœur, pour avoir fait pendant longtemps partie des familiers. Un endroit plus proche du palais que de la demeure de notable où le stuc et le marbre, le brocart et la soie rivalisaient. Ils allaient entrer dans le salon, lorsque Talaat Pacha, échevelé, drapé dans une robe de chambre de satin, les apostropha :

— Avez-vous perdu la tête ?

Le ministre se tenait au sommet d'un grand escalier de marbre et, à son expression, on voyait bien qu'on l'avait tiré du lit.

— L'heure n'est plus au protocole, riposta le député, la voix rauque. Ce qui est arrivé est monstrueux.

— Rien qui n'eût été prévu.

— Prévu ? Prévu ? Depuis quand ? Par qui ? Dire que le 24 au soir, au moment précis où se déroulait cette action immonde, toi et Khalil Bey m'avez entraîné à jouer aux cartes au Cercle d'Orient, comme si de rien n'était ! Khalil qui, je te le rappelle, a trouvé asile chez moi alors que sa tête était mise à prix par les hommes d'Abdül-Hamîd ! C'est immonde ! Immonde !

Talaat, imperturbable, prit le temps de s'installer dans un fauteuil avant de suggérer, la voix lasse :

— Krikor, mon frère, mon ami, que dirais-tu d'un bon café ? Rien de tel pour s'éclaircir les idées. (Il frappa dans ses mains, et demanda à Vartkès :) Un café aussi, n'est-ce pas ?

Les deux députés déclinèrent l'offre de concert.

— Tu ne sembles pas comprendre la gravité de la situation, insista Krikor.

— Elle est pourtant claire : tous les Arméniens qui, par le verbe, la plume ou l'action ont travaillé ou pourraient un jour travailler à l'édification d'une nation d'Arménie indépendante sont désormais considérés comme des ennemis de l'État et doivent, dans les conditions présentes, être isolés.

— C'est inique ! riposta Vartkès. Parmi les personnes arrêtées, il en existe plusieurs qui ne se sont jamais occupées de politique de leur vie ! De quoi sont-elles coupables ?

Talaat éluda la question et ordonna au serviteur qui s'était présenté :

— Trois cafés... (Il interrogea les visiteurs dans la foulée :) Comment prenez-vous le vôtre ? *Sade, orta* ou *ekerli* [1] ?

Krikor se récria :

— Nous parlons de la vie et de la mort de centaines d'innocents !

Vartkès fit observer :

— Depuis quatre ans, de manière systématique, vous avez découragé tous nos efforts et ébranlé notre foi. Lentement, mais sûrement, vous sucez notre sang ! Finalement, le comité Union et Progrès se révèle plus cynique et plus dangereux qu'Abdül-Hamîd.

— Un café, rectifia Talaat, impassible. C'est vrai. Il y a sans doute eu des erreurs de commises. Des vérifications seront faites et les innocents, s'il y en a, seront libérés. Croyez-moi, j'ai toujours confiance dans le peuple arménien. Les mesures

---

1. Sans sucre, moyennement ou très sucré.

prises ne visent que les membres des partis politiques bien que, j'en conviens, nous ne disposions d'aucun élément démontrant un quelconque mouvement visant à déstabiliser l'État Cependant, pour la sécurité du pays, nous avons jugé préférable d'isoler momentanément les militants politiques et de dissoudre les partis.

— Dans ce cas, fit observer Vartkès, puisqu'il n'existe aucune trace d'opposition à l'égard du gouvernement, l'examen au cas par cas de chaque interpellé n'a pas de sens. La logique impose que tous soient libérés, sans attendre. D'ailleurs, pourquoi n'avons-nous pas été arrêtés ? Qu'est-ce qui nous vaut cette grâce ?

Talaat adopta un air mystérieux.

— Les choses ne sont pas si simples.

Et de poursuivre :

— Messieurs, aux jours de notre faiblesse, après la reprise d'Andrinople, vous nous avez sauté à la gorge et avez ouvert la question des réformes. Il est donc logique qu'aujourd'hui nous profitions de la situation favorable dans laquelle nous nous trouvons. Non ?

— Profiter ? Dans quel but ?

Avec une âpreté aussi soudaine que menaçante, le ministre fixa tour à tour les deux hommes.

— Pour disperser tellement votre peuple que vous vous ôterez de la tête pour cinquante ans toute idée de réforme. Maintenant, veuillez me laisser je vous prie.

Deux soldats, pistolets au ceinturon, l'œil menaçant, étaient apparus à l'entrée du salon.

En quittant le palais de Talaat, ni Vartkès ni Krikor n'auraient pu se douter que leur sort dépendait de l'échec ou de la réussite d'un affrontement militaire qui était en train de se dérouler au même moment dans le détroit des Dardanelles, sur la pointe sud de la péninsule de Gallipoli. Soixante-quinze mille hommes, envoyés par Churchill, essentiellement des Australiens et des Néo-Zélandais, venaient de débarquer. En face, celui qui commandait la défense turque n'était autre que… le général Liman von Sanders. Sous ses ordres, un colonel de trente-quatre ans opérait : Mustapha Kemal. Si par malheur cette bataille tournait en défaveur de l'Empire, Vartkès et Krikor pourraient se révéler utiles au moment des négociations. Dans le cas contraire, leur destin était scellé.

Erzeroum, 27 avril 1915

Dans un ouragan de poussière, les *hamidiés*, les escadrons de la mort, s'étaient regroupés devant le parvis. Un peu partout, les milices fraîchement enrôlées dans l'Organisation spéciale, Luger au ceinturon, avaient pris place devant les points stratégiques, les échoppes et les dépôts.

Pour la troisième fois, Bedros Der Agopian répéta, fort de sa fonction de responsable religieux :

— Vous n'avez pas le droit !

Le Kurde à qui il s'adressait grimaça un sourire.

— Et moi je te le redis : le droit a changé de mains !

— Si vous réquisitionnez la nourriture, les denrées, le bétail, comment allons-nous survivre ? Dites-moi ? Comment ?

Un homme s'approcha. Vêtu d'un complet veston, impeccable. Le prêtre reconnut immédiatement le docteur Baheddine Chakir.

— Survivre, mon père ? ironisa-t-il. Vous avez bien dit « survivre » ? Vous êtes-vous seulement posé cette question lorsque nos malheureux soldats étaient assassinés par les traîtres de votre race à Sarikamich ? Hein ? Vous êtes-vous posé une seule fois la question ?

Le responsable de l'Organisation spéciale cracha par terre.

— Curé ! Vous disposez d'un quart d'heure pour rassembler ici tous les commerçants de la ville ! Allez !

À quelques mètres de là, un autre groupe s'était introduit dans l'atelier d'orfèvrerie de Sarkis Stepanian. Le joaillier, un petit homme malingre et chauve, rencogné, tremblait comme une feuille.

— Ne me tuez pas, *effendi*. Je vous en prie. Pour mes enfants. (Il montra les bijoux rangés sur des étagères.) Prenez tout ce que vous voudrez...

— Parce que nous allons nous priver ? ricana quelqu'un. Servez-vous ! C'est de l'or arménien !

Partout dans Erzeroum, avec une précision implacable, les mêmes scènes étaient en train de se dérouler. C'était comme si une main invisible avait libéré des eaux trop longtemps retenues.

Vahé Tomassian, que le tumulte avait attiré sur la terrasse, fut le premier à apercevoir les *tchétés* qui s'approchaient à grands pas. Il y avait aussi des Kurdes parmi eux, reconnaissables à leur bonnet de feutre poilu. Il n'hésita pas. Il fonça dans la cuisine et saisit le premier couteau à sa portée.

— Non, père ! adjura Achod. Ne fais pas ça ! Non !

Anna s'associa aux supplications de son mari.

— *Hayrig* ! Pensez aux enfants ! Je vous en conjure. Pensez aux enfants !

Chouchane et Aram, pétrifiés, observaient la scène, blottis dans un coin.

On tambourina à la porte.

— N'ouvre pas ! ordonna Vahé.

— Père, je t'en prie, laisse-moi faire et range ce couteau.

— Faites ce qu'il vous dit, je vous en conjure.

Le vieil homme se résigna.

Les coups redoublaient d'intensité.

— Fais vite, papa ! cria Chouchane. Ils vont défoncer la porte.

Le canon de l'un des fortins situés sur les contreforts du Dévé-Boyoun se mit à tonner. Des cris retentissaient. Des galopades effrénées.

Achod écarta le battant.

Un homme, le chef sans doute, entra le premier. Sur son visage qu'affinait une barbe courte, taillée en pointe de poignard, la crispation des mâchoires faisait saillir les pommettes.

— Vos armes. Vous devez rendre toutes les armes qui sont en votre possession !

— Je regrette, expliqua Achod d'une voix posée, il n'y a pas d'armes sous ce toit.

Faisant fi de la réponse, l'homme commanda :

— Fouillez ! Fouillez tous les recoins !

Ouragan en furie, les *tchétés*, secondés par les Kurdes, se répandirent dans la maison, soulevant tapis et meubles, vidant les tiroirs, renversant les coffres, ouvrant les armoires et jetant leur contenu au sol, emplissant la maison de fureur et de mépris.

Une dizaine de minutes plus tard, un des miliciens ressortit de la chambre à coucher du couple en brandissant une petite boîte à bijoux dont il avait déjà soulevé le couvercle.

— Nous ne sommes pas venus pour rien !

Il prit un collier d'argent et l'agita au-dessus de sa tête.

Achod se précipita :

— Rendez-le-moi !

Dans un éclat de rire tonitruant, le Kurde balança le collier aux pieds de ses compagnons comme on jette un os à une meute.

— Non ! protesta Chouchane. Non ! C'est le collier de ma *medz mama* !

Prenant tout le monde de court, elle se jeta vers le bijou, le récupéra, et, le serrant contre sa poitrine, se recroquevilla sur le sol, prête à mordre.

Le Kurde s'avança vers elle. Un pas seulement. Entre lui et la jeune fille, Achod, qui avait récupéré le couteau abandonné par Vahé, s'était interposé. Il défia l'homme du regard, les prunelles pleines d'une colère glaciale.

— Un cheveu, si tu touches un cheveu de ma fille, tu es mort.

Aussitôt, les miliciens dégagèrent le cran de sûreté de leurs fusils.

— Écarte-toi ! somma une voix. Et vite !

Le canon tonna à nouveau.

Un instant furtif, Achod se demanda si les Russes n'étaient pas aux portes d'Erzeroum.

— Lâche ce couteau !

— N'approche pas de ma fille !

À ce moment précis, la voix d'Asim Terzioğlu domina le tumulte.

— Arrêtez ! Arrêtez ! Vous avez perdu la tête.

Le *zabtieh* venait d'entrer dans la maison, accompagné par trois autres gendarmes. Tous tenaient un fusil à la main.

— Arrêtez ! répéta-t-il. Ce sont des amis. Ils n'ont jamais fait le moindre mal.

Le chef des miliciens pivota vers lui.

— Ton nom ?

— Quelle importance !

— Ton nom ?

— Asim Terzioğlu.

— De quel droit te permets-tu d'interférer ?

— Aucun. Je n'ai aucun droit si ce n'est celui de la justice et de la fraternité. Je vous le redis : ce sont mes amis. Ils...

— Ta gueule ! Cette affaire n'est pas du ressort de la gendarmerie.

— Bien au contraire ! C'est nous qui sommes chargés du maintien de l'ordre dans cette ville. Tandis que vous...

L'homme dégaina et plaqua le canon de son revolver sur la tempe d'Asim.

— Un mot, encore un mot, et je te fais sauter la cervelle.

À leur tour, dans un même élan, les trois compagnons d'Asim pointèrent leur fusil vers le milicien.

— Tire, murmura le gendarme, tire et ils tireront aussi.

— C'est un massacre que vous voulez ? gémit Anna.

Profitant de la confusion qui régnait, Achod souleva Chouchane de terre et la garda contre lui.

— Lâche-la, ordonna le chef, sinon...

— Sinon rien !

Sous les regards médusés, le vieil homme marcha vers le Turc et annonça :

— Karim Dürdan ?

Le milicien le dévisagea, médusé.

— Répète ?

— Karim Dürdan. C'est bien ton nom ?

— Que... comment...

— Comment je te connais ? Si je te disais : Hagop Tehlirian ? Ce nom ne t'évoque rien ?

Le milicien vacilla, et fit un « non » hâtif de la tête.

— Pourtant, c'était hier. Sept ans, c'est peu de chose pour un esprit aussi jeune que le tien. En tout cas, moi j'ai bonne mémoire.

— Bien sûr...

— Tehlirian. Hagop Tehlirian, insista Vahé. Mon ami. *Notre* ami. Cela s'est passé à Erzindjan. Tu es venu frapper à sa porte en pleine nuit. Il se trouve que je dînais chez lui. C'était l'époque de la révolution. À mort, Abdül-Hamîd ! Vive l'*Ittihad* ! Le sultan avait dépêché des régiments à tes trousses et à celles de tes camarades insurgés comme toi. Je...

— Tu radotes !

— Hagop t'a ouvert sa porte, il t'a accueilli, il t'a sauvé des mains de tes poursuivants, il t'a caché un mois dans sa maison, au milieu de sa famille, de ses enfants : Soghomon, Nora et le cadet, Levon. Tu n'as pas oublié, n'est-ce pas ?

— Vas-tu te taire ?

— Un mois ! Ils t'ont servi à boire et à manger. (Il scanda en détachant les syllabes :) Teh-li-rian ! Et nous, nous sommes les To-mas-sian ! (Il désigna la fenêtre et la ville par-delà.) Et plus loin, là-bas, ce sont les Boyadjian et les Caloustian et tous les autres. Deux millions de nos frères, nos semblables. Et toi, tu veux nous tuer ? Tuer ceux qui t'ont nourri ?

— Je te répète : je ne sais pas de quoi tu parles !

— Tu ne sais pas… (La voix de Vahé s'éleva d'un ton :) Eh bien moi, je sais pour deux ! Ce soir-là, tu pissais le sang !

D'un mouvement vif, Vahé arracha le fez qui recouvrait le crâne du Turc et désigna une longue estafilade au-dessus de l'oreille gauche.

— Je me souviens pour deux, Karim Dürdan !

— Écarte-toi !

Vahé afficha un sourire triste.

— Hier, les Enver, les Djemal, les Talaat et toi aujourd'hui… Vous avez tous perdu la mémoire.

Les joues blêmes, l'homme se détourna et commanda d'une voix sèche .

— Allez ! Nous avons perdu trop de temps ici ! Suivez-moi ! Nous nous retrouverons, *effendi*.

En sortant, il se voûta légèrement, comme si tout à coup le poids du passé venait de fondre sur ses épaules.

16

Erzeroum, le lendemain, 28 avril 1915

— Oui. C'est bien le nombre exact, confirma Asim. Deux cents personnes arrêtées. J'ai relevé leurs noms.

Il sortit de la poche de son *şalvar* un papier huileux et commença à énumérer :

— Levon Balasanian, Hrant Koseyan, Mihran...

— Inutile ! pria Achod. Je connais sans doute la plupart d'entre eux. Où les ont-ils emmenés ?

— Une trentaine auraient été transportés à la prison centrale pour interrogatoire. Les autres... (Asim leva les bras au ciel en signe d'impuissance.) Une chose est sûre, ils ne sont plus à Erzeroum. Certains disent les avoir vus sur la route, vers minuit, à la sortie de la ville, entassés dans des charrettes et menottés. De toute façon, tout porte à croire que cette affaire n'est pas un cas isolé. À Marach aussi, les autorités militaires ont procédé à l'arrestation de notables arméniens. À Zeïtoun et dans les localités environnantes, il se passerait des choses bizarres. Dans le *vilayet* de Sivas, plusieurs *kassab tabouri,* des bataillons de bouchers – il paraît que c'est ainsi que vos coreligionnaires surnomment les miliciens – ont arrêté des curés et des instituteurs, épargnés par la conscription. Une partie des prisonniers aurait même été exécutée dans les gorges de Seyfe.

Saisissant les mains de Vahé avec empressement, il poursuivit :

— Crois-moi, mon ami, vous devez quitter Erzeroum sans tarder.

— N'insiste pas, Asim. Mon fils me l'a déjà proposé, et ma réponse n'a pas changé : c'est non ! Aucune force ne me chassera de chez moi.

— Vahé, reviens à la raison. Tu n'imagines pas ce qui se prépare ! Tu n'imagines pas. Ils vont éteindre le soleil, ils vont jeter la nuit sur vous…

— Peu m'importe !

— Vahé ! Fais un effort, si ce n'est au nom de ton Dieu, fais-le au nom d'Allah ! Tout à l'heure, avant de venir ici, j'ai surpris une conversation entre le docteur Chakir et ses sbires. Toute l'Anatolie est à la veille de basculer dans un abîme.

— Que veux-tu dire ? demanda Achod.

— Chakir a parlé d'une opération qui consisterait – j'utilise ses propres termes – à « déplacer les éléments suspects de la population arménienne loin des zones de guerre, en des localités plus sûres et hors de l'influence étrangère ».

— Quoi ? se récria Anna. Ils nous chasseraient de nos terres ?

— Je le crains. Et ils le feront sans état d'âme. J'ai été témoin de leur détermination. Hier, lorsque les miliciens ont quitté votre maison, ils se sont rendus directement chez le vieux Tcheraz. Vous voyez de qui je parle ? En fouillant dans son jardin, figurez-vous qu'ils ont découvert un puits caché sous de mauvaises herbes. Il avait dû être creusé depuis Dieu sait combien d'années. Tcheraz en ignorait totalement l'existence. Et pour cause, il venait à peine d'emménager dans cette maison. Les *tchétés* espéraient trouver des armes dans le puits. Or il n'y avait rien. Alors, dans leur frustration, ils sont tombés à bras raccourcis sur le malheureux, ils l'ont traîné jusqu'à la gendarmerie et, sous mes yeux, ils se sont mis à le torturer. Vous ne pouvez pas imaginer ! On lui a même arraché les ongles avec des tenailles. Chaque fois qu'il perdait connaissance, on le ranimait en déversant sur lui de l'eau froide et on recommençait à le tourmenter. Finalement, un des sbires du docteur Chakir lui a présenté un document où il reconnaissait avoir caché des bombes et des armes dans le puits. Il n'a jamais signé. Il était mort.

Anna refoula un cri.

— Des rumeurs laissent aussi entendre qu'ils vont promulguer un nouvel ordre de mobilisation qui concernera cette fois les Arméniens qui ont entre quarante-cinq et soixante ans. Si cela se révélait exact, Achod serait concerné.

— C'est stupide ! Pourquoi nous enrôler alors qu'on nous interdit de porter des armes ?

— Pour accomplir, disent-ils, des travaux d'utilité publique. Mais oublions tout cela. Je crois vraiment que vous devriez quitter la ville sans tarder.

— Il a raison, approuva Achod. Nous ne pouvons pas rester. C'est trop dangereux. Hier, il s'en est fallu de peu.

Vahé se leva soudainement.

— Partir ! Partir ! Très bien, alors dites-moi : où irions-nous ? Hein ? Répondez-moi ! Partir pour errer sur les routes d'Anatolie ? Comme des mendiants ? Des moins que rien ?

— Nous pourrions peut-être aller à Constantinople ? suggéra timidement Anna. Chez Hovanès.

— Hovanès ? Les dernières nouvelles que nous avons reçues de lui remontent à plus de deux mois. Avec la censure, plus aucune lettre ne nous parvient. (Il conclut dans un cri :) Nous ne savons même pas s'il est toujours de ce monde ! Si mon fils est toujours de ce monde ! Mon fils !

Le corps du vieil homme se tendit comme un arc, ses bras se dressèrent vers le ciel et retombèrent le long de son corps comme sous l'effet d'une bourrasque.

Achod alla vers lui.

— *Hayrig*, calme-toi. Tu te fais du mal. Hovanès est vivant. Chasse ces méchantes idées de ta tête. Je t'en prie.

— Tu ne comprends pas. Personne ne comprend. Vous voulez que nous partions pour nous sauver. Vous ne savez donc pas que dès qu'un homme abdique, dès qu'il accepte de renoncer à un grain de blé de son champ, une perle d'eau de sa rivière, un caillou de sa montagne, le jour où il revient, il ne retrouve ni son champ, ni sa rivière, ni sa montagne. Ceux qui auront pris sa place lui auront confisqué sa vie. C'est ce qui se passera si nous abandonnons cette maison.

Le silence envahit la pièce. Étouffant. Il faisait comme une chape invisible mais incroyablement pesante.

Où trouver les mots susceptibles de faire mentir le vieil homme ? Dans leur for intérieur, tous savaient qu'il était dans la vérité. S'ils quittaient leur maison, leur ville, ils ne les reverraient jamais.

Brusquement, prenant tout le monde à contre-courant, Vahé annonça :

— Très bien. Nous partirons.

— Mais, *medz hayrig*, commença Achod, tu…

— Nous partirons. Pour les enfants. Uniquement pour les enfants.

Il apostropha Asim :

— Que proposes-tu ?

Le *zabtieh* réfléchit brièvement.

— Je ne vois qu'une seule destination possible : Van.

— Van ? s'exclama Anna. Mais c'est à plus de quatre cents kilomètres d'ici !

— Oui. Mais c'est le seul endroit où vous pourriez avoir une chance de vous en sortir. La ville s'est révoltée contre Cevdet Bey, le beau-frère d'Enver, elle résiste farouchement et les troupes russes n'en seraient plus très éloignées.

— Quatre cents kilomètres, répéta Achod. Des journées de voyage. Et par quel moyen ? Nous ne disposons que d'un cheval et d'une vieille carriole qui n'ont servi jusqu'ici qu'à transporter les denrées du marché. Asim, mon ami, ton idée est irréalisable.

Le *zabtieh* secoua la tête.

— Je peux vous dégotter une calèche assez spacieuse pour accueillir six personnes.

Anna ouvrit de grands yeux.

— Tu n'es pas sérieux. Où vas-tu la trouver ?

— Mon beau-frère.

— Il acceptera ?

— Mettons que je ne lui laisserai pas le choix.

Dans l'esprit d'Achod mille pensées contradictoires se livraient bataille. Que faire ? Non seulement les routes n'étaient pas sûres, mais rien ne leur garantissait que Van ne serait pas toujours aux mains des Turcs lorsqu'ils arriveraient. Il y avait aussi le problème des *tezkérés*. Comment voyager sans ces documents ? En cas de contrôle, ce serait l'emprisonnement, à coup sûr.

Asim insista :

— Le temps presse.

— Je ne sais plus, murmura Achod. Je ne sais plus. J'ai besoin de réfléchir. Laisse-moi un peu de temps.

Asim se leva.

— Très bien. Mais n'oublie pas : le temps, ce sont vos ennemis qui le maîtrisent.

Dans leur chambre à coucher, l'oreille collée au mur, Aram et Chouchane qui n'avaient pas perdu un mot de la discussion se dévisagèrent, bouleversés.

Quelque part en Anatolie, au même moment

Le wagon empestait l'urine et la sueur. Les gardiens avaient scellé les vitres. On étouffait.

Hovanès s'essuya le front du revers de la manche.

Malgré le bringuebalement des rames, la plupart de ses compagnons, entassés comme des bêtes, somnolaient.

Depuis trois jours, les paysages arides succédaient aux paysages arides et les houles de collines blondes aux montagnes déchiquetées. S'il n'y avait eu ces quelques maisons au toit plat, serrées en hameaux, ou les traits noirs des puits à balancier, on aurait pu croire que jamais l'homme n'avait vécu ou ne vivrait en ces lieux.

Comment était-ce possible ? Talaat et les autres avaient donc perdu la raison ? Cet extrait d'une lettre que lui avait adressée son vieil ami Agnouni, en 1908, à son retour d'exil, se rappela à sa mémoire : *Tu ne peux pas imaginer combien je suis heureux de t'écrire de cette ville sans la moindre surveillance ou censure. Après trente-deux ans de mutisme, Constantinople scande la « Liberté » et la foule est en délire.* Comment en était-on arrivé là ? Son esprit s'envola vers Erzeroum, son père Vahé, son frère, les enfants. Avaient-ils suivi ses conseils ou étaient-ils restés dans la ville ?

Hovanès remonta les genoux sous son menton. Quelle heure pouvait-il être ? On lui avait confisqué sa montre. Il savait en tout cas le nombre de jours écoulés depuis leur départ et il avait retenu tous les épisodes qui avaient suivi leur arrestation.

Le camion avait roulé jusqu'au petit matin. Après qu'ils eurent franchi le portail de la prison centrale de Méhertané, sur les hauteurs de la ville, on les avait fait descendre et on les avait contraints à se ranger sur deux files. Cinq cents prisonniers les avaient précédés. Tous arméniens. Un gradé, liste à la main, avait lu leur nom d'une voix empreinte de solennité. Une fois assuré que personne ne manquait à l'appel, on les avait conduits – à pied cette fois – jusqu'au siège de la Sûreté, situé à quelques mètres de là. Durant tout ce temps, le grondement des canons venu de la mer avait continué de résonner ; manifestement, les croiseurs anglais et russes avaient repris leur attaque et pilonnaient les fortifications de la ville.

Vint le moment de la fouille. Papiers, argent, crayons, calepins, montres, cannes, ils furent dépouillés.

— Ne vous inquiétez pas, avait expliqué l'un des soldats. Tout vous sera rendu après.

— Après quoi ? s'était risqué à demander Hovanès.

Il n'y avait pas eu de réponse.

Ensuite, sans raison apparente, certains prisonniers, parmi lesquels Hovanès, avaient été emmenés pour être interrogés.

Un escalier crasseux. Au sommet des marches, un autre couloir et une porte tout au bout, entrebâillée. Une salle nue et froide. Le plancher était parsemé de mégots, le badigeon des murs s'écaillait, et l'unique fenêtre était fendue et maintenue avec du papier gommé.

Assis derrière un bureau, un fonctionnaire écrivait. Sur une table, à sa droite, s'amoncelaient des dossiers. Derrière lui était accrochée une photographie de Talaat Pachá.

L'homme avait demandé sans quitter sa feuille des yeux :

— Hovanès Tomassian ?

— Oui.

— Né le 18 février 1874, à Erzeroum.

— C'est exact.

— Quarante et un ans.

Hovanès faillit lui répondre qu'il savait compter, mais se contenta de répéter :

— Quarante et un ans.

L'homme avait daigné enfin relever la tête.

Il avait le teint terreux. Une moustache fournie dissimulait sa lèvre supérieure. L'habituel fez vermillon couvrait son crâne. Mais ce qui frappait le plus dans ce visage somme toute commun, c'étaient les yeux ; des yeux d'un bleu glacé, comme si l'homme était aveugle.

— Dachnakzagan ?

— Oui.

— Député depuis 1909 ?

— Oui.

Posément, le fonctionnaire avait rangé son porte-plume près

d'un encrier et il était resté un moment silencieux avant de déclarer :

— *Tedhiçi*…

Hovanès fronça les sourcils.

— Pardon ?

— *Tedhiçi*. Terroriste ?

— J'avais bien compris. De quel terroriste parlez-vous ?

L'homme avait levé son index vers Hovanès :

— 26 août 1896. L'attaque de la Banque impériale ottomane

Hovanès afficha une expression incrédule.

— Et alors ?

— Terroriste !

— Dois-je vous rappeler que, depuis, il y a eu la révolution ? Qu'Abdül-Hamîd est rongé par les vers, et que nous, les Arméniens, nous nous sommes montrés plus que solidaires du comité Union et Progrès et…

L'homme l'avait coupé sèchement.

— Où se trouve Karékine Pastermadjian ?

Mais où cherchait-on à l'entraîner ?

— Vous voulez parler d'Armen Garo ? Comment le saurais-je ?

L'homme avait tiré de sa poche un paquet de cigarettes froissé et en alluma une.

— Il a bien déserté, comme toi.

— Déserteur ? C'est inepte ! J'ai payé le *bedel*, comme la loi m'y autorise. J'ai…

— Le *bedel* ne concerne pas les ouvriers. Le dernier décret ordonne à tous les Arméniens en état de porter les armes et qui ont été exemptés du service militaire de se présenter, sous peine de mort, dans les gendarmeries.

Hovanès s'était demandé s'il ne vivait pas une scène de Karagöz, le héros du théâtre d'ombres qui faisait la joie des enfants de Constantinople. Tous les Arméniens en état de porter les armes ? Mais cela comprenait tous les hommes de douze à soixante-dix ans ! C'était ridicule !

— Si vous me disiez plutôt ce que vous me voulez ? Et la raison de mon arrestation ? Ne serait-ce pas plus simple ?

L'homme n'avait pas répondu immédiatement, il avait écrasé sa cigarette et pointé sur Hovanès un index menaçant.

— Prends garde ! Ne finasse pas ! Les raisons de ton arrestation ? Tu les sais parfaitement.

— Très bien, voulez-vous avoir l'extrême indulgence de me les rappeler ?

— Quel jour avez-vous été appréhendé ?

— Dans la nuit du 24.

— Et quand notre sultan bien-aimé, Ombre d'Allah sur terre, a-t-il accédé au trône ?

— En 1909. Quant à la date précise…

— Le 27 avril ! Le 27 avril 1909 ! C'est précisément ce jour-là que vous projetiez de commettre des attentats contre la Sublime Porte et d'autres édifices publics. Le 27 avril, jour anniversaire de l'avènement de notre sultan.

Hovanès avait senti le sol se dérober sous lui. C'était impossible ! Cet individu divaguait ! Des attentats ?

— Absurde… C'est… Comment pouvez-vous…

L'homme avait soulevé le feuillet qui était disposé devant lui et l'avait présenté à Hovanès.

— Signe !

— Qu'est-ce que c'est ?

— Tu reconnais avoir comploté contre la sécurité de l'État et prémédité avec tes camarades les attentats du 27. Tu…

— Quels attentats ? Quel complot ? Vous dites n'importe quoi !

— Signe !

— Il n'en est pas question !

Curieusement, au lieu de s'enflammer, l'homme se contenta de hocher la tête à plusieurs reprises. Il prit son porte-plume, le rangea et déclara au bout d'un moment :

— Très bien ! Allah seul fend la graine et le noyau : du mort il fait sortir le vivant, et du vivant il fait sortir le mort.

Il commanda au soldat qui était resté en faction sur le seuil :

— Emmène-le !

Il fut reconduit vers la prison centrale de Méhertané.

Les militaires les avaient divisés ensuite en deux groupes. La rumeur avait couru que celui dont ne fit pas partie Hovanès partait pour la prison Ayache, près d'Angora [1].

Lui avait pris place dans le cortège, car il y avait bien maintenant une trentaine de véhicules. Dans un nuage de poussière, ils avaient emprunté l'avenue Haghia-Sofia sous l'œil intrigué des passants. Puis ce fut le parc de Gülhane, qui surplombait le Bosphore, à la pointe du sérail de Topkapi.

Roupen Zartarian, le rédacteur en chef de l'*Azamart*, déclara d'une voix funèbre :

— Ils vont nous jeter à la mer, lestés de pierres.

— Ne parle pas de malheur ! s'était récrié le poète Varoujan, horrifié.

On ne les jeta pas à la mer.

On les fit descendre des véhicules.

Comme toujours en cet endroit exposé, le vent s'était mis à gifler les visages et à projeter des paquets d'écume rageurs vers le ciel.

— Mais où diable nous emmène-t-on ? avait protesté l'avocat, Aristakés Gasparian.

En guise de réponse, un *zabtieh* lui avait assené un coup de crosse sur la tempe.

Bédri Bey avait vociféré un ordre et on les regroupa avant de les conduire en colonne vers la gare de Sirkedji, distante d'environ deux kilomètres.

En vue de l'édifice, Haïk Tirakian ironisa :

— Magnifique ! J'ai toujours rêvé de voyager à bord de l'Orient-Express…

_____

1. Ancien nom d'Ankara jusqu'en 1930.

À défaut d'Orient-Express, on les poussa vers un vapeur, amarré le long du débarcadère qui jouxtait la gare ; le vapeur n° 67 de la compagnie Chirket, suffisamment grand pour contenir tous les prisonniers, ainsi que les *zabtiehs* et les militaires.

— Je ne me suis pas trompé, nota Zartarian. Ils vont nous noyer.

Hovanès le rassura.

— Non. Il fait jour. Les autorités n'oseront jamais commettre un tel crime au vu et au su de la population.

— Alors, ils nous exécuteront plus tard, et ailleurs, conclut sombrement Zartarian.

Au bout d'une vingtaine de minutes, le vapeur avait accosté le long de l'embarcadère de Haïdar-Pacha. C'est de cette seconde gare que partaient habituellement les trains pour l'Anatolie. C'était donc là-bas qu'on allait les emmener. En effet, après plus de deux heures d'attente, un convoi spécial arriva sur le quai. On les fit monter à bord. Lumières éteintes, portes et fenêtres verrouillées.

— Hovanès, je ne comprends pas. Peux-tu m'expliquer pourquoi ils nous font ça ?

La voix accablée de Haïk Tirakian le tira de ses pensées.

— Je ne sais plus qui a dit : « Il n'existe que deux choses infinies, l'univers et la bêtise humaine. » Pour l'univers, je n'ai aucune certitude.

17

Erzeroum, 2 mai 1915

La directrice de l'école, Mariam Bedrosian, fit irruption dans la salle de classe et se précipita vers Achod.

— *Baron* Tomassian, venez vite, je vous en prie ! Vite !

Elle était si pâle, si fébrile qu'il jugea inutile de l'interroger sur les raisons de cette brusque intervention.

— Les enfants, recommanda-t-il, que personne ne sorte. Vous m'attendez ici sagement, compris ?

Les quinze élèves, parmi lesquels Chouchane, répondirent par un tonitruant « oui, *baron* ! »

Ce fut dans la cour de récréation seulement qu'Achod prit conscience de l'étrange rumeur qui montait vers le ciel. Grondement du tonnerre, tremblement de terre ? Ou bien – mais était-ce possible ? – quelque chose qui ressemblait à des grincements d'essieux et de longs meuglements.

— Regardez ! dit Mariam en indiquant la rue.

Un groupe d'hommes et de femmes se pressait devant une affiche. Sur leur visage se lisait la plus grande incompréhension.

— Jamais ! protesta une femme. Où veulent-ils nous envoyer ? Je suis sûre qu'ils veulent nous tuer !

— Mais non, la rassura son mari, ne sois pas sotte ! Lis bien ! Il est écrit : « Afin qu'ils arrivent sains et saufs à leur lieu provisoire de déportation. » Sains et saufs !

HABITANTS D'ERZEROUM

1 – Tous les Arméniens, à l'exception des malades, seront forcés de partir dans un délai de cinq jours, de la date de la présente proclamation, par villages ou quartiers, et sous l'escorte de la gendarmerie.

2 – Bien qu'il leur soit permis d'emporter avec eux pour leur voyage, s'ils le désirent, les objets transportables leur appartenant, il leur est défendu de vendre leurs propriétés et leurs autres biens, ou de confier ces derniers à d'autres personnes, car leur exil n'est que temporaire, et leurs propriétés, ainsi que les biens qu'ils n'auront pas pu emporter avec eux, resteront sous la surveillance du gouvernement qui en prendra soin et les conservera dans des bâtiments fermés et protégés. Quiconque vendra et quiconque tentera de se charger de prendre soin des biens mobiliers ou des propriétés immobilières, au mépris de cet ordre, sera traduit devant une cour martiale. Les Arméniens sont libres de vendre au gouvernement seulement ce qui peut être nécessaire à l'armée.

3 – Des logements convenables sont prévus sur les routes afin d'assurer leur confort et toutes les dispositions sont prises pour les protéger de toute atteinte à leur vie ou de toute agression afin qu'ils arrivent sains et saufs à leur lieu provisoire de déportation.

4 – Les gardes porteront les armes contre ceux qui menaceraient la vie ou les biens d'un ou de plusieurs Arméniens ou qui voudraient porter atteinte à leur honneur. Celui qui commettrait cette faute serait immédiatement arrêté, envoyé à la cour martiale et condamné à mort. Cette mesure, qui est la triste conséquence du penchant dévoyé des Arméniens, n'a rien a voir avec toute autre partie de la population qui ne doit donc se mêler en rien à cette affaire.

5 – Comme les Arméniens sont tenus de se soumettre à cette décision du gouvernement, si l'un d'eux tentait de se servir d'armes contre les soldats ou les gendarmes, on devra se

servir d'armes contre lui et le prendre mort ou vivant. De même, si les Arméniens, en opposition à la décision du gouvernement, se dérobaient à la déportation ou cherchaient à se cacher, les personnes qui les auront abrités ou les auront secourus ou nourris seront traduites devant une cour martiale.

6 – Les Arméniens n'ayant pas droit au port d'arme doivent rendre au gouvernement toutes armes, revolvers, bombes ou poignards cachés chez eux ou ailleurs. Le gouvernement sait qu'un grand nombre de ces armes existe et ceux qui, au lieu de les rendre au gouvernement, les gardent en secret seront très sévèrement punis si elles sont découvertes.

7 – On autorise et, qui plus est, on demande aux soldats et gendarmes de l'escorte de se servir de leurs armes contre quiconque essaierait par force de piller les Arméniens sur les routes ou dans les villages.

8 – Ceux qui sont en dette avec la Banque impériale ottomane peuvent laisser leurs biens en dépôt à la Banque en caution de ces dettes, mais le gouvernement se réserve le droit, s'il considère que ces biens sont nécessaires aux besoins militaires, de les acheter à la Banque en levant l'hypothèque. En accord avec cette clause, on peut laisser en gage des biens qui couvriraient les dettes d'autres personnes, mais le montant exact de ces dettes doit être confirmé par le gouvernement. Les comptes des marchands sont les exemples qui viennent le mieux à l'appui des déclarations faites à ce sujet.

9 – Gros ou petits animaux, ne pouvant être emmenés, seront achetés par le gouvernement au nom de l'armée.

10 – Les officiers de chaque village, ville, département, doivent aider les Arméniens autant que faire se peut.

Était-ce vrai ? Des hommes, des humains étaient à l'origine de cette proclamation ?

Une vieille femme venait de s'agenouiller au pied d'un soldat et se lamentait :

— Je vous en supplie, nous ne pouvons pas partir, mon mari est trop vieux ! Pitié !

— Ce sont les ordres, *hanim*...

— N'est-ce pas terrible ? commenta Mariam Bedrosian. Ses yeux étaient pleins de larmes.

Elle ajouta :

— Les enfants doivent rentrer immédiatement chez eux.

— Bien sûr.

Achod se dit que la femme avait eu raison de poser la question tout à l'heure : où diable voulait-on les emmener ? Plus de vingt mille personnes ? Pareil déplacement nécessiterait des centaines de charrettes, de chariots, de chevaux, puisqu'il n'y avait pas de gare à Erzeroum ! Elle était donc là, l'explication de ces meuglements et de ces grincements d'essieux.

— Venez, *baron* Tomassian, venez... Je vais prévenir les autres professeurs.

Vous ne savez donc pas que, dès qu'un homme abdique, dès qu'il accepte de renoncer à un grain de blé de son champ, une perle d'eau de sa rivière, un caillou de sa montagne, le jour où il revient, il ne retrouve ni son champ, ni sa rivière, ni sa montagne.

Tandis qu'il revenait vers le bâtiment des classes, voilà que les mots que son père avait prononcés quelques jours plus tôt s'étaient mis à battre furieusement à ses tempes...

— Alors, *baron*, que se passe-t-il ?

— Il y a le feu ?

— C'est la guerre ?

— Non, s'empressa de répondre Achod, ramené au moment présent par les élèves. Vous avez de la chance. L'école est finie pour aujourd'hui. Je vais vous raccompagner chez vous.

Des sourires radieux illuminèrent tous les visages sauf celui de Chouchane. Elle connaissait trop bien son père pour ne pas deviner que, derrière le ton désinvolte qu'il avait employé, se cachait autre chose.

Elle questionna discrètement :

— Il y a un problème, *hayrig* ?

Il lui répondit dans un chuchotement :

— Toi et ton frère, rentrez immédiatement à la maison. Et dis à maman et à grand-père de n'ouvrir à personne, sous aucun prétexte. Tu m'entends ? Barricadez-vous s'il le faut ! Tu m'as bien compris ?

— Mais…

— Ne pose pas de question, Chouchane ! Fais ce que je te dis ! Rentre.

De l'extérieur s'éleva soudain un roulement de tambour, auquel succéda la voix stridente d'un crieur public.

Tous les Arméniens, à l'exception des malades, seront forcés de partir dans un délai de cinq jours, de la date de la présente proclamation, par villages ou quartiers, et sous l'escorte de la gendarmerie…

Quelque part en Anatolie

Hovanès colla son nez à la vitre poisseuse et, malgré les secousses infernales, il essaya de fixer son attention sur les collines qui défilaient dans le crépuscule naissant. Bientôt il ferait nuit. Pourquoi songeait-il tout à coup au magnifique décor du lac Sevan, aux sources chaudes d'Arzni et de Jermuk, aux forêts de Dilijan ? Pourquoi revoyait-il Erevan où il n'était allé qu'une seule fois ? Et les pics neigeux de l'Ararat ? Et ces mots cunéiformes gravés sur les vestiges d'une enceinte plus que millénaire : « Avec la protection du Dieu Haldi, Argishti Ier, fils de Menua, a construit cette forteresse inaccessible et l'a appelée Erebouni. » *Erebouni. Erevan.* Coïncidence curieuse, à l'instar de Constantinople, Erevan aussi était bâtie sur sept collines. Sept. Le chiffre sacré. Pour le meilleur ou le pire.

Faut-il encore tendre la mémoire, creuser cela, un pays sous la cendre infinie des brûlures, comme le temps, à peine né...

C'était Varoujan qui soliloquait avec tristesse. Il conclut :

— Le soleil va s'éteindre et les chiens du malheur guettent.

Décidément, pensa Hovanès, *un poète vit et meurt en poète.*

— Quatre jours que nous roulons, pesta Zartarian, le rédacteur en chef de l'*Azamart*. Quand cela finira-t-il ?

— J'ai aperçu tout à l'heure un panneau qui signalait Angora, dit Aristakés.

— Angora ? N'est-ce pas dans ce *vilayet* que, sous Abdül-Hamîd, les *hamidiés* ont découpé à la hache des centaines de nos frères, pendant deux jours et deux nuits ? Il y aurait eu une telle furie que, dans certaines maisons, le sang coulait dans les escaliers des étages supérieurs jusque dans la rue.

— Oui, confirma l'avocat. Oui. C'est bien là.

— Alors, c'est peut-être le sort qui nous attend ?

— Absurde ! protesta Haïk. Pour quelle raison voudraient-ils nous assassiner ? Nous...

Il s'interrompit net. Le train s'était mis à ralentir.

— Que se passe-t-il ? s'affola Zartarian.

Hovanès examina le paysage. Le ciel était mauve et les arbres presque noirs.

— Bizarre. Nous sommes en rase campagne. Une panne ?

— On dirait qu'il repart.

— Non. Au contraire.

Un silence étouffant submergea le wagon, tandis que le convoi s'immobilisait dans un ultime soubresaut.

— Dehors ! aboya une voix. *Çabuk giden, hizli !* Vite ! Vite !

— Ici ? Descendre ici ?

— Obéissez !

La terre apparut dans la lueur sale des lampes à pétrole que brandissaient des soldats. Pourtant on y voyait encore clairement.

Un capitaine ordonna :

— Avancez !

— C'est curieux, chuchota Varoujan, il n'y a que nous.

Il avait raison. Ils n'étaient qu'une trentaine. Uniquement les occupants du wagon 23. Le leur. Les autres étaient toujours enfermés dans les rames.

— Curieux, en effet.

Autour d'eux, ni maison, ni baraquement, ni bâtiment d'aucune sorte. Un paysage de désespérance.

— Avancez ! Avancez !

Ils parcoururent environ cinq cents mètres dans la lumière qui déclinait lentement, jusqu'au moment où un gradé ordonna :

— Stop ! Tous sur un seul rang !

Un peloton s'aligna face à eux. Les soldats épaulèrent

— Ce… ce n'est pas possible.

— Mon Dieu ! Ils vont oser.

— La fin… murmura Varoujan.

C'est donc ici que le chemin s'arrête ? Dans un paysage sans nom, à la lisière du jour et de la nuit.

Tirakian se mit au garde-à-vous et cria :

— Nous voulons croire que la Turquie et ses enfants démocrates auront un jour honte de leur passé !

Une brise légère souleva quelques brins d'herbes folles.

Cette terre me pousse aux larmes ou aux rugissements, sans que mon sang puisse s'en défendre, et me pousse à armer mon poing et, de ce poing, me tenir toute l'âme.

Était-ce Varoujan qui avait écrit ces vers ?

Peu importe ! Il poserait la question au poète plus tard. Là-haut. Pour l'heure, il faisait bon se les réciter, les réciter encore et encore.

Cette terre me pousse aux larmes ou aux rugissements, sans que mon sang puisse s'en défendre, et me pousse à armer mon poing…
Cette terre me pousse aux larmes ou a… ugissements, sans que mon sang puisse…

Cette terre me pousse aux larmes ou...

Les fusils claquèrent. Le crépitement des balles emplit l'espace.

Vahé ! *Hayrig !*

La dernière image qu'Hovanès entrevit fut celle des occupants du wagon suivant que l'on faisait descendre à leur tour.

Erzeroum, au même moment

Le docteur Baheddine Chakir afficha un étonnement que l'on aurait juré sincère, tant il était admirablement feint. Il répéta à l'intention d'Achod et du prêtre qui l'accompagnait :

— *Ilkokul öretmeni !* Instituteur ! Et vous aussi, révérend père ! Je ne vous comprends pas. Au lieu d'exprimer votre satisfaction, vous manifestez de la colère. Ne trouvez-vous pas que c'est injuste ?

— Ce qui est injuste, rétorqua Bedros Der Agopian, c'est qu'il y a des vieillards, des femmes enceintes, des bébés ! Vous ne pouvez pas exiger d'eux qu'ils quittent leur maison.

Le *vali*, Tahsin Bey, secoua la tête avec désapprobation.

— Essayez de comprendre. Il ne s'agit ni plus ni moins que de mettre la population en sécurité. Et, ainsi que le stipule le décret : c'est provisoire. Vous entendez : pro-vi-soire ! Vous pourrez ranger vos objets de valeur dans des malles scellées et nous vous promettons qu'elles seront entreposées dans les sous-sols de la Banque impériale ottomane. Vous les récupérerez à votre retour.

Achod brandit une feuille sur laquelle une série de noms étaient alignés par ordre alphabétique.

— Abovian, Adalian, Aghbalian, Andonian...

— Où voulez-vous en venir ?

— Que des citoyens arméniens ! Uniquement des Arméniens ! Pourquoi sommes-nous les seuls recensés ?

La remarque ne parut pas déstabiliser le responsable de l'Organisation spéciale. Il prit un télégramme qui se trouvait sur son bureau et lut :

— « Nos concitoyens, les Arméniens, qui forment un des éléments des races de l'Empire ottoman, ayant adopté, depuis des années, à l'instigation d'étrangers, bien des idées perfides de nature à troubler l'ordre public ; ayant provoqué des conflits sanglants ; ayant tenté de troubler la paix et la sûreté de l'Empire ottoman, ainsi que la sécurité et les intérêts de leurs concitoyens, aussi bien que les leurs propres ; ayant en outre osé se joindre à l'ennemi (la Russie), et aux ennemis actuellement en guerre avec notre Empire, notre gouvernement se voit forcé de prendre des mesures extraordinaires et de faire des sacrifices, aussi bien pour le maintien de l'ordre et de la sécurité du pays que pour le bien-être et la conservation de la communauté arménienne. » C'est clair, n'est-ce pas ?

— Ce sont des mensonges ! D'absurdes mensonges !

— De toute façon, je vous le dis pour la centième fois : c'est provisoire. N'ayez aucune inquiétude.

— Docteur Chakir, questionna l'ecclésiastique, vous comptez réellement déplacer les vingt mille Arméniens que compte la ville ?

— Parfaitement.

— Comment allez-vous nourrir ces gens, les loger ?

— La proclamation le précise. Une fois à destination, les… (il buta sur le mot) migrants… recevront, s'ils le souhaitent, des terres et des biens équitablement répartis selon les besoins et la situation financière qui furent les leurs au moment du départ. Le gouvernement s'engage aussi à construire des habitations, à procurer des semences, des outils et les équipements nécessaires pour les artisans et les agriculteurs. Que voulez-vous de mieux ?

— Vous nous donnerez des terres ? Où donc ?

— Vers le sud… la Syrie et la Mésopotamie.

Achod fixa son interlocuteur, bouche bée.

— La Syrie ? La Mésopotamie ? Mais il y a plus de neuf cents kilomètres jusqu'à la frontière ! Ce sont des régions arides et désertiques. Vous...

Le docteur Chakir leva brusquement la main. Pour la première fois depuis le début de la conversation, ses traits s'étaient durcis.

— Monsieur Tomassian, révérend père, il se fait tard et j'ai sommeil.

Sur un signe de lui, les deux *tchétés*, qui étaient restés en retrait, avancèrent d'un pas.

Achod échangea un regard en coin avec le prêtre.

— Venez, dit ce dernier en effleurant machinalement sa coiffe. Il se fait tard en effet.

L'air de la nuit caressa leur visage. Il faisait doux. Presque chaud pour un printemps.

Achod murmura :

— Je vous remercie de m'avoir accompagné.

— Ce serait plutôt à moi de vous dire ma gratitude. Avez-vous entendu ce qu'il a dit ? C'est de la démence !

— Pourtant, c'est bien ce qu'ils ont décidé.

La figure de Der Agopian s'affaissa.

— Demain, dès la première heure, je vais envoyer un télégramme à Mgr Zaven, à Constantinople, et j'irai voir le consul de Grande-Bretagne.

— Inutile. Voilà plus d'une semaine que monsieur Monahan a été expulsé, ainsi que tous les autres diplomates étrangers. Je l'ai appris par Asim. Tous leurs employés arméniens, serviteurs et interprètes, ont été arrêtés. Je ne voudrais pas vous décevoir, mais il me semble désormais que ni Mgr Zaven ni personne ne peut faire grand-chose pour nous. En revanche, vous pourriez tenter d'intercéder auprès de quelqu'un d'autre...

— Qui donc ?

Achod montra la voûte céleste.

18

Erzeroum, 3 mai

Ils étaient rassemblés autour de la table de la salle à manger. Les bougies jetaient des lueurs troubles sur les murs et les visages. Vahé, but d'une seule traite son verre de raki et répéta :

— Il a bien dit la Syrie et la Mésopotamie ?

— Oui, assura Achod.

Assis dans un coin, yeux baissés sur la cigarette qu'il était en train de rouler, Asim Terzioğlu débita sur un ton détaché :

— Il paraît qu'une avant-garde, composée de volontaires arméniens et de cosaques, est rentrée dans Van. L'armée turque battrait en retraite. On dit même que Cevdet Bey, le beau-frère d'Enver Pacha, s'est réfugié à Bitlis.

Anna s'exclama :

— Van ? Libérée ?

— C'est la rumeur qui circule. Il semble que les habitants aient résisté au-delà de tout ce que l'on pouvait imaginer.

La femme se tourna vivement vers son mari.

— Tu vois ! Nous aurions dû partir quand il était encore temps !

— Je t'en prie. Nous n'allons pas revenir sur le sujet. Ce voyage était beaucoup trop risqué. Nous avons décidé d'un commun accord de ne pas l'entreprendre.

— D'un commun accord ? Que je sache, personne ne m'a demandé mon avis, je…

— Anna !

Elle quitta la table. Son expression, habituellement si tendre, s'était durcie.

— Qu'allons-nous devenir ? Peux-tu me répondre ? Dis-moi, Achod !

Vahé essaya de l'apaiser.

— Calme-toi, ma fille. Tu vas réveiller les enfants.

— Que je me calme ? Mais ne comprenez-vous donc pas ? Ils vont nous assassiner ! Ce déplacement n'est qu'un prétexte. Dites-moi ce que sont devenues les deux cents personnes qu'ils ont arrêtées, il y a dix jours ? Levon, Hrant, Mihran et tous les autres ! Où sont-ils ?

Elle assena avec force :

— Ils vont nous assassiner !

Asim protesta :

— Mais non, *hanim* ! Ce n'est pas vrai. C'est juste une histoire de sécurité. C'est provisoire. Dans quelques jours…

Elle lui lança un regard terrible.

— Tout est votre faute ! Vous ! Vous et les vôtres ! Voilà des années que nous rampons à vos pieds ! Et cela ne vous a pas suffi. Plus ! Toujours plus d'humiliation !

— Anna ! Tu vas trop loin, se récria Achod.

Il se leva et fit mine de la prendre dans ses bras.

— Non ! Ne m'approche pas !

— Anna… je t'en conjure…

— Non ! Ne dis rien !

Sa voix n'était plus qu'un sanglot.

— Rien… Ne dites plus rien.

Son regard embrassa longuement la pièce comme si elle cherchait un recours parmi les ombres. Elle hésita, donna l'impression de chanceler et se retira.

La salle à manger parut tout à coup plus sombre.

Après un silence interminable, Vahé murmura :

— Dis-moi, mon fils, allons-nous attendre docilement que l'on vienne nous emmener ?

Achod médita quelques instants avant de se tourner vers Asim :

— Il y a quelques jours, tu as laissé entendre que tu pouvais nous trouver une calèche. Celle de ton beau-frère. Est-ce toujours possible ?

— Oui. Mais à quoi bon, puisque les autorités ont annoncé qu'elles mettront des véhicules de transport à la disposition des habitants ?

— Demain, il sera trop tard.

Le *zabtieh* fronça les sourcils.

— Je ne comprends pas.

— Ce soir, Asim. Nous allons partir ce soir.

— Quoi ? Mais les soldats ne vous laisseront jamais passer ! Vous serez appréhendés au premier contrôle !

— Pas si tu nous aides.

— Moi ? Comment ?

— Tu nous attendras avec la calèche à l'entrée d'Ilica. Le hameau est situé à une quinzaine de kilomètres d'ici. Non loin de…

— Je vois parfaitement où il se trouve, mais c'est de la folie ! Comment ferez-vous ? Il y a des soldats partout, quand ce ne sont pas des *tchétés* !

— Avons-nous le choix ? Dis-moi ? Avons-nous le choix ?

— Je suis d'accord, approuva Vahé. Il est hors de question de nous laisser mener à l'abattoir sans réagir ! Qu'avons-nous à perdre ? Au pire, ils nous arrêteront et nous ramèneront ici

— Et une fois à Ilica ? Où comptez-vous aller ?

— Là où nous aurions dû nous rendre. À Van. Avec l'aide de Dieu et un peu de chance, nous nous placerons sous la protection des armées du tsar.

— Je vous dis que c'est du suicide. Jamais vous ne réussirez. En plus, vous voyagerez sans *tezkérés* ! Pensez un peu à vos enfants !

— Précisément ! s'exclama Anna. C'est pour eux que nous devons essayer.

Elle était revenue et marchait vers le gendarme.

— Oui, répéta-t-elle avec détermination, pour Chouchane et Aram. (Elle ajouta :) Pardonnez-moi pour les mots que j'ai pu dire. Ce n'est pas à vous qu'ils étaient adressés.

— Je sais, *hanim*, je sais. Je ne m'en souviens d'ailleurs plus.

Elle se tourna vers son époux. Elle allait ouvrir la bouche, lorsqu'il posa un index sur ses lèvres.

— Ne perdons plus de temps. Va réveiller les enfants, et toi Asim, file ! Rendez-vous à Ilica.

Le *zabtieh* obéit, mais à contrecœur.

— Soyez prudent, dit-il dans un souffle. Qu'Allah vous protège.

Constantinople, résidence de l'ambassadeur Henry Morgenthau, au même moment

Betty Morgenthau considéra son mari avec inquiétude.

— C'est la lettre de Davis qui te trouble tant ?

Le diplomate ne répondit pas et continua à fixer le vide tout en effleurant la pointe de sa barbe.

— Henry ? Tu vas bien ?

Comme au sortir d'un rêve, l'Américain murmura d'une voix sourde :

— C'est épouvantable.

Il tendit à son épouse la lettre qu'il avait tenue tout ce temps entre ses mains.

— Tiens... Lis Tu vas comprendre...

Consulat des États-Unis,
Kharpout, le 29 avril 1915
À S. E. Monsieur Henry Morgenthau,
Ambassadeur des États-Unis, Constantinople.

Monsieur l'ambassadeur,

Nous avons déjà attiré l'attention de l'ambassade, à travers les différentes dépêches émanant de ce consulat, sur la situation très critique qui règne ici. Mes dépêches (dossier n° 840.1) concernaient les conditions générales et les craintes de la population quant à la préparation d'un massacre. Ici, presque tous les Arméniens de sexe masculin de quelque importance ont été arrêtés et jetés en prison. Beaucoup d'entre eux ont été soumis aux tortures les plus cruelles, auxquelles certains ont succombé.

Plusieurs centaines d'Arméniens les plus en vue ont été emmenés dans la nuit et il semble clairement établi que la plupart, sinon tous, ont été tués. La semaine dernière, on a entendu des rumeurs faisant état de la menace d'un massacre. À mon avis, il fait peu de doute qu'il y en ait un, car on a trouvé une autre méthode pour détruire la race arménienne : rien de moins que la déportation de toute la population, non seulement de ce *vilayet*, mais, d'après mes informations, des six *vilayet* constituant l'Arménie. Entreprise probablement sans précédent dans l'Histoire. Les villes de Mamouret-ul-Aziz et de Kharpout ont été divisées en districts et on a indiqué, à chaque maison, quel jour ses occupants devront se mettre en route.

La signification réelle d'un tel ordre est à peine imaginable pour ceux qui ne sont pas familiers avec les conditions particulières régnant dans cette région isolée. Je ne crois pas qu'il puisse en survivre un sur cent, peut-être même pas un sur mille.

La destination déclarée de ceux qui partent d'ici est Urfa, mais je sais parfaitement que cela ne signifie pas la ville d'Urfa : cela peut être la plaine de Mésopotamie au sud ou le désert syrien. Pour des gens voyageant dans les conditions auxquelles seront soumis les Arméniens déportés, c'est à coup sûr la mort pour la majorité d'entre eux.

J'ai l'honneur d'être, monsieur l'ambassadeur, votre très obéissant serviteur.

Leslie A. Davis, consul

Betty Morgenthau, consternée, déposa les feuillets sur le bureau. Son visage de femme-enfant, moucheté de taches de rousseur, s'était assombri.

— Que comptes-tu faire ?

— Sauf intervenir – une fois encore – auprès de Talaat, je ne vois pas comment je pourrais agir. Depuis quarante-huit heures, nos consuls et moi-même sommes réduits à l'impuissance ou presque.

— Tu veux dire que…

— Je veux dire que la Sublime Porte m'a adressé une note très explicite qui dit en substance : « Le ministère des Affaires étrangères a l'honneur de prier l'ambassade des États-Unis d'Amérique d'avoir l'obligeance d'adresser à messieurs les consuls américains les instructions nécessaires afin qu'ils veuillent bien s'abstenir d'effectuer des voyages dans les zones où les armées impériales ottomanes se livrent à des opérations dans un but déterminé. »

Betty Morgenthau réprima un sursaut.

— *Des opérations dans un but déterminé* ? Qu'est-ce que cela signifie ?

Pour toute réponse, Morgenthau prit son stylo, une feuille à en-tête de l'ambassade, et annonça :

— Je vais écrire à mon ami William Bryan. Hélas, il a beau être secrétaire d'État, je crains fort qu'il ne puisse attirer l'attention des gens de Washington sur le drame qui se noue. C'est tout juste si ces messieurs savent où se trouve Constantinople, alors l'Arménie…

Ils marchaient à pas feutrés sur le sentier, éclairé par un discret rai de lune qui perçait à travers les feuillages. Autour d'eux, ce n'étaient que terres en pente, rideaux de forêts hermétiques et rameaux s'abattant de tous côtés.

Anna, un gros sac de peau en bandoulière, tenait fermement Chouchane et Aram par la main. Achod avait noué un gros baluchon autour de sa taille, qui contenait ce qu'il avait pu y mettre d'objets précieux, pièces de monnaie, économies d'une vie. Vahé fermait la marche, appuyé sur une canne.

— Quelle heure est-il ? chuchota Anna.

— Minuit cinq. Nous devons être à mi-chemin.

Aram fit observer :

— N'est-il pas étrange que nous n'ayons rencontré aucun soldat depuis que nous avons quitté la maison ?

— Tu ne vas pas t'en plaindre, répliqua Chouchane. Cela prouve simplement que saint Grégoire a décidé de nous protéger.

Achod garda le silence, mais il n'en trouvait pas moins la remarque de son fils pertinente. On eût dit que gendarmes et soldats s'étaient donné le mot pour s'écarter de leur passage. Coïncidence ou laisser-aller ? Ou simplement générosité de leur ange gardien ?

— J'espère que notre gendarme sera au rendez-vous, souffla Vahé.

— Il le sera. Je n'ai aucun doute.

Maintenant, le chemin s'inclinait vers la vallée du Kara-Sou, et le Palandöken ainsi que le Kargaparari n'étaient plus que des ombres lointaines.

— J'ai froid, gémit Aram.

Achod ôta le gilet qui recouvrait sa *tcherkessa* et le tendit à son fils.

— Tiens, enfile-le.

Ils continuèrent à avancer, s'arrêtant de temps à autre pour permettre à Vahé de récupérer.

Ce fut aux alentours de 3 heures du matin qu'ils aperçurent les premières maisonnettes en boue séchée d'Ilica. Le moment était venu de quitter les chemins de traverse pour s'engager sur la route principale.

— Je ne vois pas la calèche, s'inquiéta Vahé à voix basse.

— Il est peut-être en retard ? dit Aram.

— Ou alors, il aurait péché par trop d'optimisme ? suggéra Anna. Lorsqu'il a parlé de cette calèche, il nous a expliqué qu'il l'emprunterait bon gré mal gré à son beau-frère. Peut-être y a-t-il eu un problème ?

— Patience, rétorqua Achod. Patience. Il va arriver. (Il désigna un muret sur la droite.) Venez. Allons nous mettre à l'abri.

Ils s'assirent dans l'obscurité, serrés les uns contre les autres, le cœur battant.

Les minutes s'écoulèrent. Une heure. Asim n'arrivait toujours pas.

— Tu ne crois pas qu'il est temps de regarder la vérité en face, grommela Vahé. Il ne viendra plus.

Achod fit non de la tête. L'éventualité d'une trahison avait effleuré son esprit, mais il l'avait très vite écartée. Impossible. Pas Asim. Pas lui.

— Écoutez ! s'exclama tout à coup Chouchane. Écoutez !

Ils tendirent l'oreille.

Un bruit de sabots.

Assez vite, une calèche entraînée par un cheval bai apparut sur la route. Asim, assis sur un siège élevé, tenait les rênes dans la main gauche et un fouet dans la main droite.

— Nous sommes sauvés ! s'écrièrent Chouchane et Aram. Sauvés !

Avant que leurs parents n'eussent le temps de réagir, ils foncèrent à la rencontre du *zabtieh*.

Pourquoi Achod éprouva-t-il soudain un pincement au

cœur ? Il n'y avait aucune raison. Asim était bien là, tout semblait se dérouler comme prévu. D'ailleurs, le *zabtieh* venait de soulever son fouet et l'agitait en guise de salut.

Rassuré, Achod sortit de la pénombre à son tour et s'engagea sur le chemin. Vahé et Anna s'apprêtèrent à faire de même lorsqu'une sorte de claquement attira leur attention.

Maintenant, les enfants étaient si proches de la calèche qu'ils pouvaient sentir le souffle du cheval.

Intrigué par le bruit, Vahé regarda par-dessus son épaule et son cœur lui monta aux lèvres.

Devant lui, dans le clair-obscur, un rictus sur la face, était apparu l'homme qui, une dizaine de jours plus tôt, avait fait irruption dans leur maison à la tête d'une bande de *tchétés* · Karim Dürdan.

Le militaire posa la main sur son cœur, sa bouche et puis son front en s'inclinant.

— *Merhaba* [1], Tomassian *effendi*. La paix sur toi.

Au même instant, une vingtaine de militaires jaillirent des ténèbres et se saisirent du vieil homme.

Anna et Achod voulurent s'élancer vers les enfants, mais des fusils croisés leur barrèrent la route. En quelques gestes on les maîtrisa et on leur noua les poignets derrière le dos.

— Ne faites pas de mal aux enfants ! adjura Vahé.

Là-bas, un groupe de cavaliers et de fantassins *tchétés* avait contraint Asim à stopper. Des mains s'étaient tendues vers lui et on l'avait arraché à son siège et jeté à terre, tandis qu'on s'emparait de Chouchane et d'Aram.

— Amenez-les ici, ainsi que le traître, ordonna Karim Dürdan. (Il se hâta d'ajouter sur un ton faussement préoccupé :) En ces temps d'insécurité, est-ce bien raisonnable de voyager en pleine nuit ?

— Va au diable ! pesta Vahé.

---

1. Salut.

— J'aurais bien voulu. Malheureusement, depuis que nous y envoyons les Arméniens, l'endroit est devenu infréquentable.

Il regarda longuement Asim.

— Quant à toi, tu me déçois. Tu m'as beaucoup déçu le jour où tu as cherché à t'interposer entre mes hommes et ces *giaours*, ces infidèles.

— Méfie-toi ! Il est écrit : Allah connaît les croyants et reconnaît les hypocrites.

— Comment oses-tu citer le Livre sacré ?

— J'ose ! Le plus indigne de nous deux...

La phrase resta en suspens.

Le milicien souleva le revolver qu'il portait à son ceinturon et tira à bout portant. La balle perça le front d'Asim. Sous l'œil horrifié des enfants, un fragment osseux fut projeté en l'air, roula jusqu'à leurs pieds et le *zabtieh* s'écroula. Entre deux spasmes, il articula quelque chose, mais le son qui sortit de sa bouche ne fut qu'une faible plainte entrecoupée de gargouillis.

— Salaud ! vociféra Vahé en se débattant de toutes ses forces. Salaud !

Le soldat s'approcha lentement.

— Prends garde, vieil homme, surveille ton langage si tu ne veux pas rejoindre ton ami en enfer.

Vahé lui lança un regard qui traduisait tout son mépris.

— Salaud et lâche.

La gifle claqua. La tête de Vahé bascula violemment en arrière.

— Non ! supplia Achod. Ne faites pas ça !

Anna voulut prendre Chouchane et Aram dans ses bras, mais les militaires la maintinrent fermement.

— Pardonnez-lui, gémit-elle, il n'a plus sa tête...

— Bien sûr, approuva Karim Dürdan.

Malgré la fraîcheur matinale, il transpirait abondamment. Il s'essuya la figure du revers de la manche.

Le silence retomba, sporadiquement brisé par les sanglots étouffés de Chouchane et d'Aram.

— Comment avez-vous osé ? questionna le soldat.

— Osé ?

— Enfreindre la loi. Partir ! Vous dérober au règlement. Heureusement que nous avons nos indicateurs. Partout ! Vous ne changerez donc jamais ? Toujours à exiger, toujours à vouloir démontrer votre supériorité. Comme si vous étiez mieux nés que nous. Nous qui vous avons tolérés et nourris depuis des siècles ! Quand comprendrez-vous que vous n'êtes rien et que vous n'avez dans ce pays qu'un statut : celui d'indésirables ? (Le soldat cracha par terre :) Rien.

Achod serra les poings.

L'homme reprit sur un ton tout à coup anodin :

— Vous êtes conscients, bien sûr, que tout est fini ?

— Que veux-tu dire ?

— Fini. C'est tout. *Tükenmiş !* (Il se pencha vers Chouchane.) Comment dit-on « fini » dans votre langue ?

La jeune fille bredouilla :

—· *Lemntzadz…*

— Parfait ! *Lemntzadz !*

Il partit d'un éclat de rire, imité par la troupe qui l'entourait et qui reprit en chœur : *Lemntzadz ! Lemntzadz !*

Achod échangea un regard bouleversé avec Anna.

— Tenez bien les enfants ! aboya Dürdan.

Les genoux d'Anna se dérobèrent sous elle.

— Non… pitié ! *Merhamet, merhamet !*

Contre toute attente, ce ne fut ni vers Chouchane ni vers Aram que se dirigea le soldat, mais vers leur grand-père.

Avec une violence inouïe, il se jeta sur le vieil homme, le repoussa contre un arbre et lui cogna le crâne contre le tronc. Deux fois, trois. On entendit nettement le craquement de l'os heurtant le bois. Les yeux de Vahé se révulsèrent. Quand Dürdan relâcha le septuagénaire, le corps glissa lentement, désarticulé, et s'affaissa sur le sol.

Envahie par l'épouvante, Anna poussa un hurlement qui résonna à travers la plaine.

— Comprends-tu maintenant pourquoi j'ai dit que tout est fini ? questionna le soldat en revenant vers Achod.

Il désigna Anna.

— Mais rassure-toi. Avec elle, nous prendrons notre temps.

La nausée qui souleva les entrailles d'Achod fut si insupportable qu'il pria Dieu d'en mourir pour que cesse le cauchemar.

— Si vous touchez à ma femme...

— *Etmek !* commanda Dürdan au soldat le plus proche.

Ce dernier s'avança, pointa le canon de son arme sur la tempe d'Achod.

Ni Anna ni les enfants n'entendirent le coup de feu. C'était comme si l'horreur les avait tout à coup rendus sourds, comme s'ils n'appartenaient plus au monde. La suite des événements se déroula au ralenti. Il y eut la dépouille d'Achod piétinée que l'on fit rouler au bord du chemin, puis ces bras et ces corps déployés sur le corps d'Anna. Le craquement de sa tunique. Ses seins nus. Des lambeaux de tissu. Des froissements. Des mots sordides et salaces. Les cuisses d'Anna soulevées, écartées, des suppliques, des suppliques toujours et encore, et les prunelles dilatées d'Aram et de Chouchane. À un homme en succédait un autre sur la chair de la femme, dans sa chair. Et elle bataillait pour abriter son âme.

Odeur de sueur, de terreur, de dégoût.

Lorsque l'un des militaires referma ses doigts crasseux sur le cou d'Anna et qu'il serra jusqu'à l'étouffement, Aram se mit à vomir par jets.

19

Erzeroum, 3 mai 1915

Le tumulte était à la mesure du chaos. Ce n'était plus une ville, mais l'antichambre du malheur ; ce n'étaient plus des humains, mais des proies. La poussière des roues, des sabots, des bottes flottait en trames fines, tourbillons ténus où tremblaient les premiers feux de l'aube. Une aube à la teinte blanchâtre qui faisait comme un auvent porté par des fantômes ; c'est en tout cas ainsi que ce jour nouveau apparaissait aux yeux de Chouchane et de son frère.

On les avait ramenés dans la nuit et installés sous l'une des tentes dressées sur la place principale d'Erzeroum. Ils y avaient trouvé une vieille femme et un homme d'une trentaine d'années aux cheveux blancs comme neige. Tous deux avaient cet air résigné des bannis.

Aram s'était couché à leurs côtés, sans un mot, en chien de fusil et n'avait plus bronché, yeux ouverts, braises noires au creux des orbites rivées sur l'infini. Dans son poing serré, Chouchane avait aperçu la petite pierre noire, la *oltu tasi*, que l'oncle Hovanès lui avait offerte quelques mois auparavant.

Te souviens-tu ? s'était dit Chouchane. Peu après avoir reçu la lettre de Soghomon, tu t'étais demandé comment on pouvait grandir tout en restant attachés à ses racines, son père, sa mère, son *medz baba* ? Comment pouvait-on s'arracher à

247

l'adolescence sans quitter l'adolescence ? Vieillir sans devenir adulte ? Maintenant, tu sais.

À la pointe du jour, la jeune fille avait été prise de tremblements irrépressibles, de ceux qui submergent les malades atteints du Grand Mal. Mais ce n'était pas le Grand Mal, seulement son cœur qui cherchait à s'arracher à sa chair. Ensuite, le calme était revenu et, machinalement, elle avait repensé à Soghomon, et à ce jour sur le chemin où il s'était écroulé, les yeux révulsés.

La main d'un soldat qui se refermait sur ses fesses lui arracha un cri d'horreur.

— Du calme, du calme, ricana le militaire. Je voulais juste vérifier que les Arméniennes avaient le cul ferme.

Il se tourna vers ses camarades qui lorgnaient à travers l'ouverture de la tente et confirma :

— Elles l'ont.

Des éclats de rire grossiers fusèrent. Et Chouchane voulut mourir de honte.

La vieille femme, rencognée derrière elle, osa murmurer :

— *Yüzkarasi !* Honte sur vous...

Son murmure était triste et douloureux comme une plainte.

Le soldat ricana de plus belle.

— La honte ? Sur nous ? Bien sûr. Vois comme je rougis.

Et il passa derechef sa main sur les seins de Chouchane avant de s'éclipser en pouffant.

À l'instar du couple qui avait observé la scène, Aram était resté sans réaction ; il semblait loin.

Chouchane lui prit la main.

— Tu vas bien ?

Il répondit par un hochement de tête évasif. Comment oublier cette route, ce bruit de crâne qui se fend, les cris étouffés de sa mère ? Ils étaient là. Gravés, insculpés à jamais dans sa tête, et il savait que ce souvenir ne s'évanouirait qu'au jour de sa propre mort.

— C'est ton frère ? questionna la vieille femme.

— Oui.

— Il a l'air bien malheureux. Mon nom est Gariné, et toi ?

— Chouchane. Chouchane Tomassian.

— Vous êtes d'Erzeroum ?

— Oui.

— Où sont vos parents ?

— Morts.

Elle dodelina de la tête. La confidence ne l'avait pas émue outre mesure. Chez elle aussi s'était installé un sentiment proche de celui qui habitait Aram : résignation, détachement. Ni l'un ni l'autre, en vérité. La femme et l'enfant avaient basculé dans un lieu qui n'a pas de nom où sommeillent les trop grandes douleurs.

— Moi, révéla-t-elle, d'une voix monocorde, c'est mon fils unique qu'ils ont assassiné. Ensuite, mon mari. Je suis de Güllükoy. Il y a une semaine, les *hamidiés* et des soldats nous ont annoncé que nous avions quatre jours pour quitter le village. Ils ont précisé : « À cause de la guerre. » Que faire ? Nous nous sommes préparés, nous avons mis sur une charrette tout ce que nous pouvions : quelques meubles, des tapis, des couvertures. Nous avons confié les clefs de notre maison à nos voisins turcs qui nous rassuraient en nous promettant qu'ils nous les restitueraient à notre retour. Nous aurions dû comprendre que c'était de fausses promesses. Il n'était qu'à voir ces gens qui, les yeux avides, suivaient les soldats à la trace. Des vautours. Des vautours. Une fois les maisons désertes, les gendarmes se sont rués pour dérober tous les objets précieux, puis les autres se sont emparés du reste ; sous prétexte de chercher des armes, ils prenaient tout ce qui leur plaisait.

Elle se signa en chuchotant :

— Tu veux que je te dise ? Dieu est devenu fou…

La vieille avait peut-être raison.

— Et après ? Que s'est-il passé ?

— Rien. Rien…

— Votre mari ? Votre fils ?

Un rictus de douleur déforma sa peau ridée. Elle fit mine de se trancher la gorge.

— Dès que nous sommes sortis de Güllükoy, ils ont fait descendre les hommes des charrettes et les ont traînés dans la forêt. Lorsque les escadrons de la mort sont revenus, leur couteau à la main ; les lames étaient couvertes de sang.

Elle se tut.

L'homme aux cheveux blancs commenta d'une voix éraillée et morne :

— À Baïbourt, c'était pareil. Il ne reste plus un seul des nôtres là-bas. La soldatesque a emmené tout le monde. Jeunes, vieux, tout le monde. Certains sont partis en tenue de travail en laissant leurs ateliers ouverts, leurs charrues dans les champs, leur bétail à la montagne.

— Mais pour où ? Pour quelle destination ?

— Qu'est-ce que j'en sais ? Il paraît qu'ils ont attaché les hommes et les femmes les uns aux autres comme des bêtes, sans nourriture. Pendant ce temps, j'étais à Aintab. Quand je suis rentré chez nous, tout était fini. C'est à ce moment que des soldats m'ont arrêté.

— Et votre famille ?

— Partie, disparue... Ma femme, mes trois enfants. Je n'ai plus personne. Ils auraient mieux fait de me laisser mourir.

De l'extérieur montait un épouvantable vacarme.

Chouchane rampa jusqu'à l'ouverture de la tente et écarta discrètement un pan de la toile. Le spectacle qui s'offrit à sa vue lui donna le vertige.

Derrière un rideau de sable s'enchevêtraient des hommes, des femmes, des enfants avec des ballots sur le dos ; qui tenait une mule au bout d'une corde, qui une chèvre, une vache ou un mouton. Des militaires les surveillaient, baïonnette au canon. Un officier sommait les gens de se ranger par groupes ; les plus récalcitrants étaient poussés à coups de bâton. Chose curieuse, certaines jeunes filles avaient couvert leur visage d'un *tcharchaf*, un voile habituellement porté par les musulmanes.

Chouchane en conclut que c'était sans doute pour ne pas exciter le désir des bouviers qui conduisaient les chars. En déplaçant son attention, elle vit des Kurdes en train de piller des boutiques et de charger leur contenu sur des bêtes de somme. On entendait des noms bien-aimés qui passaient de file en file, de rangée en rangée, mais ne recueillaient aucun écho.

— Priez pour nous ! gémit une voix. Nous ne nous reverrons plus en ce monde ; mais nous nous reverrons quand même un jour !

— Ne t'ai-je pas dit que Dieu est devenu fou ? répéta la vieille femme qui s'était glissée près de Chouchane.

— Où est maman ?

La jeune fille se retourna vers son frère. C'était la première fois qu'il parlait depuis le drame de la veille. Il répéta sa question : « Où est maman ? »

Éperdue, Chouchane le prit dans ses bras.

Où trouver les mots dans cette aube où plus aucun mot n'avait de sens ?

Ce fut vers 10 heures qu'un soldat écarta l'entrée de la tente et leur ordonna :

— Venez !

— Où nous emmenez-vous ? s'inquiéta l'homme aux cheveux blancs.

— Il sera toujours temps pour toi de le savoir. Allez ! Suivez-moi !

Des militaires citaient des nombres, des chiffres : « Convoi n° 5, convoi n° 2 ! Cent cinquante ! » auxquels les prisonniers ne comprenaient rien.

À un moment donné, quelqu'un apostropha Chouchane qu'elle chercha à repérer dans la masse. Il lui fallut quelques secondes avant d'identifier le prêtre, Der Agopian. Traîné par deux gendarmes, le visage en sang, il lui faisait de grands signes désespérés.

Elle cria :

— *Der hayr ! Der hayr !* Mon révérend !

Les lèvres du prêtre articulèrent quelque chose qu'elle ne comprit pas. Et il disparut, avalé par le tourbillon.

— Avancez ! gronda le soldat.

Chouchane et les autres étaient arrivés devant une rangée de calèches où l'on ne distinguait que de pauvres visages de femmes effleurés par le vent. Les hommes, eux, étaient groupés à l'écart.

Le militaire somma Chouchane, Aram et la vieille dame de prendre place sur l'un des chars.

— Et toi, ajouta-t-il à l'intention de l'homme aux cheveux blancs, va rejoindre les autres sur le côté !

Au lieu d'obéir, le personnage secoua la tête à plusieurs reprises, poussa un gémissement et se laissa tomber à genoux.

— Pitié !

Ses traits faisaient penser tout à coup à un animal traqué.

— *Merhamet* !

Et il ajouta en se griffant les joues :

— *Mohammad rassoul Allah ! La illah illAllah !* Mahomet est l'envoyé de Dieu ! Il n'y a pas d'autre Dieu que Dieu !

Les soldats lui lancèrent un regard méprisant.

— Tiens ? s'étonna un *yüzbaşi*. Depuis quand as-tu adopté la vraie foi ?

— Non, je ne suis encore qu'un infâme mécréant, mais je suis prêt à renoncer à la foi chrétienne. Je suis prêt, *effendi*.

Et il se laboura le visage de plus belle.

— Que crois-tu ? rétorqua le capitaine. Les choses ne sont pas si simples. Tu dois te présenter devant le mollah, prêter serment et signer un document dans lequel tu attestes que de ton plein gré tu souhaites embrasser la religion du Prophète, béni soit son Saint Nom.

— Je ferai ce que vous voudrez, *effendi*. Je signerai.

Des ricanements fusèrent.

Le dos rond, les genoux veules, l'homme supplia :

— Je veux me convertir. Je vous en prie. Par Allah, le Tout-Puissant, le Miséricordieux.

— Ignoble, fit la vieille femme en retroussant les lèvres comme pour retenir quelque chose d'immonde. Comment peux-tu renier notre foi millénaire ? La foi de nos martyrs ?

Elle avait posé la question, mais elle connaissait la réponse. La conversion était le seul moyen d'échapper à la mort ou à la déportation. Elle avait ouï dire qu'en Silicie, six ans auparavant, après les massacres d'Adana, des centaines d'Arméniens avaient embrassé la religion du Prophète. Ils l'avaient fait d'autant plus librement que les autorités turques leur offraient cette issue. Mais il s'agissait surtout de femmes ou de jeunes filles. Au-dessus de dix ans, les malheureuses avaient toutes les chances d'être enfermées dans des harems ou vendues ; la tentation était trop forte d'échapper à la mort et au déshonneur. Mais un homme ? Jeune de surcroît ? Car, malgré ses cheveux blancs, il n'avait pas trente ans.

La vieille femme répéta :

— Comment peux-tu renier notre foi ?

Mais l'autre n'entendait plus.

Il se jeta par terre et ses mains agrippèrent les bottes du capitaine.

— *Mohammad rassoul Allah ! La illah illAllah !*

Furieux, le soldat saisit l'Arménien par les épaules et le força à se remettre sur pieds. Ils étaient maintenant tout près l'un de l'autre.

— Allez ! Va rejoindre tes semblables ! Tu n'es pas digne de faire partie des enfants d'Allah. Va !

Il le repoussa violemment.

En même temps que l'homme reculait d'un pas, il réussit à s'emparer du revolver qui pendait à la ceinture du soldat et, prenant tout le monde de court, il visa la tête du militaire et tira. Puis, dans la foulée, il enfonça le canon dans sa propre bouche et appuya une nouvelle fois sur la détente. Avec un bruit sourd, la balle perfora le palais et ressortit par la nuque.

Constantinople, au même instant, ministère de la Guerre

— Vous prendrez volontiers un karkadé bien frais, monsieur Morgenthau ?

Le diplomate déclina l'offre.

— Dommage, soupira Talaat Pacha. Saviez-vous que c'est un excellent diurétique ?

Il but une gorgée en fermant les yeux pour mieux apprécier le breuvage, reposa son verre sur le bureau et poursuivit :

— Ainsi que je vous le disais, il s'agit d'une affaire qui me tient à cœur. Et si j'ai fait appel à vous, c'est parce que je suis persuadé que vous pourrez m'aider. Connaissez-vous la *New York Life Insurance Company* et l'*Equitable Life of New York* ? Ce sont bien des compagnies d'assurance américaines ?

— C'est exact.

Talaat se cala dans son fauteuil.

— Figurez-vous que, d'après nos renseignements, il paraît que les Arméniens les plus fortunés ont souscrit des contrats d'assurance-vie auprès de ces organismes. Les sommes en question seraient loin d'être négligeables.

— C'est possible, répondit l'Américain, qui ne voyait pas très bien où son interlocuteur voulait en venir.

— Cher ami, je ne vais pas y aller par quatre chemins : j'aimerais que vous m'obteniez la liste des souscripteurs.

— Vous n'êtes pas sérieux ! En imaginant que j'en aie le pouvoir, pour quelle raison le ferais-je ?

— Quelle question ! Tout simplement au nom de la bonne entente qui doit perdurer entre nos deux nations. Voyez-vous, il y a de fortes chances pour que les clients arméniens de ces sociétés décèdent dans un délai plus ou moins court, et sans laisser d'héritiers. Par conséquent, il serait fâcheux que l'argent qu'ils ont capitalisé disparaisse au profit de ces organismes. Il serait bien plus juste qu'il soit remis au gouvernement turc.

Morgenthau avait du mal à respirer. L'homme qui lui faisait face était-il en pleine possession de ses facultés mentales ?

— Mais qu'est-ce qui vous autorise à supposer que les souscripteurs en question mourront « dans un délai plus ou moins court » et, surtout, comment pouvez-vous affirmer qu'ils n'auront pas d'héritiers ?

Talaat ne répondit pas tout de suite. Il plongea la main dans la poche de sa veste et récupéra son chapelet. Après avoir fait rouler les perles entre ses doigts pendant quelques instants, il expliqua :

— Voyez-vous, la grande majorité des gens dont je vous parle sont très âgés et le voyage qui les attend risque fort – je le déplore – de les fragiliser. Quant à leurs héritiers, au terme de ce déplacement de population, il est plus que probable que l'on ait beaucoup de mal à retrouver leur trace. Alors, vous comprenez… Tout cet argent perdu ! Quel gâchis !

Morgenthau ouvrit la bouche pour exprimer tout l'écœurement qu'une telle proposition éveillait en lui, mais il n'en eut pas la force. Il repoussa son fauteuil, se leva et, sous le regard stupéfait de son hôte, se retira.

20

Anatolie, région d'Erzindjan, 7 mai

La journée avait atteint son milieu et la lumière était dévorante. Des traits de feu lancés par le soleil donnaient l'impression que toute l'Anatolie était en flamme.

Assis dans une charrette brinquebalante, genoux sous le menton, Aram contemplait d'un œil morne les touffes broussailleuses qui mouchetaient le paysage. Près de lui, Chouchane somnolait. Le reste des occupants, une dizaine, fixait la route qui serpentait avec l'air hébété. Au début, il y avait eu les larmes et les lamentations. Maintenant, il n'y avait plus que l'abattement et le silence. Un silence que brisaient de temps à autre le chuintement du vent et le murmure lointain de l'Euphrate occidental qui courait vers le Tigre.

Combien étaient-ils ? Au départ d'Erzeroum, environ dix mille. Mais, dans la ville de Terdjan, où ils avaient fait halte la veille, deux mille de plus les avaient rejoints. À présent, surveillés par quatre cents gendarmes, ils dérivaient. Douze mille humains que suivaient trois cents charges de marchandises sur des mulets ; des vaches, des chèvres, des moutons ; leurs seuls biens. Vision d'apocalypse. D'autres, ailleurs, au même moment, connaissaient le même sort. De Zeïtoun à Bitlis, de Malatia à Diarbékir, de Van à Urfa, de Trébizonde à Sivas, tout un peuple avançait sur un drap mortuaire frappé aux symboles de la lune et de l'étoile. Étrange procession qui, en traversant les paysages, suscitait l'étonnement des arbres et du ciel, car elle n'était formée essentiellement que de femmes et d'enfants. La plupart des hommes avaient été expédiés vers une destination non révélée. Dans les hurlements et les larmes qui avaient accompagné la séparation, il ne faisait point de doute que c'était vers la mort qu'ils allaient.

Chouchane ouvrit les yeux.

Un massif montagneux s'étirait vers l'est. Plus loin, on devinait un village orphelin posé sur le rebord d'une colline. Des pans de rocailles.

Quelqu'un questionna d'une voix faible :

— N'est-ce pas le Munzur Dag ?

— Je ne crois pas, répondit Gariné, la femme qui, avant leur départ, avait partagé la tente de Chouchane et d'Aram. Le mont est situé beaucoup plus au sud.

— Nous nous dirigeons vers Erzindjan, expliqua une jeune fille du nom de Nazélie.

Lorsqu'elle s'était présentée, Chouchane s'était dit qu'elle méritait bien son prénom : « Gracieuse ». Elle avait entre dix-huit et vingt ans, mais ses traits étaient ceux d'une gamine. Elle faisait partie des rescapés de Baïbourt qui s'étaient joints au convoi. Sa mère était décédée quelques années auparavant, son père avait été emmené avec les autres hommes.

— Comment sais-tu que nous allons vers Erzindjan ? interrogea Chouchane.

— Parce que j'ai déjà fait plusieurs fois cette route avec mon père.

Erzindjan. La ville de Soghomon. Où était le jeune homme en ce moment ? Avait-il commis l'imprudence de rentrer de Berlin ? Dans sa lettre il disait : « Je passe mon temps à compter les jours avant mon retour en Anatolie. » Son père avait peut-être calmé son impatience. En tout cas, il fallait l'espérer.

Le silence retomba.

Chouchane passa sa main dans les cheveux de son frère qui laissa échapper un soupir.

— J'ai soif.

— Il faut attendre. (Elle montra les gendarmes qui caracolaient à leurs côtés.) Ce sont eux les maîtres de l'eau.

— Et ils nous la donnent au compte-gouttes, fit observer Gariné. Pourtant, le capitaine Nusret semble assez humain. Hier soir, lorsque nous avons dressé le campement, il a bien voulu nous accorder une ration supplémentaire de fruits.

— C'est vrai, confirma sa voisine. Il a l'air bon. Même s'il ne l'affiche guère, on sent qu'il n'apprécie pas ce qu'on nous fait subir.

Une femme dénoua un baluchon qu'elle avait gardé serré contre sa poitrine et en sortit une orange qu'elle présenta à Aram.

— Tiens, mon petit.

Le garçon secoua la tête.

— Non, non. Gardez-la. Je peux patienter.

La femme insista.

— J'en ai d'autres. Prends-la.

— Merci, *diguine*.

Elle lui adressa un sourire attendri.

— Il y a bien longtemps qu'on ne m'a plus appelée « madame ». Mon nom est Yesther.

Elle aussi, à l'instar des autres, était orpheline de famille. Son père, ses frères, son mari, ses deux grands enfants ; les Kurdes lui avaient tout pris ; tout, sauf une icône, représentant saint Grégoire l'Illuminateur en train de bénir le roi Tiridate, qu'elle conservait dans un étui en peau de chèvre. De temps en temps, elle la ressortait, ses lèvres récitaient une prière silencieuse et elle la remettait dans l'étui.

Le cocher, un homme courtaud aux traits burinés, avait dû s'apercevoir de son manège, car il s'était penché vers la femme avec une expression compatissante.

— *Hanim*, il faudra bien plus qu'une image pour vous venir en aide, vous ne croyez pas ?

— Vous devriez savoir que lorsque l'on a tout perdu, il reste encore la foi en Dieu.

Il avait acquiescé mollement.

— Alors, j'espère que cette foi était présente dans le cœur de la dizaine de vos compatriotes de Marach transformés en chevaux.

— Transformés en chevaux ? Que voulez-vous dire ?

— Comme ils refusaient de quitter la ville, les Kurdes leur ont cloué des fers à cheval sous la plante des pieds. À mon avis, ce n'était pas le meilleur moyen de les faire avancer.

Chouchane retint un haut-le-cœur et serra les poings.

Pendant quelques heures encore, la plaine déroula son tapis tantôt verdoyant, tantôt aride. Ce fut seulement lorsque le soleil ne fut pas loin de s'éteindre que le convoi s'immobilisa.

— Tout le monde à terre ! Tout le monde à terre !

Ils étaient à l'entrée d'Erzindjan. Les ruines de l'ancienne acropole dédiée à Anahit se détachaient dans le crépuscule, témoins millénaires d'une Arménie païenne. Le flot humain se déversa hors des charrettes comme une lame de fond sur une jetée. Ensuite, selon un rituel désormais familier, les déportés et les gendarmes installèrent les tentes, les gens se rassemblèrent par petits groupes et l'on alluma les feux. Au loin chantait la rivière Firat, qui allait lentement vers les prémices de la nuit. Tous les occupants de la calèche 27, celle où se trouvaient Chouchane, Aram et les autres, s'installèrent à même le sol en formant un petit cercle. Peu à peu, d'autres déportés se joignirent à eux et le cercle s'agrandit. On avait l'impression que, dans la lueur des flammes, les traits cendreux des enfants ne faisaient plus qu'un avec ceux des vieillards. À peine assis, comme chaque soir, les voix se mirent à ressasser les mêmes questions : « Où nous conduisent-ils ? Pourquoi ? Croyez-vous que nous allons retrouver les nôtres ? Où nous conduisent-ils ? Pourquoi ? Croyez-vous que nous allons retrouver les nôtres ? »

— *Merhaba !*

Les plus courageux levèrent la tête vers le capitaine qui venait de les saluer. C'était Nusret. Un petit homme d'une quarantaine d'années, moustachu, à la peau luisante et aux prunelles mornes. Il souleva à peine son fez et le reposa sur le sommet de son crâne.

— Vous allez bien ? Il a fait chaud aujourd'hui.

Il n'y eut pas de réponse. Alors il jeta un regard circulaire sur la petite assemblée et annonça avec gravité :

— J'ai de mauvaises nouvelles. On nous a informés que des bandits kurdes rôdaient depuis ce matin autour du convoi. C'est très préoccupant. Ce sont des criminels. Ils risquent de nous attaquer d'un moment à l'autre.

— Comment oseraient-ils ? s'exclama quelqu'un. Vous êtes plus de quatre cents *zabtiehs* et vous êtes bien armés. Alors..

Le *yüzbaşi* adopta une moue affligée.

— Nous sommes quatre cents, c'est vrai, mais face à ces gredins nous ne faisons malheureusement pas le poids. Ce sont de redoutables guerriers.

— Que nous veulent-ils ? lâcha Chouchane. Nous n'avons rien ! Vous savez bien que les gens ont tout laissé derrière eux.

L'air affligé s'accentua. Le capitaine montra les mulets chargés de marchandises, regroupés dans un coin du campement.

— Et ceci ? C'est un butin non négligeable.

Une expression consternée assombrit les visages. Il avait raison. Pour le coup, si l'on venait à leur dérober ces misérables restes, ils se retrouveraient définitivement dépouillés.

— Cependant, ajouta le gendarme, soyez rassurés. Il y a peut-être un moyen d'éviter un massacre. (Il fit rouler entre le pouce et l'index l'une des extrémités de sa moustache.) Vous savez comme tout s'achète dans cette vie. Un peu d'argent les calmerait. Il suffirait que chacun d'entre vous se déleste d'une

261

petite somme… disons une dizaine de livres. Peu de chose. Et je me fais fort de les convaincre de nous laisser tranquilles.

Il posa les mains sur ses hanches et conclut :

— Alors ? Qu'en dites-vous ?

Un murmure confus s'éleva.

— Vous avez bien dix livres sur vous ! s'offusqua Nusret.

Après quelques instants de flottement, l'un des rares hommes présents marcha vers le gendarme.

— Tenez, dit-il, en lui remettant avec humilité quelques kuruş [1]. C'est tout ce que je possède.

— C'est bien, mon frère, c'est bien. Tu fais preuve de sagesse. Comment t'appelles-tu ?

— Garbis.

— Garbis. Je m'en souviendrai.

Le capitaine fit disparaître la somme dans la poche de son *şalvar* et attendit.

Guère longtemps. Un à un, presque tous les membres de la petite assemblée se présentèrent en file indienne et lui confièrent ce qu'ils possédaient. En moins d'une dizaine de minutes, l'officier Nusret avait récolté la coquette somme de six cents livres.

— C'est parfait ! Parfait, mes amis ! Je vais de ce pas négocier avec ces mécréants.

Et il repartit vers un autre groupe.

— Croyez-vous qu'il soit sincère ? questionna l'homme qui, le premier, avait obtempéré et qui s'appelait Chavarch.

— Comment le savoir ? dit Yesther, la dame à l'icône. En tout cas, s'il s'adresse à tout le monde, ça lui fera une belle somme en fin de soirée !

— Peut-être que ces cavaliers kurdes existent bien ? suggéra Gariné.

La voix d'Aram claqua.

---

1. La livre turque était égale à cent kuruş.

— J'ai vu les nuages de sable que soulevaient leurs chevaux. Ils nous suivent depuis hier.

Tous les visages se tournèrent vers le garçon.

— Tu es sûr ?

— Tu les as vraiment vus ?

— Ils sont nombreux ?

— Nombreux, oui, confirma Aram.

Il allait poursuivre, lorsque leur attention fut attirée par un remue-ménage qui provenait d'une extrémité du camp. Des ombres, deux ou trois milliers, peut-être plus, venaient de surgir à la sortie d'Erzindjan. Une foule d'enfants, titubants de sommeil ; des femmes si frêles qu'on avait du mal à les faire tenir sur leurs mulets. Des femmes enceintes aussi, et une poignée d'hommes dont la plupart avaient dépassé la soixantaine.

Chouchane et les autres s'étaient levés, médusés, pour les observer.

— On dirait des morts-vivants, bredouilla Yesther. Ce sont tous des Arméniens d'Erzindjan ?

— Sans doute, répondit quelqu'un.

À la différence des gendarmes auxquels ceux d'Erzeroum et de Baïbourt avaient eu affaire jusqu'ici, ceux qui accompagnaient les gens d'Erzindjan étaient sans égards. Tous les moyens étaient bons pour pousser les retardataires à avancer. Injures, coups, menaces. Hommes ou femmes, enfants ou vieillards, ni sexe ni âge n'avaient d'importance.

Les nouveaux venus furent répartis selon un ordre probablement défini à l'avance, et insensiblement le calme revint.

Une jeune fille, échevelée, les vêtements déchirés, un visage d'ange mais comme couvert d'un masque de céruse, s'assit auprès d'Aram et de Yesther. Elle ne salua pas. Elle replia ses genoux vers sa poitrine, les entoura de ses bras et resta immobile, confinée dans le silence.

Gariné lui proposa un *simit*, un petit anneau de pain grillé parsemé de sésame.

Elle refusa.

Il y avait un tel mélange de désespoir et de rage dans son expression que personne n'osa l'interroger.

— Chouchane ? Aram ?

Le frère et la sœur se retournèrent en sursaut.

Tout d'abord, Chouchane se dit qu'elle était la victime d'une illusion. Mais lorsque Aram cria : « Soghomon ! », alors elle ne douta plus. Oui. C'était bien Soghomon. Soghomon Tehlirian.

Chouchane se dressa sur ses pieds et, oubliant toute retenue, elle se jeta dans les bras du jeune homme.

Il la garda un moment contre lui.

— Bonsoir, mes amis.

— Quelle surprise ! s'exclama Aram qui, pour la première fois depuis leur départ, donna l'impression de reprendre vie.

Soghomon examina en silence le petit groupe assis autour du feu avec ce regard toujours aussi acéré, mais avec quelque chose de nouveau et d'indéfinissable ; une lueur proche de celle qui flamboyait dans les yeux de la jeune fille qui l'avait précédé. Ce fut d'ailleurs auprès d'elle qu'il se laissa choir.

— C'est fini, Yéva, chuchota-t-il, c'est fini…

La fille inclina la tête tandis que des larmes perlaient à ses yeux qu'elle n'essaya pas de refouler.

Chouchane se glissa près de Soghomon.

— Tes parents ? questionna-t-elle avec une pointe d'appréhension dans la voix.

Il serra les dents.

Elle répéta.

— Tes parents ?

— À la hache… Ils ont découpé mon père et ma mère à la hache. Ils ont tranché la gorge de mon frère. Et Nora, ma sœur…

Il s'interrompit et fixa la fille.

— Ils lui ont fait subir le même sort…

La voix de Yéva s'éleva, sourde, lente

— Je suis de Trébizonde. Ils nous ont obligés à marcher jusqu'aux gorges de Kémakh à l'endroit où elles forment une entaille dans la montagne, à cinquante kilomètres d'Erzindjan. Au fond de la gorge, l'eau du fleuve, resserrée, se transforme en rapides. Alors, ils ont aligné les femmes et les enfants, les mères et les filles, et sous nos yeux, ils ont forcé les hommes à sauter dans le vide ; ceux qui résistaient étaient abattus sur-le-champ à coups de *metrioz* [1]. Si une épouse, une mère cherchait à s'interposer, elle subissait le même sort. C'est ainsi que j'ai vu mon père plonger dans l'abîme et ma mère saigner à blanc. Je n'ai pas pu supporter. La folie m'a envahie. Oui, la folie. La folie. Vous comprenez, n'est-ce pas ? Je me suis ruée sur les soldats. J'ai planté mes ongles dans leurs bras, j'ai griffé leurs joues. Autour de moi, de pauvres créatures se traînaient aux pieds de nos gardes, les suppliant de les tuer au plus vite ; d'autres se jetaient elles-mêmes dans le vide. Après, je ne me souviens que des mains qui m'arrachaient les vêtements, des vociférations et de mon bas-ventre labouré encore et encore. Combien d'hommes ? Non. Pas des hommes, des animaux sauvages. Je ne sais plus.

Elle se tut, comme à bout de souffle, serra les genoux plus fort contre sa poitrine.

— Je me sens sale. Si sale. Des montagnes de cadavres furent ainsi précipités dans l'abîme sous les insultes des militaires. On pouvait voir les corps inanimés qui s'amoncelaient en barrières sur les saillies de la rive. Le fracas des corps brisés retentissait entre les parois rocheuses. Et pendant tout ce temps, le soleil ne s'est pas assombri. Pas un seul instant.

Elle se tut. Ses yeux étaient secs. Elle faisait peur à voir tant sa figure s'était durcie.

Après un temps de silence, Aram s'approcha et caressa doucement sa joue.

— Souffre, dit-il sur un ton que Chouchane ne lui avait

_____

1. Mitrailleuse.

jamais connu. Souffre. Nous souffrirons encore. Mais plus grande sera notre douleur, plus terrible sera la vengeance. Et toi aussi, Soghomon, souffre… Souffrez tous…

Et tandis qu'il parlait, Chouchane s'aperçut qu'il tenait toujours dans sa paume la petite pierre noire, la *oltu tasi*, souvenir d'Hovanès.

21

Village de Sam-Sat sur l'Euphrate, 15 mai

Après l'étape de Kangal, ils étaient repartis pour Malatia où un nouveau contingent de spectres était venu gonfler leurs rangs. Échevelés, hâves, le pas incertain, ils se ressemblaient tant qu'on aurait pu les prendre pour des frères et des sœurs si, pour la plupart d'entre eux, ils ne l'étaient déjà. Leur nombre était devenu impossible à définir avec certitude : quinze mille ? Dix-sept mille ? Plus de vingt mille sans doute. Un nombre que l'on pouvait multiplier par cent puisque d'autres caravanes déroulaient leur ruban noir à travers toute l'Anatolie et la Cilicie. Mais l'on s'était lassé de compter. Lassé aussi peut-être d'écouter les mêmes récits rapportés par des rescapés qui rivalisaient tellement d'horreur que le cœur se murait d'entendre et que l'esprit se refusait à y croire.

À mesure qu'ils progressaient, les paysages étaient devenus plus arides, annonçant les étendues désertiques.

Au cours des derniers jours, leurs gardiens avaient considérablement réduit les rations d'eau et de nourriture. Très vite, les êtres les plus vulnérables avaient commencé à payer le prix de ce rationnement et les premiers cadavres jonchaient la route, abandonnés, sans sépulture.

Quinze jours.

Les gendarmes étaient étonnés de les voir encore debout. En haillons, loqueteux. « Il est des peuples qui ont la vie dure », se disaient-ils lorsqu'ils faisaient le décompte des morts à la tombée de la nuit. « Rien que vingt, aujourd'hui, mauvaise journée. Nous allons devoir activer tout ça ! »

Maintenant, les groupes n'étaient plus très éloignés du village de Sam-Sat sur l'Euphrate.

Au-dessus des têtes, le soleil se précipitait vers les confins de l'horizon. Il fuyait, chevauchait les nuages, comme s'il cherchait à fuir cette vision d'un peuple qui se meurt.

Au baron Hans von Wangenheim, ambassadeur d'Allemagne,
le consul d'Erzeroum (Scheubner-Richter)
à l'ambassade d'Allemagne, Constantinople

13 mai 1915,

Les mesures d'expulsion qui visent la totalité de la population arménienne de la région ont été prises sur ordre du commandant en chef de l'armée et on les a justifiées en faisant valoir des considérations d'ordre militaire. Étant donné que les hommes arméniens sont incorporés dans les bataillons de travail, ce sont essentiellement des femmes et des enfants qui sont chassés de chez eux, contraints de laisser sur place tout ce qu'ils possèdent. Puisque rien ne permet de croire à une révolte chez les Arméniens, cette cruelle mesure de bannissement est sans fondement et suscite la colère. L'administration civile n'est pas concernée et décline toute responsabilité dans les conséquences qui pourraient en découler.

Signé Maxime von Scheubner

Copie pour le Département d'État,
Consulat des États-Unis Mamouret-ul-Aziz (Kharpout),
À Son Excellence, Monsieur Henry Morgenthau
ambassadeur des États-Unis, Constantinople

12 mai 1915,

Monsieur l'ambassadeur,

J'ai l'honneur de vous adresser ci-joint un récépissé portant le sceau de l'ambassade pour les communications postales envoyées par ce consulat à l'ambassade par courrier recommandé déposé au bureau de poste de Mamouret-ul-Aziz le 2 mai sous le numéro de recommandé 912.
Il y a un certain mystère qui entoure cette dépêche. Elle se trouvait dans une enveloppe plus petite adressée au consulat général, enveloppe qui était placée dans celle adressée à l'ambassade et qui contenait une dépêche d'accompagnement priant le consulat général de la transmettre à l'ambassade. L'ambassade et le consulat général m'ont informé qu'on n'avait jamais reçu cette dépêche. Or il est évident que l'enveloppe la contenant a dû être reçue par quelqu'un ayant accès au sceau de l'ambassade. J'apprécierais que l'ambassade enquête sur cette affaire et m'informe.
J'ai l'honneur d'être, monsieur l'ambassadeur, votre très obéissant serviteur.

Signé Leslie A. Davis, consul

— Non !
Le cri claqua dans l'azur, et son écho se répercuta jusqu'au fleuve.
Dans un ouragan de sable, un essaim de cavaliers kurdes était en train de fondre sur les chariots et leurs occupants. Garbis, l'homme qui, deux semaines plus tôt, avait été le premier à verser au capitaine le tribut réclamé en échange de la neutralité de ces mêmes Kurdes, leva les bras au ciel.

— Nusret a menti ! gémit-il. Il a menti !

Les milliers de déportés observèrent eux aussi l'ouragan de sable. Et Chouchane, Aram, Soghomon, Yéva et les autres le virent aussi.

— Mais que font les gendarmes ? s'affola Garbis. On dirait qu'ils fuient !

— Impossible ! Vous vous trompez, objecta Yesther, incrédule.

Garbis ne se trompait pas. Les gendarmes et leurs supérieurs commençaient à s'éloigner vers les collines ; cependant, ils ne fuyaient pas. Ils s'écartaient simplement.

— Ce n'est pas possible ! sanglota Gariné, ils nous abandonnent ? Ils leur laissent le champ libre ?

— Venez ! hurla Soghomon à l'intention de Chouchane et de Yéva. Suivez-moi !

Saisissant Aram par la main, il l'entraîna vers les dunes que l'on apercevait à l'est.

Inspirés par l'instinct de survie, les hommes cherchaient des pierres, des branches, une arme de fortune. D'autres, dans une attitude vaine, se contentaient de serrer le poing, prêts au combat ou faisaient un rempart de leur corps pour protéger une épouse, une sœur, un enfant.

Lequel d'entre eux cria : « On nous écorche, on nous crève les yeux, on nous arrache la langue avec des tenailles, on nous tue, mais vous qui vivrez, hommes ou femmes, vengez-nous ! » ?

Revolver au poing, fusil ou yatagan, les cavaliers étaient sur la masse humaine désarmée. L'odeur de poudre mêlée à celle du sang ne tarda pas à s'élever, dense, suffocante, clameur pestilentielle.

À l'écart, le capitaine Nusret et ses compagnons observaient le spectacle. L'officier tira sur sa cigarette et finit par se détourner ; la vision de ces têtes qui roulaient sur le sable commençait à l'importuner.

Soghomon, Chouchane, Aram et Yéva s'étaient couchés à plat ventre derrière un talus, retenant leur souffle.

— Approche-toi, dit Chouchane en attirant son frère contre elle. Ne regarde pas. Je t'en prie.

Mais Aram fit non de la tête. C'était à croire qu'il ne voulait rien perdre des scènes macabres qui se déroulaient sous ses yeux. Il s'en abreuvait.

Plus loin, les Kurdes poursuivaient méthodiquement leur besogne.

Sur des kilomètres, dans le sable et les broussailles, les cadavres s'entassaient.

— Debout, les chiots !

Le quatuor se retourna.

Dans le contre-jour, la silhouette d'un milicien kurde leur apparut comme une ombre de pierre. Une baïonnette, maculée de sang, étincelait au bout de son fusil.

— Debout !

Un courant glacial traversa le corps de Yéva.

Une dizaine d'autres mercenaires, mais aussi des gendarmes, déboulèrent à leur tour. En avisant les deux jeunes filles, ils s'esclaffèrent.

— Belle prise, mon frère ! Combien crois-tu qu'elles valent ?

— Deux perles comme celles-ci, belles comme une pleine lune ? Au moins mille livres chacune.

— Tout dépend de leur tempérament. Celle-ci, par exemple...

L'un des Kurdes s'approcha de Chouchane et voulut la prendre par la taille.

Elle se déroba.

— Ne me touche pas !

— Bien... rétive. Rebelle. Pas mal.

— Ne l'abîme pas, recommanda son camarade.

Et, tout en parlant, il fit un pas vers Yéva.

— Toi, tu me sembles moins indocile. Comment t'appelles-tu ?

— Éloignez-vous d'elle ! s'exclama Soghomon. Vos amis l'ont déjà souillée à Erzindjan !

Le Kurde fronça les sourcils.

— Que veux-tu dire ?

— Ce que vous avez entendu. Des *tchétés* ont abusé d'elle. Elle est malade. (Il grimaça un sourire :) Vous n'en tirerez rien. Pas même un kuruş.

— Tiens, tiens… Alors, dans ce cas…

Il se tourna vers les autres.

— Déshabillez-la ! Allongez-la par terre !

— Non ! supplia Chouchane.

— Puisque je vous dis qu'elle est malade ! insista Soghomon.

Le Kurde ordonna :

— Maîtrisez-les !

Les hommes obtempérèrent.

On avait couché Yéva sur le sol, arraché ses sous-vêtements, et on la maintenait fermement bras en croix.

Le Kurde se campa devant elle.

— Alors, ton ami dit vrai ? Tu n'es plus bonne à rien ?

Yéva dévisageait le mercenaire les yeux exorbités.

L'homme prit ses amis à témoin.

— Nous allons vérifier… Écartez-lui les cuisses !

Liant le geste à la parole, il posa son fusil à terre, ôta son pantalon et s'allongea sur le corps de la jeune fille. Elle ouvrit la bouche pour crier, mais il n'en sortit qu'un râle d'agonisante. Au moment où le sexe du Kurde força l'entrée de sa chair, elle fut prise de convulsions si violentes qu'elles rappelèrent à Soghomon celles du Grand Mal.

Chouchane voulut masquer les yeux de son frère, mais un mercenaire l'en empêcha.

Comment Yéva trouva-t-elle la force de réagir ? Dans quelle source de désespérance inexplorée ? Soudain, son violeur poussa un hurlement de douleur et se retira d'elle en se rejetant en arrière, comme poignardé. Il porta la main à son oreille droite. Le sang giclait par jets. Il n'y avait plus de lobe.

— *Kaltak !* Putain !

Il se remit sur pied, récupéra son fusil et, le regard fou enfonça le canon dans le vagin de Yéva.

— *Kaltak !* répéta-t-il. Chienne !

— Je vous en conjure ! gémit Chouchane ! Laissez-la !

Le Kurde fit feu.

Des lambeaux de chair s'éparpillèrent dans l'espace.

Chouchane fut prise de vertige. Si les miliciens ne l'avaient retenue, elle se serait certainement écroulée.

— *Que cherches-tu à me dire, papa ?*

— *Ceci : le jour où tu sentiras la peur te gagner, quand tu seras face à l'araignée aux crocs de chacal, souviens-toi qu'il te faudra puiser dans mon sang et celui de ton grand-père la force d'affronter tes ennemis. N'oublie pas, Chouchane djian. Tu seras invincible...*

Les recommandations de son père jaillirent dans sa mémoire. C'était hier. Curieusement, depuis quelque temps, elle se demandait si c'était bien à elle qu'elles étaient adressées ou à Aram.

Soghomon pleurait. Pleurait-il sur la malheureuse ou sur les dépouilles de sa propre sœur, Nora, de son père ou de sa mère ? Quant à Aram, il était resté impassible. Qu'était devenu son esprit ? Jusqu'alors, il avait marché sur une route qui, lorsque l'on est enfant, vous semble sans fin, où les années coulent comme du miel, si légères que l'on n'est pas conscient de leur fuite. Et puis, un matin, on se retourne. On découvre un portail qui, à notre grand étonnement, barre le chemin du retour. C'est sans doute ce portail que, prématurément, Aram venait d'atteindre.

Le silence, maintenant.

Les Kurdes repartaient, les bras chargés de tout ce qu'ils avaient pu dérober. Les marchandises, les bêtes de somme, et les rares bijoux qu'avaient tenté de sauver les femmes, ultimes trésors d'une vie effacée. Mais ils emportaient aussi avec eux des garçons et des fillettes. Les premiers feraient de bons esclaves, les secondes seraient vendues à quelque notable de Constantinople ou d'Agora.

Les rescapés s'approchèrent lentement du fleuve sans trop savoir ce qui leur inspirait ce mouvement. Parvenue à quelques mètres de la rive, une femme poussa un cri de stupeur :

— Tous ces troncs d'arbre ! D'où viennent-ils ?

En effet, sur la surface des eaux, des centaines de formes dérivaient.

Soghomon se pencha et commenta sombrement :

— Non. Ce ne sont pas des troncs d'arbre. Ce sont des cadavres.

Chouchane observa le paysage autour d'elle.

Au loin, vers le sud-ouest, les attendait le désert de Syrie. Au sud-est, celui de Mésopotamie. Restait à décider dans lequel des deux ils allaient mourir.

22

Syrie, Alep, 20 mai 1915

Doux basilic.

Immédiatement, j'ai adoré sa chevelure épaisse, et m'asseyant non loin d'elle, j'ai continué à fixer, rassemblée sur sa nuque d'un blanc de neige, la masse noire qui étincelait sous les lampes à gaz disséminées dans le jardin, avec ses reflets luxuriants et pourtant voilés, auxquels mon regard restait cloué.

Que de choses sa chevelure me racontait avec sa qualité modeste et cependant troublante, juste là, sur cette colline ! À distance, mon regard en suivait les contours gracieux, les vagues pulpeuses...

— Où trouves-tu le courage d'écrire, mon ami ? Où trouves-tu l'inspiration ?

La voix de Vartkès mit fin à l'inspiration de Krikor Zohrab. L'ex-député posa sa plume et sourit à son camarade.

— Depuis combien de jours sommes-nous enfermés dans cette chambre d'hôtel ? As-tu compté ?

— Cinq jours et deux heures.

— Cinq jours, cloîtrés entre ces quatre murs. (Il montra la fenêtre.) Et dehors, c'est la vie. Alep la magnifique. Le parfum des épices et la liberté. Alors, que veux-tu ? Je préfère coucher sur du papier mes rêves, puisque les Turcs m'empêchent désormais de les vivre. De plus, comme tu le sais, j'ai le cœur qui ne bat plus comme au temps de ma prime jeunesse. Deux alertes en deux mois. C'est beaucoup. Je paye sans doute le prix d'une existence qui fut bien trépidante. Aussi, je ne veux plus me faire de souci. Il arrivera ce qu'il arrivera. *Maktoub !* comme disent nos amis musulmans.

Vartkès, qui n'avait cessé de faire les cent pas, se laissa choir dans un fauteuil, l'air las.

— Non content de nous avoir fait arrêter et transférer ici, en Syrie, voilà maintenant qu'ils veulent nous faire passer devant un tribunal militaire à Diarbékir ! Un tribunal militaire ! Peux-tu comprendre cette attitude ? Vouloir nous juger ? Nous ? Nous qui fûmes leurs plus fidèles soutiens ! Nous qui avons partagé le pain et le miel avec les Talaat, les Enver et toute la clique ! Quelle lâcheté !

— Lâcheté est un bien faible mot. En vérité, ce qui m'inquiète surtout, c'est de ne pouvoir arriver vivant à Diarbékir. J'ai de plus en plus de mal à marcher et puis, comme je te le disais, il y a ce tambour... (Il montra son cœur.) Il ne résistera pas au voyage. Je le pressens. (Il prit une datte dans le bol posé près de lui.) Mais je garde quand même espoir. La requête que nous avons envoyée à Djemal Pacha ne restera pas sans réponse. Patience.

Vartkès eut un geste désabusé.

— Parce que tu crois que Djemal pourrait nous sauver ?

— N'est-il pas depuis peu responsable de la Syrie ? Ne possède-t-il pas les pleins pouvoirs civils et militaires ? Tous les décrets qui concernent cette région doivent obtenir son approbation. S'il veut nous sauver, il le peut.

— Que Dieu t'écoute ! Pour moi, il a toujours été un homme cruel et vaniteux, un débauché qui, à la différence d'Enver, n'a jamais fait l'effort de masquer ses mauvais penchants sous des allures affables.

— Tu oublies l'essentiel, mon cher : aux yeux de Djemal, l'ennemi n'est pas l'Arménien, mais l'Arabe. Il hait les Arabes !

Il rêve de réaliser, ici, en Syrie, l'opération qu'Abdül-Hamîd avait tentée dans les provinces orientales en y installant des Circassiens, pour diluer la population arménienne et la rendre minoritaire. Il voudrait nous utiliser – mais aussi les Kurdes et les Circassiens – pour prévenir la montée du nationalisme arabe. Il fera tout pour favoriser l'implantation de notre communauté dans la région.

— Nous lui serions donc utiles ?

— C'est ma conviction, oui. Pour preuve, son secrétaire ne nous a-t-il pas confié que Djemal avait l'intention de publier un décret selon lequel tout Arabe qui s'en prendrait à un Arménien serait déféré en cour martiale ?

Vartkès allait répliquer, mais fut interrompu par des coups frappés à la porte.

— Qui cela peut-il être ? s'alarma Krikor.

— Nous le verrons bien.

Vartkès alla ouvrir.

Sur le palier se tenaient des soldats et un personnage en civil. Ce dernier souleva son fez et se présenta courtoisement :

— Çerkez Ahmed, pour vous servir.

— Que nous voulez-vous ?

— Nous avons reçu l'ordre de vous emmener à Urfa.

— Urfa ? Mais c'est absurde !

Krikor demanda :

— Son Excellence, Djemal Pacha, est-elle au courant ? Nous lui avons envoyé un courrier et...

Çerkez Ahmed le coupa.

— Mes ordres viennent du chef de la police et du *vali*, Rechid Bey.

— Nous ne bougerons pas d'ici ! Pas avant que vous n'en référiez à Djemal.

— *Effendi*, je ne prends pas mes ordres auprès de Son Excellence. Mais du gouverneur.

— Et qu'irions-nous faire à Urfa ? s'écria Vartkès.

— Le député Mahmoud Nédim vous convie à demeurer

chez lui. Je ne sais rien de plus. Allons, je vous en prie, ne nous obligez pas à faire usage de la force.

Les deux Arméniens échangèrent un coup d'œil désemparé, mais ils connaissaient Nédim. C'était un être intègre et juste.

— Très bien, déclara Krikor au bout d'un moment. Accordez-moi une minute.

Il retourna vers la table et prit une enveloppe de laquelle il sortit deux feuilles. L'une était couverte d'une écriture hâtive, avec pour en-tête : « Mes dernières volontés » ; l'autre était vierge. Il écrivit sur la feuille blanche.

Alep, ce 20 mai 1915, jeudi

Mon âme adorée, on nous avait dit que nous devions partir samedi pour Diarbékir, et j'avais préparé deux lettres pour toi. La police nous annonce maintenant que nous partons aujourd'hui pour Urfa. Que pouvons-nous faire ? Il en sera ainsi.

Après avoir montré la lettre ci-jointe à Halil Bey[1] et pris son avis, toi et tes filles, allez voir ensemble Talaat, chez lui ou à son bureau. Il vaudrait mieux que Halil Bey soit présent lui aussi. Donne-lui la lettre et supplie-le. S'il te fait la promesse ferme de sauver ton mari, adresse-moi le télégramme suivant au domicile du député d'Urfa, Mahmoud Nédim : « Nous sommes tous en parfaite santé, sois tranquille. »

Il y a vingt-quatre heures, j'ai écrit une lettre à Djemal Pacha par l'intermédiaire du *vali* Bekir Sami Bey. Je ne sais pas s'il l'a reçue. Je vous embrasse encore. Priez. J'ai joint mon testament à cette lettre. Ne soyez pas émues.

Krikor

---

1. Il venait d'être nommé ministre des Affaires étrangères. Durant la révolution de 1908, il s'était réfugié dans la maison de Krikor et lui devait la vie.

Posément, il glissa les deux feuillets dans l'enveloppe sur laquelle il inscrivit ensuite : « Mme Clara Zohrab, boulevard Ayaz Pacha 77, Constantinople. »

Il retourna vers la porte et remit le pli à l'homme en civil.

— Je vous confie cette lettre. Elle contient mes dernières volontés. Me donnez-vous votre parole qu'elle sera remise à mon épouse ?

Çerkez Ahmed s'inclina.

— Vous avez ma parole.

— Dans ce cas, allons-y !

Ni Krikor ni Vartkès n'auraient pu savoir que Çerkez Ahmed appartenait à la *teşkilât mahsusa*, l'Organisation spéciale.

Urfa, au même moment

L'aube s'était levée sur le camp dressé aux abords de la ville, à mi-chemin de la route qui va de Diarbékir à Alep, dernière étape avant les grandes plaines désertiques syriennes.

À quelques mètres de là, on pouvait voir le *gümrük hani*, le caravansérail des douanes, où des vieux, assis sur de petits tabourets, le crâne recouvert d'un foulard mauve, jouaient aux dominos. De temps à autre, ils jetaient un coup d'œil distrait en direction du camp où s'entassaient jour après jour ces étranges individus venus d'ailleurs qui avaient dû ressembler à des humains. Mais c'était tout. Ce spectacle ne surprenait plus personne. Voilà quelque temps que, sur la grande plaine, les caravanes de toutes sortes faisaient halte, comme si des djinns malfaisants avaient décidé d'y déverser les reliquats d'un empire moribond. Alors, un convoi de plus, un de moins…

En revanche, cette indifférence n'était partagée ni par Francis Leslie, le vice-consul américain, ni par Karen Jeppe, la missionnaire danoise qui avait consacré ces douze dernières années à soulager la misère des minorités chrétiennes.

Elle éteignit sa cigarette d'un geste rageur et demanda au diplomate :

— Vous m'en offrirez bien une autre ?

Francis Leslie secoua la tête avec réprobation.

— Vous ne trouvez pas que vous exagérez un tout petit peu, Miss Jeppe ?

— Si je vous disais qu'en ce moment je trouve dans une cigarette plus de réconfort que dans la lecture de ma Bible ?

— Venant de vous...

Il fouilla dans le tiroir de son bureau et en sortit une petite boîte métallique rectangulaire sur laquelle était peint en couleur : « Phénix. Nestor Gianaclis Ltd. »

— Tenez, je vous les offre. J'ai réussi par miracle à en faire venir d'Égypte.

— C'est adorable. Je ne vais pas faire la fine bouche. Vous êtes au courant, j'imagine... Un nouveau convoi est arrivé hier soir. Et ce ne sont là que des survivants ! Qui sait combien ils étaient au départ ! Il y a une semaine, mille cinq cents ouvriers ont été abattus à quelques kilomètres d'ici ; tous des Arméniens, bien entendu. Ces malheureux faisaient partie d'un *amele tabouri*, un de ces prétendus bataillons de travailleurs. Les Turcs ont encerclé le camp de Karaköprü, et les *tchétés* les ont ligotés, puis fusillés devant des fosses préalablement creusées.

— Comment l'avez-vous appris ?

— Par deux rescapés, les frères Sarkis et Daraghdjian, qui ont miraculeusement réussi à s'échapper et à revenir à Urfa. C'est moi-même qui les ai accueillis à la mission.

Elle cria, désespérée :

— Francis, nous devons faire quelque chose !

Le diplomate dodelina de la tête avec lassitude.

Il aurait tellement voulu répondre à la Danoise que le monde allait réagir, que les dirigeants turcs reviendraient à la raison, ne fût-ce que pour mettre un peu de baume au cœur de cette femme admirable qui, à trente-neuf ans, avait eu le courage de quitter du jour au lendemain sa petite ville de Gylling, sa famille, ses proches, pour venir ici, dans ce coin perdu d'Anatolie, servir la cause des déshérités.

Il ne put que répliquer :

— Monsieur Morgenthau se bat comme un lion à Constantinople. Malheureusement, il se heurte à des murs.

— Mais votre pays, l'Amérique…

— L'Amérique seule ne pourrait pas mettre fin à ce carnage. C'est le monde entier qui devrait être au chevet de l'Arménie. Les autorités turques se sentent d'autant plus à l'abri que la guerre s'éternise. Après avoir subi des défaites sur plusieurs fronts, l'armée turque – déjouant tous les pronostics – a remporté des succès impressionnants. Dans les Dardanelles, les détroits sont protégés ; en Mésopotamie, les Anglais ont été repoussés ; au Caucase, l'armée russe est contenue et elle a même dû abandonner Van.

— Vous voulez dire que les forces de la Triple Entente vont perdre la guerre ?

— Oh ! certainement pas. Mais l'affrontement risque de durer beaucoup plus longtemps que prévu.

— Pendant ce temps, un peuple se fait massacrer dans l'indifférence générale. Ce matin en me rendant ici, je suis tombée – vous n'allez pas le croire – sur un marché d'esclaves ! Les Turcs y vendent des enfants prélevés sur les convois. J'ai hurlé ma colère, j'ai invectivé les auteurs de ce souk improvisé, j'ai tenté de m'interposer. Ils ont failli me lyncher. Vous vous imaginez ? Des enfants ! Mis à l'encan comme des bêtes de somme ! Ne peut-on intervenir auprès de la Sublime Porte ?

— Miss Jeppe, la Sublime Porte n'a plus de sublime que son nom. Pour le gouvernement, il n'y a rien à discuter, les choses sont claires comme de l'eau de roche. Jour après jour, il nous ressasse le même refrain : « Les Arméniens sont des ingrats et des traîtres. En temps de guerre, les traîtres doivent être éradiqués. »

Karen tira une bouffée sur sa cigarette.

— En imaginant même que ce fût vrai ! Rien au monde ne justifie que l'on inflige un tel châtiment à tout un peuple ! Rien ! Où a-t-on vu que des enfants, des bébés, des femmes enceintes, des vieillards à peine capables de tenir sur leurs jambes représentaient un danger pour une nation ? L'Histoire jugera !

Leslie esquissa un sourire.

— Vous êtes bien optimiste, mon amie. L'Histoire ne juge que sous la pression. Si les enfants des victimes d'aujourd'hui ne maîtrisent pas les rouages qu'il faut, là où il faudra, l'Histoire restera muette ou alors elle chuchotera.

— Comme nous, impuissants, inutiles !

Le vice-consul protesta :

— Pas vous, Miss Jeppe ! En douze ans, vous avez accompli un travail considérable ! Considérable ! (Il enchaîna sur sa lancée :) Au fond, je n'ai jamais su ce qui vous a amenée à quitter le Danemark pour la Turquie. Un coup de tête ?

— Un homme.

— Un homme ?

— Non, ce n'est pas ce que vous croyez. Il s'appelait Benedictsen. Un intellectuel et un humaniste d'exception. J'ai eu l'occasion d'assister à une conférence qu'il donnait à Copenhague. C'était la première fois que j'entendais prononcer le mot « Arménie ». Il a décrit la situation dramatique dans laquelle cette communauté était plongée et les humiliations qu'elle subissait depuis des décennies. Benedictsen a conclu son discours en lançant un appel au secours. Je n'ai pas hésité. Au printemps de 1903, ayant appris qu'un pasteur allemand, le docteur Lepsius, cherchait un professeur pour l'une des écoles dont il avait la charge, j'ai proposé ma candidature, et voilà.

Elle s'arrêta un instant et son expression s'illumina.

— Vous allez sourire, mais j'aime cette région du monde. J'aime profondément ces gens. C'est en Orient que je me sens chez moi. Vous comprenez, n'est-ce pas ?

— Bien sûr. Sinon comment expliquer la rapidité avec laquelle vous avez appris à parler en quelques mois, non seulement l'arménien, mais aussi le turc et l'arabe ! Si vous voulez mon avis, Miss Jeppe, vous avez dû être orientale dans une autre vie.

Elle soupira.

— Allez savoir… (Tout en se levant, elle poursuivit :) Je vais aller inspecter le nouveau convoi. J'espère que les geôliers me laisseront passer.

— N'hésitez pas à faire appel à moi si vous rencontrez de la résistance ! Nous sommes impuissants, mais pas muets.

Au cours des cinq derniers jours, il y avait eu le vent chaud portant au loin cette voix de femme devenue folle : « Ma maison est en feu ! Éteignez-la ! Ma maison est en feu ! » Son œil de démente ne voyait que des flammes, ou alors l'épuisement lui faisait confondre le soleil et un incendie. Il y avait eu cette fille en proie aux douleurs de l'accouchement, qui grimaçait, couchée sur le sable, et priait Jude, Thaddée, Barthélemy et toutes les légions du ciel afin que l'enfant vomi par son ventre fût mort-né. Alors, les soldats s'étaient approchés d'elle. Ils l'avaient éventrée, avaient arraché l'enfant de ses entrailles, l'avaient découpé en deux avec un yatagan pour déclarer enfin : « Voilà, maintenant tu as des jumeaux ! »

Il y avait eu aussi ce vieillard qui réclamait un peu de nourriture et que l'on avait étouffé en lui bourrant la bouche de foin.

Comme si elle voyait encore tout cela, Chouchane fut arrachée à son sommeil et se mit à crier :

— Je vous en supplie, qu'on les fasse taire ! S'il vous plaît !

Soghomon l'attira doucement contre lui.

— Allons, Chouchane. Du calme. Tout ira bien. Du calme.

En lui caressant le front, il vit qu'elle avait le visage rouge et qu'elle était brûlante.

Il demanda à Aram :

— Donne-lui à boire. Je crois qu'elle est malade.

Le garçon présenta à sa sœur la boîte en fer-blanc qu'il avait trouvée en entrant dans le camp et qu'un soldat avait bien voulu remplir d'une eau fétide.

Autour du trio, les milliers de déportés formaient une masse disparate agglutinée sous les tentes ou des auvents de fortune.

Soudain, une voix retentit tout près d'eux. Celle d'une femme blonde, d'environ quarante ans. Ce qui frappait dans son visage, c'était le nez. Trop proéminent. Pourtant, cette disgrâce ne masquait en rien la bonté et la douceur qui émanaient de son être.

— C'est votre sœur ? questionna-t-elle en s'agenouillant près de Chouchane.

— C'est la mienne, répondit Aram.

— Mon nom est Karen Jeppe. Je travaille à la mission danoise.

Tout en parlant, elle palpait le pouls de la jeune fille.

— Avez-vous mal quelque part ?

— Oui, très mal. Surtout à la tête.

Un léger saignement était apparu à la base du nez.

Aussitôt, la missionnaire fouilla dans un sac et en sortit un sachet empli de boules de coton. Elle prit l'une d'entre elles et essuya le filet sanguinolent.

— Avez-vous vomi ?

— Hier soir. Oui. À plusieurs reprises. Un liquide noirâtre.

— Tirez la langue, je vous prie.

Chouchane s'exécuta. Sa langue était encore plus rouge que ses joues et desséchée.

La Danoise fouilla à nouveau dans son sac et récupéra un

autre sachet à moitié rempli d'une poudre blanche. Elle en préleva une pincée qu'elle dilua dans le fond d'eau qui restait.

— Tenez, dit-elle en glissant sa main sous la nuque de la jeune fille. Buvez ceci.

— Qu'est-ce que c'est ? questionna Soghomon.

— Un opiacé. Du laudanum. Cela l'apaisera et empêchera les diarrhées. En tout cas, elle ne peut pas rester ici, nous devons la transporter à la mission. Pour sa sécurité, mais aussi pour celle des autres. Elle est contagieuse.

— De quoi souffre-t-elle ? s'inquiéta Aram.

— De typhus. C'était à prévoir. Il n'est qu'à regarder dans quelles conditions vous vous trouvez !

— Le typhus ?

— C'est une infection qui se déclenche lorsque les conditions sanitaires sont mauvaises et que la population est très dense. Elle est transmise par des puces ou des poux.

— On peut en mourir ?

— Oui, malheureusement. Il faut que votre sœur boive beaucoup et de la bonne eau. Il faut surtout que nous l'installions dans un endroit sain. Je vais aller parler au responsable du camp. Et je reviendrai. Je vous le promets.

Tout en astiquant le percuteur de son Mauser, le *yarbay*, le sous-lieutenant, écouta courtoisement l'explication de la missionnaire. Quand elle eut fini, il prit le temps de replacer le revolver dans son étui avant de s'enquérir :

— Vous avez dit : « Épidémie » ?

— Parfaitement. Si cette jeune fille n'est pas placée en quarantaine, ce sont des centaines de personnes qui risquent d'être contaminées.

L'officier secoua la tête à plusieurs reprises, l'air faussement ennuyé.

— C'est embêtant, en effet. Et vous appelez ça le typhus ?

Elle confirma.

— Bon. Je vais en référer à qui de droit et nous vous tiendrons au courant de notre décision.

— Je crois, *effendi*, que vous n'avez pas très bien saisi la situation. Si nous n'isolons pas ce premier cas, l'épidémie s'étendra à tout le camp !

— *Bayan* [1] ! Pour qui me prenez-vous ? J'ai très bien compris, mais je ne peux rien décider. Je dois en référer…

— En référer, en référer ! Vous n'avez donc que ce mot à la bouche ! C'est bien vous, le responsable du camp ?

— Le responsable, c'est le maire.

— Mahmoud Bey ? Depuis quand le maire décide-t-il du sort de citoyens étrangers à sa commune ?

— C'est ainsi. C'est la loi.

La Danoise essaya de se maîtriser.

— Très bien. Alors, allons-y !

Le *yarbay* écarquilla les yeux.

— Où donc ?

— Chez le maire, évidemment !

— Là ? Maintenant ?

Karen poussa un cri de dépit et pivota sur les talons.

— Et puis flûte ! Je ne vois pas pourquoi j'ai besoin de vous !

Elle sortit de la tente comme une furie, enfourcha sa jument, un cadeau de la communauté des Arméniens d'Urfa, et fonça vers la mairie.

Lorsqu'elle entra dans le bureau de Mahmoud Bey, trois visiteurs s'y trouvaient déjà. Elle les écarta courtoisement, mais fermement.

— Il faut que je vous parle, c'est très urgent.

— Mais enfin, madame Jeppe ! Vous voyez bien que je suis occupé ! Les Danois n'ont donc jamais appris le savoir-vivre ?

_____
1. Madame.

— Nous vous attendions. Est-ce notre faute si vous vous êtes arrêtés à Vienne ?

— Ah ! J'apprécie votre humour, madame !

— Il se passe des choses graves, Mahmoud Bey. Nous avons un cas de typhus dans le camp.

— Le typhus ?

— Parfaitement. Or vous n'êtes pas sans savoir que c'est une maladie contagieuse et, vu les conditions sanitaires dans lesquelles vivent ces gens, la maladie peut se répandre comme une traînée de poudre. Ce sera une véritable hécatombe.

Le maire prit une profonde inspiration.

— Le malade est un Arménien, je présume ?

— Il s'agit d'une adolescente.

— Très bien. Que suggérez-vous ?

— Qu'on isole la jeune fille au plus vite.

— Pas question.

La réponse avait claqué. Nette. Sans hésitation.

— Pardon ?

— Il n'en est pas question, madame Jeppe. Je ne veux en aucun cas accorder à ces gens des mesures préférentielles. C'est ainsi. Maintenant, veuillez me laisser, je vous prie. Je suis occupé.

Karen crut s'étrangler.

— Des mesures préférentielles ? Préférentielles ?

— Madame…

— Une gosse va mourir !

— *Maktoub* ! Nous n'y pouvons rien.

— C'est monstrueux ! Comment pouvez-vous tenir pareil discours ? Les avez-vous vus, ces malheureux ? Une marée déshumanisée, transformée en bétail !

Elle martela :

— Je veux que l'on transfère cette fille à l'hôpital ! Je l'exige !

— Et moi, Miss Jeppe, je vous dis que si vous continuez d'insister, je vous ferai expulser comme j'ai fait expulser les représentants britanniques, français, et tous les autres ! Suis-je clair ?

Aussitôt, l'un des trois personnages présents s'écria :

— Mais quel sang coule dans vos veines ? Est-ce du sang ou de la fange ? De la fange ou du venin ? Je veux que l'on m'emmène immédiatement auprès de mon ami, le député Mahmoud Nédim ! Immédiatement ! D'ailleurs, n'est-ce point dans ce but que l'on nous a fait venir d'Alep, mon ami Vartkès et moi ? Attendez-vous à une réaction de la part de Nédim. Vous vous en souviendrez toute votre vie !

Un rictus déforma les lèvres du maire.

— Bien sûr, bien sûr, Zohrab *effendi*.

Il leva les yeux vers le troisième personnage.

— Si vous conduisiez ces messieurs chez le député ? Je pense qu'ils n'ont que trop perdu de temps ici.

L'homme acquiesça avec un large sourire et invita les deux Arméniens à le suivre.

— Madame, dit Krikor en s'arrêtant devant Miss Jeppe, n'ayez crainte. Je vais parler à Mahmoud. C'est un ami. Il fera le nécessaire. Pardonnez mon indiscrétion, mais j'ai besoin de lui fournir un nom. Le vôtre ?

— Miss Jeppe. Karen. Je suis missionnaire et enseignante. Tout le monde me connaît ici. Je compte sur vous, n'est-ce pas ? Monsieur… ?

— Krikor Zohrab.

Il présenta son compagnon :

— Et voici monsieur Séringulian.

— Ne vous inquiétez pas, madame, assura Vartkès. Nous allons faire le nécessaire.

— Je vous remercie tous les deux du fond du cœur.

— Ne nous remerciez pas, dit Krikor. Nous sommes en enfer. Et vous êtes certainement un ange.

23

Urfa, 22 mai

La boule du soleil commençait à peine à poindre au-dessus du camp que déjà les soldats s'activaient autour des tentes et des abris de fortune.

— *Ayakta !* Debout ! Nous partons ! Il est l'heure ! *Ayakta !*

— C'est impossible ! lança Aram aux militaires qui avaient fait irruption sous leur tente. Ma sœur est malade, elle est trop faible.

— *Ayakta !* Debout ! fut leur seule réponse.

— Mais puisqu'il vous dit qu'elle est malade, s'indigna Soghomon. Elle peut mourir !

— D'ailleurs, souligna Aram, nous attendons une dame, Miss Jeppe, qui a promis de revenir ce matin avec une autorisation du maire. Elle sera là d'une minute à l'autre.

En effet, après son entrevue avec le *belediye bakani*, la Danoise était retournée au chevet de Chouchane et lui avait apporté une outre emplie d'eau de source et un plat de riz. Faisant fi des larmes et des protestations de la jeune fille, elle lui avait rasé les cheveux, expliquant que c'était le seul moyen d'éliminer les nids de poux qui entretenaient un foyer infectieux. Avant de repartir, elle leur avait assuré qu'un homme du nom de Krikor Zohrab allait intercéder auprès du député d'Urfa pour qu'on autorise la malade à être transportée à l'hôpital.

Krikor Zohrab ! s'était exclamé Soghomon, incrédule. Ici ?

Et d'expliquer que l'homme était non seulement une grande personnalité politique et intellectuelle, mais qu'il avait fait partie des amis de son père.

— Mais alors, avait bredouillé Chouchane, si monsieur Zohrab est à Urfa, nous sommes sauvés. Lui avez-vous dit qui j'étais ? La petite-fille de Vahé Tomassian ? Il était aussi très lié à mon grand-père.

Miss Jeppe avait répliqué qu'elle ignorait tout des liens qui les unissaient. Mais que c'était sans grande importance. Krikor s'était engagé à intervenir. Elle attendait de ses nouvelles, d'une minute à l'autre.

Elle avait guetté tout l'après-midi, et toute la nuit.

À l'heure qu'il était, elle espérait encore.

— Plus vite ! aboya le soldat.

Et, comme ni Aram ni Soghomon ne réagissaient, il ordonna que l'on s'empare d'eux et qu'on les emmène vers l'une des charrettes prêtes à partir.

Témoins de la scène, il y avait une dizaine de femmes et quelques vieux, parmi lesquels Yesther, que son icône de saint Grégoire n'avait jamais quittée, et Gariné, la veuve originaire de Güllükoy. Pourtant, personne n'exprima la moindre protestation. Ce n'était pas de l'indifférence. Ils n'étaient plus vivants, même s'ils respiraient encore.

— Attendez-moi ! gémit Chouchane. Je viens aussi. Attendez...

Elle se redressa au prix d'efforts surhumains et se traîna plus qu'elle ne marcha sur les traces d'Aram et de Soghomon.

Un moment plus tard, le peuple d'exilés se remettait en branle.

— Où nous emmènent-ils, cette fois ? souffla Gariné.

Ce fut le charretier qui annonça :

— Deir-el-Zor.

— Deir-el-Zor ? s'étonna un quinquagénaire.

Il s'appelait Parsegh.

— C'est dans le désert, pas loin de l'Euphrate, à quatre cent cinquante kilomètres de Damas. Il y a un camp près d'Alep. C'est là que je dois vous conduire.

— Mais pourquoi là-bas ?

— Qu'en sais-je ? J'ai seulement entendu dire que c'était la destination finale. En tout cas, pour une partie d'entre vous.

— Une partie ? s'exclama Yesther.

— Certains devront continuer jusqu'à Mossoul.

Il baissa la voix pour enchaîner :

— Si vous voulez mon avis, cela fait partie du plan. Ils vont continuer à vous ballotter d'un camp à l'autre, d'une ville à l'autre jusqu'à ce que les milliers que vous êtes soient réduits à des centaines, et les centaines à une dizaine et la dizaine on la déplacera encore et encore jusqu'à ce qu'elle soit engloutie par les sables.

— Jamais ! Ils ne réussiront jamais à nous faire totalement disparaître. Jamais !

Le charretier fronça les sourcils et jeta un coup d'œil par-dessus son épaule.

— C'est toi qui viens de parler, petit ? demanda-t-il en fixant Aram.

Le garçon fit oui de la tête.

— Eh bien, soit tu es très courageux, soit tu es très fou. Ce qui revient au même.

C'est à ce moment que Chouchane fut secouée par une nouvelle crise de vomissements. Ses yeux roulèrent dans leur orbite et Aram se dit qu'elle allait mourir.

— Ils sont partis, annonça Francis Leslie. Le convoi a pris la route il y a environ deux heures.

— Les charognes ! pesta Karen. Les charognes !

Furibonde, elle se mit à arpenter le bureau du diplomate, de long en large.

— Pourtant, cet homme, ce monsieur Zohrab, il avait l'air vraiment sincère.

— Il l'était probablement. Quelque chose a dû se passer. Vous savez bien qu'en ce moment toutes les logiques sont inversées.

— Et cette fille... Vous imaginez les conséquences ? Elle risque de contaminer tout le convoi, si ce n'est déjà fait. Vous dites qu'ils sont partis il y a environ deux heures ?

— Absolument.

— Dans ce cas, il doit être encore possible de les rattraper !

Elle marcha vers la porte.

— Miss Jeppe ! Attendez ! À quoi bon ? Même si vous parveniez à les retrouver, les gendarmes ne vous laisseront jamais emmener cette jeune fille. Soyez raisonnable !

Il fut à deux doigts d'ajouter : « Elle est peut-être déjà morte ! »

— Je dois essayer !

Alors qu'elle dévalait les marches quatre à quatre, elle croisa le planton de service qui montait, haletant.

— Où allez-vous, *bayan* ?

Elle ne répondit pas.

— Ils encerclent le bâtiment !

Elle se retourna.

— De quoi parlez-vous ?

— Des *tchétés*. Ils interdisent à quiconque d'entrer ou de sortir. Même une souris ne pourrait pas franchir le barrage.

Elle blêmit.

— C'est impossible...

Elle reprit sa course jusqu'à la porte d'entrée.

Le planton disait vrai.

Pas même une souris..

Constantinople, ministère de l'Intérieur, 25 mai

L'air ennuyé, le fonctionnaire remit à Talaat Pacha la déclaration que venait de lui faire porter Morgenthau.

— Voici, Excellence. C'est arrivé il y a quelques minutes.

Département d'État
Washington, 23 mai 1915,
Ambassade américaine, Constantinople

Le ministère des Affaires étrangères demande que la note suivante soit remise au gouvernement turc :
Depuis environ un mois, les populations turques et kurdes de l'Arménie commettent, avec la tolérance et souvent avec l'appui des autorités ottomanes, des massacres parmi les Arméniens. De tels massacres ont eu lieu vers le milieu d'avril à Erzeroum, Terdjan, Eghine, Bitlis, Mouch, Sassoun, Zeïtoun et dans toute la Cilicie.
Les habitants d'environ cent villages des environs de Van ont été tous tués et le quartier arménien de Van a été assiégé par les Kurdes. En même temps, le gouvernement ottoman a sévi contre la population arménienne sans défense de Constantinople.
En face de ce nouveau crime de la Turquie contre l'humanité[1] et la civilisation, les gouvernements alliés portent publiquement à la connaissance de la Sublime Porte qu'ils tiendront personnellement responsables tous les membres du gouvernement turc, ainsi que ceux des fonctionnaires qui auront participé à ces massacres.
Le secrétaire d'État, William Jennings Bryan

Talaat retira ses lunettes et fixa l'ambassadeur d'Allemagne, le baron von Wangenheim :

---

1. Bien qu'évoquée, pour la première fois, le 11 décembre 1868, à Saint-Pétersbourg, lors d'une déclaration qui avait pour effet d'interdire l'usage de certains projectiles en temps de guerre, c'est la première fois que l'expression « crime contre l'humanité » est clairement affirmée.

— C'est insensé ! Vous avez entendu ? N'est-ce pas inju-
rieux ? De quoi se mêlent-ils ?

Le baron répondit par un haussement d'épaules.

— Écrivez, ordonna Talaat au fonctionnaire : « Monsieur
le secrétaire d'État, etc., etc. Sachez qu'il est complètement
faux qu'il y ait eu des massacres d'Arméniens dans l'Empire.
Si certains Arméniens ont dû être déplacés, c'est parce qu'ils
habitaient dans des localités sises dans les zones de guerre où
leur présence inspirait au gouvernement impérial de légitimes
inquiétudes du point de vue de la défense nationale.

« La Sublime Porte considère d'ailleurs de son devoir d'adop-
ter les mesures qu'elle juge nécessaires pour assurer la sûreté de
ses frontières terrestres et qu'elle n'a à en rendre compte à aucun
gouvernement étranger. Agréez, je vous prie, etc., etc. »

Il congédia le fonctionnaire et répéta :

— C'est insensé ! La Russie, la France, la Grande-Bretagne
et l'Amérique ne comprennent-elles pas qu'elles ne rendent
aucun service en sympathisant avec les Arméniens et en les
encourageant – car je sais l'influence que ce genre d'attitude
peut avoir sur un peuple aux tendances révolutionnaires.
Lorsque notre parti Union et Progrès s'attaqua à Abdül-
Hamîd, tout l'appui moral nous vint du dehors, et il fut en
vérité une des grandes causes de notre succès. C'est ce qui
pourrait arriver dans le cas des Arméniens. S'ils n'étaient pas
soutenus par les pays étrangers, ils abandonneraient vite leur
opposition au gouvernement actuel et deviendraient des
citoyens soumis et fidèles.

Le baron approuva, mais sans grand enthousiasme. Depuis
quelque temps, il n'était plus le même homme. On le sentait
abattu. Talaat avait dû s'en rendre compte, car il s'enquit :

— Vous ne semblez pas très en forme en ce moment,
n'est-ce pas ?

— Vous êtes un fin observateur, Votre Excellence. Oui.
C'est exact. Je suis malade. Extrêmement affaibli. J'ai
demandé à rentrer en Allemagne. Mon successeur, le prince

Hohenlohe Langenburg, a été nommé pour me remplacer. C'est une affaire de semaines.

— Je vois. Maintenant, je m'explique mieux votre attitude de ces derniers jours.

— Mon attitude ?

— Vous avez bien fait parvenir au grand vizir une lettre de protestation dans laquelle vous critiquez ouvertement notre manière d'agir vis-à-vis des Arméniens ?

Un sourire las anima les lèvres de l'ambassadeur.

— Ah ! C'est donc cela. Pourtant je pensais que vous aviez perçu le sens caché de ma démarche. J'ai effectivement rédigé ce courrier. Le but véritable était de donner à la communication allemande un caractère officiel. Question de faire bonne figure à l'égard de l'Europe. Sachez que le jour même, je déclarais à monsieur Morgenthau qu'il était évident que les peuples arménien et turc ne pouvaient vivre ensemble dans le même pays. Je lui ai même suggéré que les Américains en prennent un certain nombre chez eux, tandis que nous en enverrions en Pologne et les remplacerions par des Juifs polonais, à condition, bien entendu, que ces derniers promettent d'abandonner leurs plans sionistes.

— Vous me voyez soulagé, mon ami.

Talaat médita un court instant et conclut :

— De toute façon, dites-vous bien qu'à la fin de la guerre la question arménienne ne se posera plus.

Désert syrien, Sabkha, 27 mai

Ils cheminaient, le visage incliné vers le sable. Ils cheminaient et leurs lèvres remuaient en silence. On eût pu croire qu'ils priaient.

L'épuisement, la faim faisaient corps avec eux. Jusqu'à quand ?

Voilà un moment que le soleil jetait ses feux sur les cadavres qui descendaient l'Euphrate au point de gêner le fonctionnement des moulins à eau. Les corps qui s'étaient échoués sur les berges avaient été dévorés par les charognards, les hyènes ; ceux qui avaient été retenus par des bancs de sable, au milieu des flots, étaient la proie des vautours.

Aram versa entre les lèvres de sa sœur les dernières gouttes d'eau que contenait l'outre apportée par la Danoise.

« Il faut qu'elle boive beaucoup, avait-elle recommandé, et de la bonne eau. »

Aram apostropha le charretier :

— Ton Dieu n'est-Il pas miséricordieux ?

— Quelle question ! Il l'est, bien entendu. Mais pas avec les *giaours* ! Allah n'aime pas les infidèles.

— Nous ne sommes pas des infidèles. Je t'en prie. Peux-tu me donner à boire ? C'est pour ma sœur. Sinon elle mourra.

Le charretier jeta un regard inquiet autour de lui.

— Et moi je mourrai avec elle. Si les *zabtiehs* me surprennent en train de faire une chose pareille, ils me tueront !

— Sois charitable, supplia Parsegh, le quinquagénaire. Tu vois bien que la fille est au plus mal.

— Je ne peux pas.

— Je t'en supplie, insista Aram.

— Allah te le rendra, surenchérit Soghomon.

Le charretier hésita. On sentait qu'il livrait bataille. Finalement, il fit passer une petite bonbonne recouverte d'osier.

— Faites vite, adjura-t-il. Vite…

Quand Chouchane eut fini de boire apparurent les premières maisonnettes de Sabkha, cubes crépis de torchis alignés au pied des dunes et une zone marécageuse, vers le sud, qui formait une tache nauséabonde. Plus loin coulait l'Euphrate.

— Ça pue, grommela le charretier.

— Ce sont les marécages, observa Parsegh.

Le charretier secoua la tête.

— Non... Ce sont eux.

Il désigna un point à quelques mètres. Deux cadavres étaient étendus sur la route, les viscères à l'air. Il les évita, passant néanmoins suffisamment près pour que l'on pût apercevoir leurs visages.

Les occupants se détournèrent, mais pas Soghomon, qui se pencha pour mieux les scruter. Curieusement, si les corps avaient subi de profondes mutilations, les faces, elles, avaient été relativement épargnées.

Au moment où ils les dépassaient, le jeune homme eut un mouvement de recul, manquant de tomber sur Yesther.

— Que t'arrive-t-il ? s'inquiéta la femme.

Soghomon cherchait ses mots, hébété.

— Ça ne va pas ? s'alarma Aram à son tour.

— L'un des deux cadavres était celui de Zohrab.

— Zohrab ! Krikor ?

— Oui. Et l'autre, celui de Vartkès.

— Tu en es sûr ?

— Je les ai reconnus. On a dû les abattre il y a peu.

— La missionnaire danoise nous a pourtant affirmé que Krikor devait se rendre chez le député pour plaider notre cause !

— Apparemment, ils ont tous été leurrés. Elle, Zohrab et Vartkès.

— Monsieur Zohrab, mort...

— Et, bientôt, ce sera notre tour, haleta Yesther qui avait tout entendu.

— Ne dis pas de bêtises ! protesta Aram. Nous survivrons. Tous ! Nous survivrons. Tu m'entends ? Sinon, dis-moi, qui témoignera ? Il ne faut...

La charrette s'était arrêtée dans un épouvantable craquement.

— Que se passe-t-il ?

Le charretier montra deux cavaliers qui faisaient de grands signes.

Yesther sortit son icône de saint Grégoire et la serra contre son cœur.

— Tout va recommencer… gémit-elle. Les *tchétés* vont arriver…

L'un des cavaliers galopa jusqu'à eux.

— Toi et toi ! dit-il en désignant tour à tour Soghomon et Parsegh. Descendez ! Suivez-nous !

— Mais… mais pourquoi ? Qu'avons-nous fait ?

— Ordre du *yüzbaşi* ! Hommes et femmes doivent se séparer.

Soghomon se dressa.

— Dites-nous au moins pour quelle raison ?

— Je viens de te répondre ! Ordre du capitaine ! Allez ! Ne perdons pas de temps !

Aram se leva à son tour.

— Je.. je dois rester auprès de ma sœur, elle est très malade.

— Es-tu stupide ? J'ai parlé des hommes. Pas des enfants ! *Haydi !* Allez, bougez-vous !

Chouchane se souleva légèrement.

— Non… non.. Il ne faut pas… Soghomon !

— N'aie pas peur, *siréliss*, nous nous reverrons.

Il déposa hâtivement un baiser sur le front de la jeune fille et sauta à terre.

— Nous nous reverrons, répéta-t-il.

Mais cette fois à l'intention d'Aram.

Chouchane refoula un sanglot et, dans le même temps, son cœur fut envahi par un sentiment indicible qui ressemblait étrangement à de la joie. Ne l'avait-il pas appelée *siréliss*, « ma chérie » ? C'était la première fois qu'un homme l'appelait ainsi. C'était troublant, et terrifiant, car cet homme allait mourir.

24

28 mai 1915, Deir-el-Zor

Dans la périphérie de la ville, au-dessus du camp, montait une odeur pestilentielle de vomi, d'excréments et de cadavres en décomposition. Au loin, à une centaine de mètres se détachait la silhouette d'un caravansérail à l'abandon, avec sa galerie couverte et ses corps de bâtiments.

Debout sur un monticule, Nechad Bey, délégué régional de l'*Ittihad*, et Eyoub Sabri, responsable de la Direction générale des déportés, observaient d'un œil morne ces milliers d'individus, rassemblés sur le sable brûlant, vagues de rescapés en sursis, jetés sur la grève.

— La situation devient très compliquée à contrôler, nota Sabri. Le matin, nous en déportons cinq mille vers la Mésopotamie, le soir il nous en arrive dix mille.

— D'après mes calculs, commenta Nechad, si l'on ajoute le nouveau convoi arrivé ce matin d'Erzeroum, nous avons atteint le nombre de trois cent mille.

— Trois cent mille ici, à Deir-el-Zor ! Tu oublies les cent trente mille qui sont à Damas, Hama et Homs. Les vingt mille de Ras-el-Aïn. Et les sept mille d'Alep. Hier, quelqu'un a mentionné qu'ils étaient un peu plus de huit cent cinquante mille à converger vers la Syrie. Et, ce qui n'arrange rien, la Porte exige que le nombre de déportés présents dans le camp ne dépasse pas dix pour cent de la population de la ville de

Deir-el-Zor. Ce qui signifie que nous devrions éliminer deux cent quatre-vingt-dix-sept mille personnes sur les trois cent mille…

— Eh bien, nous le ferons, conclut Nechad sans état d'âme. Il suffira d'accélérer le déplacement vers Mossoul et Kirkouk. Une fois qu'ils seront hors de Syrie, ce ne sera plus notre problème. Ce qui ne nous empêche pas de continuer à nous débarrasser des petits groupes selon les méthodes habituelles.

— Nous devrons quand même en parler avec Djemal Pacha. Après tout, il est, comme tu le sais, seul maître à bord en Syrie, au Liban et en Palestine.

— Bien entendu… Encore que je l'entends déjà se plaindre qu'on le prive d'une main-d'œuvre qui lui est utile pour la construction de la voie ferrée Constantinople-Bagdad.

Il fit signe à son collègue de le suivre.

— Viens ! La route est longue jusqu'à Alep.

Le visage de Chouchane avait retrouvé un peu de couleur et ses prunelles, un peu de lumière. Elle interrogea son frère.

— Quel jour sommes-nous ?

— Je n'en ai aucune idée.

— Le 27 du mois de mai, dit Yesther.

— Non. Le 28, rectifia Gariné.

— Tu en es sûre ?

— Certaine. Je tiens le compte de chaque heure. Aujourd'hui, cela fait exactement vingt-deux jours et six heures.

— Alors, annonça Chouchane avec un léger sourire, mon frère a vieilli d'un an.

Elle prit la main d'Aram et déposa un baiser dans sa paume.

— Joyeux anniversaire

— Aujourd'hui ?

— Tu as entendu Gariné. Nous sommes le 28 mai.

— Quel âge a-t-il ? questionna Yesther.

— Treize ans ! Un petit homme.

Le garçon hocha la tête. Avait-il vraiment treize ans ? Il repensa aux derniers jours, aux visions enchevêtrées dans sa mémoire. Tout au long de la route qui les avait menés jusqu'ici, ils avaient pu voir les autres camps, échelonnés le long de l'Euphrate, prolongé comme une bande de terre glaise jaunâtre. Sans arbre, sans point d'eau. Ces squelettes, ces sépultures de misère.

Les Bédouins qui, depuis des semaines, observaient ce spectacle se demandaient s'il n'annonçait pas la fin du monde. De temps à autre, certains d'entre eux, pris de compassion, s'approchaient du camp et offraient aux enfants quelques dattes ou de l'eau. D'autres, moins nobles, se proposaient d'acheter des jeunes filles. Et les gendarmes vendaient au plus offrant.

En arrivant à Deir-el-Zor, le charretier avait laissé tomber d'une voix triste : « Et maintenant, priez. Priez votre Dieu et rappelez-lui où vous êtes, parce qu'il ne semble pas être au courant. »

Aram scruta le décor et trembla.

Venus des plaines de Cilicie, d'Anatolie, tous ces gens en haillons, affamés, desséchés par la soif, étaient là, parqués comme des animaux, prostrés, s'interrogeant sans doute sur l'heure prochaine de leur mort.

— Crois-tu que Soghomon soit encore vivant ? questionna Chouchane.

— Oui.

— Comment peux-tu en être aussi sûr ?

— Parce que je le sais. Je le sens.

Une fois encore, la jeune fille fut frappée par le changement qui s'était accompli dans l'âme de son frère, comme si, sous la chrysalide de la souffrance et du deuil, avait mûri un autre être.

Djemal Pacha inspira une longue bouffée qui fit danser sur les braises incandescentes du narguilé une langue de feu. Savourant son plaisir, il ferma les paupières avant de répliquer :

— Si vous voulez mon avis, je trouve que ce serait regrettable. Éliminer systématiquement ces gens en faisant abstraction des services qu'ils pourraient nous rendre ? Quel gâchis ! Pourquoi ne profiterions-nous pas de la force de travail des rescapés avant de les liquider ? La voie ferrée Constantinople-Bagdad n'est pas achevée.

Eyoub Sabri et Nechad Bey échangèrent un regard en coin. Ils avaient prévu la remarque et, ainsi qu'ils l'avaient pressenti, le ministre allait essayer de tergiverser ; ce n'était pas la première fois. Il y a quelque temps, les cent trente mille Arméniens de la ligne Hama-Homs-Damas-Jérusalem, qui étaient directement sous son autorité, n'avaient pas été exterminés comme il eût fallu. Et, tout récemment, Djemal avait mis en place une commission spéciale chargée d'organiser le transfert et l'installation de vingt mille à trente mille déportés arméniens, qui étaient en train de mourir de soif et de faim dans le Hauran, vers Beyrouth et Jaffa. Dans quel but ? Afin qu'ils puissent développer une activité artisanale et gagner leur vie ! On nageait en pleine insoumission.

Nechad essaya de maîtriser son agacement.

— Alors ? Que suggérez-vous, Excellence ? Vous connaissez les ordres de Constantinople.

Il répéta ce qu'il avait dit à son collègue une heure plus tôt :

— La Porte exige que le nombre de déportés présents dans le camp ne dépasse pas dix pour cent de la population de la ville de Deir-el-Zor. Or nous avons atteint le seuil de trois cent mille individus.

Djemal médita quelques instants.

— Tant pis. Puisque nous n'avons pas le choix, déplacez-les. Qu'ils marchent vers la Mésopotamie. Mais pas tous. Laissez-moi les plus robustes. J'ai absolument besoin de main-d'œuvre pour finir le tronçon Alep-Mossoul. À ce propos ! J'ai été informé que des étrangers prenaient des photos. Arrangez-vous pour récupérer les appareils et les clichés. Compris ?

Nechad et Sabri acquiescèrent.

Une fois les deux hommes partis, le ministre aspira une nouvelle bouffée de tabac et fixa le mur en face de lui d'un air songeur.

Comment cette affaire allait-elle se terminer ? Son projet secret aboutirait-il ainsi qu'il l'espérait ? Voilà cinq mois qu'il guettait une décision des forces de l'Entente. Depuis décembre 1915, à l'insu de tous, Djemal s'était lancé dans l'élaboration d'un plan associant Anglais, Français et Russes, qui permettrait de déstabiliser l'Empire de l'intérieur.

Parmi les points abordés, il y avait un projet d'expédition militaire qui aurait pour but de jeter à terre le régime jeune-turc, en échange du maintien de l'intégrité territoriale de la Turquie d'Asie. Une des clauses de l'accord envisagé concernait le sort des déportés qu'il se proposait de sauver en subvenant à leurs besoins jusqu'à la fin de la guerre.

Bien évidemment, le ministre n'était inspiré ni par un sentiment de justice ni par un souci de paix. Ce qu'il espérait était plus prosaïque : obtenir l'assurance de se voir proclamer sultan avec un droit d'hérédité pour sa famille. Peu de chose. À cette heure, hélas, le rêve de Djemal semblait bien compromis. Peu importe ! Concernant la prétendue protection des déportés, il continuerait de remplir sa part du contrat. Plus tard, si les choses venaient à mal tourner, il serait toujours en mesure d'affirmer qu'il avait fait de son mieux.

Deir-el-Zor, le lendemain, 29 mai 1915

Chouchane avait dormi comme une noyée privée de sens. Lorsqu'elle ouvrit les yeux, la première chose qu'elle vit, ce fut son frère, assis près d'elle, qui la contemplait.

— Que fais-tu là ?

— Tu le vois bien. Je veille.

— Sur moi ? Tu veux dire que tu n'as pas dormi de la nuit ?

Il fit non de la tête.

— Tu es fou ! Je me sens beaucoup mieux, tu sais.

— Oui… Je sais.

Elle le dévisagea avec tendresse

— Dire qu'un jour j'ai voulu être roi… ! Et aujourd'hui, Tigrane, c'est toi.

Elle se blottit contre lui.

— J'ai peur, Aram.

— Il ne faut pas.

— Tu sais, un jour, papa m'a dit ces mots : « Le jour où tu sentiras la peur te gagner, quand tu seras face à l'araignée aux crocs de chacal, souviens-toi qu'il te faudra puiser dans mon sang et celui de ton grand-père la force d'affronter tes ennemis. N'oublie pas, Chouchane *djian*. Tu seras invincible… » Aujourd'hui, je te les transmets, car je sais qu'ils t'étaient destinés.

Aram hocha la tête. Il sortit de sa poche la pierre noire d'Hovanès et la présenta dans le rai de soleil qui filtrait à travers la toile de la tente.

— Regarde comme elle brille et comme elle est noire. Elle est à l'image de notre peuple. Lumière et ténèbres. Lisse et rugueuse. N'aie pas peur. Ce genre de pierre ne se brise pas.

Une silhouette se profila à l'entrée de la tente.

— Tous dehors ! Il est l'heure !

— L'heure de quoi ? balbutia Yesther.

— Dehors !

Aram aida sa sœur à se relever et ils franchirent ensemble le seuil de la tente.

— Tu te souviens des propos du charretier ? murmura le garçon. Il avait dit : « Ils vont continuer à vous ballotter d'un camp à l'autre, d'une ville à l'autre... »

L'un des *zabtiehs*, qui avait entendu, se mit à ricaner.

— T'inquiète pas, petit. Cette fois vous n'irez pas très loin.

— Cela dépend, ironisa un autre gendarme.

Et tous d'éclater de rire.

Gariné et Yesther étaient sorties à leur tour.

Ils virent tout de suite que le camp était en pleine ébullition. On avait harnaché les bêtes, des groupes formés d'une centaine d'individus se dirigeaient vers les charrettes et les calèches d'un pas de somnambule.

Une dizaine de Bédouins les observaient dans un silence médusé.

Gariné rappela :

— Le charretier avait pourtant assuré que Deir-el-Zor serait la fin du voyage.

— Et il avait bien raison, *madam*, rétorqua un gendarme.

L'homme s'était exprimé sur un ton énigmatique qui n'échappa pas à Aram. Entourés par les gardes, d'autres groupes étaient venus progressivement se mêler à eux. Ils étaient maintenant presque un millier.

— Avancez ! Avancez !

À un kilomètre de là se profilait le caravansérail abandonné qu'ils avaient aperçu en arrivant.

Yesther suggéra :

— On dirait que c'est là-bas qu'on veut nous emmener.

— Exactement, confirma un *zabtieh*. Vous avez vu juste, *madam*.

— Mais pourquoi ?

— Parce que vous y serez plus à l'aise que sous les tentes. Il y a aussi un puits, qui vous permettra de vous laver.

Autour d'eux, les Bédouins les suivaient à distance.

On avait ouvert en grand les deux battants qui composaient la monumentale porte en bois de chêne. Lentement, les déportés franchirent le seuil et se retrouvèrent dans la cour centrale, entourée de galeries superposées sur deux étages.

— Effectivement, commenta une voix, nous serons beaucoup mieux ici.

— C'est quand même étrange, dit Gariné. Pourquoi cette soudaine générosité ?

— Regardez ! s'exclama Yesther.

Des cavaliers *tchétés*, invisibles jusque-là, venaient de prendre position devant l'entrée du caravansérail.

— Mais… que font les gendarmes ? Pourquoi referment-ils la porte ?

Dans un grincement assourdissant, les deux battants pivotaient sur leurs gonds. Instinctivement, Aram saisit la main de Chouchane et l'attira contre lui.

— Qu'as-tu ? s'inquiéta-t-elle, en découvrant l'extraordinaire pâleur qui couvrait le visage de son frère.

Il ne répondit pas. Son regard était rivé sur la grande porte close.

— Viens, dit-il doucement, en reculant. Éloignons-nous…

— Où veux-tu aller ?

Il montra le second étage et les chambres qui, à l'origine, étaient réservées aux marchands.

— Là-haut… Suis-moi.

Ils n'avaient pas fait deux pas que quelqu'un poussa un cri d'horreur.

— Non !

Des *tchétés* étaient apparus à l'étage indiqué par Aram, tout le long des galeries qui surplombaient la cour.

Les premiers coups de feu éclatèrent.

Une pluie de métal commença à s'abattre sur le millier d'hommes, d'enfants et de femmes.

L'effroi d'Aram et de Chouchane écrasait leurs entrailles, leur glaçait le sang et suspendait leur souffle.

Hurlements, course éperdue, inutile. Ils tombaient les uns après les autres, s'écroulaient comme des pantins fracassés. Le monde subitement était en feu. L'était-il ? Les rayons du soleil s'engouffraient dans les béances. Rouges étaient les murs, rouges les écuries, rouge le ciel, et les flammes jaillissaient comme si elles étaient renvoyées par de gigantesques miroirs suspendus au cœur d'un brasier.

Mais il n'y avait pas de feu.

Les malheureux qui tentaient d'échapper aux tirs des *tchétés* mouraient piétinés. Ceux qui les piétinaient mouraient pareillement.

La balle qui frappa Chouchane fit comme une rose pourpre au milieu de sa poitrine.

La jeune fille s'écroula dans les bras de son frère.

La dernière image qui traversa ses yeux fut celle de son père penché sur elle.

— CHOUCHANE !!!

Le cri d'Aram s'éleva jusqu'aux portes du ciel.

Mais là-haut, personne n'y prêta attention.

Dieu était devenu fou.

TROISIÈME PARTIE

QUATRE ANS PLUS TARD

25

Constantinople, enceinte du Parlement turc, 5 juillet 1919

Le président de la cour martiale, le général Mahmud Hayret, s'arrêta de lire l'acte d'accusation, leva les yeux vers les ventilateurs qui tournaient au plafond et se demanda quelle pouvait bien être leur utilité puisqu'ils ne brassaient que de l'air tiède.

Puis, sous le regard anxieux de l'avocat général et de ses assistants, il conclut :

— Étant donné qu'il est acquis que les crimes évoqués tout au long du procès furent perpétrés de façon parfaitement organisée, avec l'attaque et la destruction de convois de déportés, tant dans la capitale que dans les provinces, qu'il y a eu volonté d'extermination d'un peuple entier constituant une communauté distincte, étant donné que les faits jugés ne furent ni des incidents isolés ni circonscrits à certaines localités, que les déportations n'ont été dictées ni par nécessité militaire ni par mesure disciplinaire, qu'elles furent conçues et décidées par le comité Union et Progrès, que les conséquences tragiques en ont été ressenties dans presque chaque région de l'Empire ottoman, et enfin que le tribunal s'est appuyé sur des documents authentifiés, nous déclarons :

Les accusés suivants jugés *in absentia* coupables :

— Talaat, ministre de l'Intérieur en 1915, grand vizir, de 1917 à 1918, condamné à mort par contumace.

— Enver, ministre de la Guerre, condamné à mort par contumace.

— Djemal Pacha, ministre de la Marine, condamné à mort par contumace.

— Docteur Baheddine Chakir, membre du Comité central du parti, président de l'Organisation spéciale, condamné à mort par contumace.

— Docteur Nâzim Bey, membre du Comité central du parti, ministre de l'Éducation, membre de l'Organisation spéciale, condamné à mort par contumace.

— Cavid Bey, ministre des Finances, condamné à quinze ans d'exil.

— Musa Kâzim, Cheikh el Islam, condamné à quinze ans de travaux forcés.

— Hussein Hachim Bey, ministre des PTT de 1917 à 1918, acquitté.

— Rifaat Bey, président du Sénat, acquitté...

Pendant plusieurs minutes encore il continua d'énumérer les condamnations. Quand il eut fini, il remit l'acte au greffier et repoussa son fauteuil.

— Messieurs, la Cour se retire.

Le colonel et les trois généraux qui avaient siégé se levèrent à leur tour.

Il était temps, songea Hayret. Dix minutes de plus, et il serait mort déshydraté.

De son côté, l'avocat général, Mehmet Azmi, récupéra ses dossiers, remercia chaleureusement ses assistants et marcha vers deux personnages assis au fond de la salle. Le premier, Haig Sarafian, était un ancien député arménien, miraculé des rafles ; l'autre s'appelait Yorghos Efkalidès, ancien député lui aussi, mais grec.

— Alors ? Êtes-vous satisfaits ?

Les deux hommes approuvèrent d'un mouvement de la tête, mais sans grand enthousiasme.

— On ne dirait pas, nota l'avocat en plissant le front.

— Maître, vous savez ce que nous pensons de ce procès, commença Efkalidès. Il...

L'avocat le coupa.

— Parlons-en, mais pas ici. Je meurs de soif. Venez.

Les deux députés lui emboîtèrent le pas.

Paradoxalement, la température était plus clémente à l'extérieur.

Comme à l'accoutumée, le *Cennet*, le café qui jouxtait le bâtiment du Parlement, grouillait de monde. Joueurs de *tavla*, de dominos, fumeurs de narguilé, serveurs, drapés dans des senteurs de café... S'il n'y avait eu la présence menaçante d'une cinquantaine de navires de guerre anglais, français et russes qui montaient la garde dans les eaux du Bosphore et les soldats alliés qui évoluaient en toute impunité dans les rues de la capitale, on eût juré que, depuis son entrée en guerre, cinq ans auparavant, rien n'était venu troubler l'existence de la Turquie.

Et pourtant... Si la Turquie respirait encore, son empire était mort. Sur le front occidental, en Palestine, en Irak, dans les Balkans, la guerre avait été irrémédiablement perdue. Même Aqaba, petite ville portuaire de la mer Rouge, était tombée sous l'attaque surprise de tribus arabes, unies pour l'occasion et conduites par un jeune officier anglais du nom de Thomas Lawrence.

Le 30 octobre 1918, les nouveaux représentants de la Sublime Porte réunis à bord d'un cuirassé britannique en rade de Moudros s'étaient vus contraints de signer une convention aux clauses impitoyables : la France et le Royaume-Uni se partageaient les provinces du Proche-Orient (Syrie, Irak, Liban Palestine, Jordanie, les côtes de l'actuelle Arabie saoudite et le Yémen). La Thrace et les côtes égéennes étaient attribuées à la Grèce. Quant au reste de l'Empire, il était divisé désormais en « zones d'influence » italienne, française et anglaise. C'en était fini des rêves de turquification des *Ittihadistes*.

— Trois limonades, commanda l'avocat général au serveur, bien glacées.

Il se tourna vers le député grec et enchaîna :

— Alors, si vous m'expliquiez la raison de votre mécontentement ? Encore que je la devine.

Yorghos Efkalidès allait répondre, mais l'Arménien le prit de vitesse :

— Écoutez, Mehmet, nous n'allons pas nous voiler la face. Il y a eu jugement et condamnation. Mais où sont les principaux responsables ? Aucun d'entre eux n'était dans le box des accusés. Ni Talaat, ni Enver, ni Djemal, ni le docteur Chakir, pas un seul ! Où se sont-ils terrés ?

— Haig a raison, approuva le député grec. Et nous connaissons bien ceux qui ont favorisé leur fuite ! Ils leur ont même laissé le temps de détruire toutes les archives. Ce n'est un secret pour personne que le docteur Nâzim et le chef de la Sécurité, Hussein Azmi, ont fait disparaître tous les documents compromettants du siège central de l'*Ittihad*. Ils se sont ensuite rendus aux archives des ministères de la Guerre et de l'Intérieur pour brûler les pièces qui pourraient les incriminer. Télégrammes, lettres, décrets, tout ! Quant à Talaat, Djemal et Enver, avant de fuir à bord d'un bateau allemand, ils ont eu tout loisir de déposer leurs documents personnels chez des amis sûrs qui – bien entendu – se sont hâtés de les faire disparaître. Vous voyez… l'impunité absolue ! Et je n'invente rien, puisque la presse turque a commenté l'événement.

L'avocat but une lampée de limonade et soupira.

— Je sais. L'indignation de l'opinion publique a même obligé le cabinet Izzet Pacha qui a couvert leur fuite à démissionner. Néanmoins, essayez de faire preuve d'un peu d'objectivité. S'il est vrai que ces criminels sont en fuite, il n'en demeure pas moins qu'il y a eu procès, des cours martiales ont été organisées, on a institué des commissions d'enquête pour l'instruction et le jugement des massacres des Arméniens, pour l'exil imposé aux Grecs et pour la recherche des responsabilités de l'entrée en guerre de la Turquie. Le pays a reconnu l'existence de l'horreur. Il ne peut plus la nier. On a divisé les provinces de l'Empire en dix régions, pour chacune d'elles furent désignés des procureurs, des juges d'instruction, des juges et des secrétaires de tribunal… Ce n'est pas négligeable ! Aujourd'hui, plus personne ne peut ignorer ce qui s'est passé. Un million d'Arméniens victimes de ces bourreaux existent désormais à la face du monde. Vous comprenez ? Et puis, vous oubliez l'essentiel.

Il finit de boire son verre de limonade et fixa Sarafian.

— Une République d'Arménie existe. Depuis mai 1918, elle a proclamé son indépendance et elle s'est dotée d'une capitale : Erevan ! N'est-ce pas extraordinaire ?

Les deux hommes acquiescèrent mollement.

— Oui. Bien sûr, admit Sarafian. Mais cette République est une anomalie politique. Résistera-t-elle ? Deux tiers de son territoire sont sous occupation ennemie, près de la moitié de sa population est constituée de réfugiés. Nous n'avons conservé qu'une minuscule parcelle de notre Arménie d'antan et, à ce jour, notre indépendance n'a été reconnue par aucun État et ne possède aucune des conditions nécessaires au maintien et au développement d'une nation digne de ce nom. Ensuite, n'oublions pas que les Turcs n'ont pas tous rendu les armes. Il y a ce général, Mustapha Kemal, qui est entré en dissidence et qui a refusé en vrac les accords signés à Moudros. Pour lui, la lutte continue. Alors, notre République…

— Patience, mon ami, tempéra l'avocat général. Il faut un temps pour tout ! Patience !

— Dis-moi, questionna soudain le député grec, en s'adressant à son collègue, est-il vrai que l'un de tes anciens camarades du Dachnak a été nommé ambassadeur de la nouvelle république ? Il s'appelle Arven, je crois…

— Non. Armen. Armen Garo. C'est exact.

— Armen Garo ! s'exclama Azmi. N'est-ce pas cet homme qui, en 1896, s'était fait connaître par un coup d'éclat en prenant en otages des employés de la Banque ottomane ?

— C'est bien lui.

— Quel parcours !

— Bien âpre. Engagé dans l'armée tsariste, il a été l'un des premiers Arméniens à entrer dans Van le jour où la ville fut libérée par les Russes. Un moment de liesse, qui fut, hélas, de courte durée. Lorsque ensuite il est arrivé à Erzeroum, et qu'il a découvert qu'il ne restait que vingt-deux Arméniens sur les vingt mille qui y vivaient, alors, il s'est effondré et a sombré dans un état de prostration. Brisé, il a décidé d'abandonner toute responsabilité au sein du Dachnak et s'est retiré du monde chez son beau-frère, à Gandzak, dans le Caucase.

— Pourtant, cette nomination récente...

— Il y a environ un an, le comité du parti et le catholicos se sont mis d'accord pour envoyer Armen aux États-Unis plaider la cause arménienne et collecter des fonds. C'est à partir de ce moment qu'il a recouvré le goût de vivre.

Le Turc hocha la tête.

— Allah protège les justes.

Sarafian esquissa un sourire mélancolique.

— Si c'est vrai, alors pourquoi permet-Il que les bourreaux qui ont assassiné mes frères coulent des jours heureux quelque part dans le monde ?

26

Etats-Unis, Boston, 10 octobre 1920

Il paraissait bien plus que ses vingt-quatre ans. Le visage s'était émacié, mais le regard n'avait pas changé ; un regard acéré, dense, qui pénétrait l'âme. Il gagna la sortie de la gare et héla le premier taxi qui passait. À peine installé, il farfouilla dans la poche de sa veste râpée et sortit un bristol sur lequel était gribouillée une adresse qu'il lut au chauffeur dans un anglais bancal :

— 17 Columbus Avenue.

La voiture démarra.

Pris de vertige, il ferma les yeux. Son cœur se mit à battre la chamade. C'était ainsi chaque fois qu'une émotion trop forte l'envahissait. Respirer. Il devait respirer.

Tout allait si vite. Le 1er octobre, il avait embarqué du Havre pour New York. Aujourd'hui, il était à Boston.

Où était-il il y a six ans ?

Désert syrien

L'un des cavaliers avait galopé jusqu'à eux.

— Toi et toi ! avait-il ordonné en désignant tour à tour Soghomon et un homme assis dans un coin. Descendez ! Suivez-nous !

— Mais… mais pourquoi ? Qu'avons-nous fait ?

— Ordre du *yüzbaşi* ! Hommes et femmes doivent se séparer.

Soghomon s'était dressé.

— Dites-nous au moins pour quelle raison ?

— Je viens de te répondre ! Ordre du capitaine ! Allez ! Ne perdons pas de temps !

Chouchane s'était soulevée légèrement.

— Non… non… Il ne faut pas… Soghomon.

— N'aie pas peur, *siréliss*, nous nous reverrons…

Il avait déposé hâtivement un baiser sur le front de la jeune fille et sauté à terre.

Et ensuite ? Que s'était-il passé ? Six ans plus tard, cet épisode de sa vie apparaissait à Soghomon comme dans une demi-brume.

Les soldats les avaient emmenés, lui et d'autres, jusqu'aux abords d'un puits. On les avait rassemblés et, faisant fi des supplications, les militaires avaient tiré dans le tas, à bout portant. La première balle avait touché Soghomon à la cuisse et il s'était écroulé. La seconde avait fracassé son épaule droite. S'était-il évanoui sous l'effet de la douleur ? Non, puisqu'il se souvenait clairement avoir senti des bras qui le soulevaient de terre. Peut-être l'avait-on cru mort ? Ensuite, le trou noir. Une sensation visqueuse dans les ténèbres. Avant de perdre conscience, il avait eu le temps de comprendre que les soldats l'avaient jeté au fond du puits et que le tas de cadavres empilés qui s'y trouvaient déjà l'empêchait de se noyer. Combien de temps était-il resté là ? C'est probablement le manque d'air et l'impression d'étouffer qui l'avaient arraché à son évanouissement. Il n'était pas mort, il était *en train de mourir*, asphyxié sous le poids de nouvelles dépouilles qui s'entassaient au-dessus de lui.

Alors, les forces décuplées par la terreur et le désir de ne pas mourir anonyme, dans ce trou, il s'était mis à ruer, à cogner, à repousser des bras, des jambes, des têtes, prenant appui sur tout ce qu'il pouvait saisir pour se frayer une voie vers la lumière. Mais, chaque fois qu'il écartait un obstacle, un autre se présentait. C'était sans fin, et ses forces allaient, s'amenuisant. Finalement, dans une ultime tentative, il réussit à agripper la margelle de sa main gauche. Ses doigts se refermèrent sur la pierre, mais impossible d'aller plus haut. Son épaule fracassée avait rendu l'autre bras inutile. Il retombait, lentement, lentement. Alors, presque à son insu, ses lèvres se mirent à égrener une prière de saint Nersès : *Vassen ketoutian, vassen voghormoutian, véressdin guétzo…* « Au nom de ta pitié, au nom de ta miséricorde, rends-moi une vie nouvelle. » Ce fut peut-être de ce jour-là qu'il fut convaincu de l'existence des miracles. Au moment où il basculait en arrière, une main puissante enserra son poignet et, en un éclair, il fut hissé hors du puits.

Un Bédouin.

Que faisait-il là ? Plus tard, Soghomon devait apprendre que la plupart des gens du désert, témoins de la tragédie qui se déroulait à leurs portes, cherchaient à secourir les blessés, certains par compassion, d'autres pour en faire des serviteurs.

Le Bédouin s'appelait Soliman. Il avait une soixantaine d'années. Il n'avait ni femme ni enfants et ne cherchait pas de serviteur. Une fois remis de ses blessures, Soghomon s'était retrouvé devant un choix : soit il demeurait auprès de son sauveur pour l'aider à mener ses troupeaux et piler ses dattes, soit il repartait. Il était resté. Où serait-il allé de toute façon ? Partout, c'était l'enfer. Il vécut ainsi la vie des nomades jusqu'en octobre 1918. Il se trouvait au souk d'Alep lorsqu'il apprit coup sur coup la capitulation de la Turquie et la proclamation d'indépendance d'une République d'Arménie. *Au nom de ta pitié, au nom de ta miséricorde, rends-moi une vie nouvelle.* Il avait été exaucé. Non sans émotion, il avait annoncé à son bienfaiteur son intention de rentrer en Turquie. L'homme n'avait fait aucun commentaire. Il s'était contenté de le prendre dans ses bras en lui murmurant : « Tu aurais pu être mon fils. » Il lui avait donné quelques lires et de quoi s'offrir le train qui reliait Damas à Constantinople.

À peine arrivé dans la capitale, Soghomon s'était rendu au siège du journal Dachnak *Djagadamard*, et avait demandé à publier un avis de recherche dans l'espoir – vain il en avait bien peur – de retrouver quelqu'un qu'il aurait connu. Hasard de la vie, une jeune fille était là, venue elle aussi avec la même intention. Elle était institutrice. Elle s'appelait Yeranouhi Danielian. Elle militait au parti Hentchak. Soghomon lui confia en quelques mots l'horreur de la déportation, ses parents assassinés à coups de hache, le désir de vengeance qui couvait en lui. Impressionnée et bouleversée, la rédaction du journal se cotisa pour lui donner de quoi survivre en attendant qu'il trouve un travail. Pour ce qui était du logement, Yeranouhi connaissait l'adresse d'une chambre à louer et proposa à Soghomon de l'y conduire.

La jeune fille lui fit à son tour le récit des derniers événements politiques et elle évoqua naturellement la fuite des responsables turcs et de ceux, à l'instar du principal agent arménien de Talaat, le traître Haroutioun Meguerditchian, qui vivaient à Constantinople, toujours impunis.

Une lueur fauve avait illuminé les prunelles de Soghomon.

Il revit le canon du fusil enfoncé dans le vagin de Yéva. Il entendit la détonation.

— Sait-on où l'homme habite ?

— Bien sûr. Tout le monde le sait. À Péra. Rue Kumbaraci. Au 15. Un rez-de-chaussée. Si tu veux, demain je t'y amènerai.

Elle tint parole. Elle fit même plus que cela. Elle possédait une photo de Meguerditchian qu'elle lui confia. Avait-elle ressenti le feu qui brûlait dans l'âme de Soghomon ? Ou son geste fut-il machinal ? Non. Elle avait tout pressenti, puisque c'est elle qui lui procura une arme par l'intermédiaire des membres du Hentchak.

Dès cet instant, Soghomon prit racine au pied de cet immeuble. Jour après jour, nuit après nuit, soutenu par un million de victimes qui hurlaient dans sa tête, il avait guetté le moment propice. Un soir, par la fenêtre éclairée, il aperçut la silhouette du traître qui levait un toast en l'honneur de ses invités. Il s'approcha, colla son front à la vitre, visa le cœur et tira.

La nouvelle fit l'effet d'un coup de tonnerre au sein de la communauté arménienne rescapée de Constantinople. Du jour au lendemain, le nom de Tehlirian devint synonyme de héros.

Pour Soghomon, ce n'était qu'un début. N'y avait-il pas tous les autres, Enver, Talaat, Djemal, toujours en liberté ? Si on voulait les retrouver et les appréhender, il fallait organiser une traque, des réseaux, des informateurs, ce qui nécessitait d'importants moyens financiers. Yeranouhi, à qui il se confia, lui expliqua qu'elle était dans l'incapacité de réunir des fonds ici, à Constantinople, et, de surcroît, elle avait décidé de parti. pour les États-Unis afin de poursuivre sa carrière d'ense: gnante. Pour elle, la Turquie, c'était fini. Elle devait passe par Paris. Là-bas était établie une délégation arménienne. Elle promit à Soghomon de parler aux responsables et d'essayer de les convaincre de financer la traque des bourreaux.

Les semaines passèrent. Les mois.

Il erra. Il travailla ici et là pour survivre, avec en mémoire le bruit des coups de hache, la vision des têtes tranchées de ses parents roulant dans le sable, l'obsession, toujours présente : *Vrej loudzèl, vrej loudzèl.* Se venger, se venger.

En novembre 1919, sa décision fut prise. Il allait partir pour Paris. Il avait réussi à économiser un peu d'argent. Des amis lui apportèrent leur soutien. Il sauta dans l'Orient-Express. Une fois dans la Ville lumière, une seule adresse · celle de l'église arménienne. Le prêtre qui l'accueillit n'était autre que le patriarche, Mgr Zaven, en exil. Soghomon s'ouvrit à lui, lui révéla son intention de retrouver et de châtier les responsables des massacres et réclama son soutien. « C'est hors de question ! » se récria le prêtre. Et d'évoquer la charité, l'amour et le pardon, autant d'expressions qui résonnèrent comme des injures dans la tête de Soghomon. Il tourna les talons et quitta l'église, anéanti.

Qu'allait-il devenir ?

Il coucha sur des bancs. Végéta. Il connut la faim. Jusqu'au jour où, à la une d'un journal exposé dans un kiosque, il apprit que, depuis plus de dix mois, une conférence pour la paix était en train de se dérouler à Paris. Installée dans les locaux d'un hôtel particulier, l'hôtel Vouillemont, rue Boissy-d'Anglas, elle réunissait les vainqueurs et les vaincus, sous la présidence de Georges Clemenceau. Ce qui éveilla surtout l'intérêt de Soghomon, c'était la présence d'une délégation arménienne, dirigée par un dénommé Avetis Aharonian.

Il se précipita rue Boissy-d'Anglas. Arrivé à l'accueil, il demanda à être reçu par Avetis. « C'est impossible », lui répondit le réceptionniste. Il insista. Nouveau refus. « C'est impossible. En tout cas pas sur-le-champ. » Devant la mine effondrée de son jeune interlocuteur, et apprenant qu'il était, comme lui, originaire d'Erzindjan, le réceptionniste lui donna l'adresse d'un cordonnier, Hagop Gotcharian, rue de Belleville, susceptible de l'embaucher.

Hagop accepta. Dès lors, Soghomon vécut pendant plusieurs mois la vie de tous les exilés.

Et puis la Providence vint à son secours.

Un matin de septembre 1920, alors qu'il était assis dans le café où il avait coutume de se rendre, le patron lui remit une lettre qui lui avait été apportée la veille par une demoiselle du nom de Danielian.

Danielian ? Yeranouhi Danielian ?

D'une main fébrile, il avait décacheté l'enveloppe. Le mot était bien signé Danielian, mais le prénom n'était pas celui que Soghomon attendait : Mariam. Elle se présentait comme étant la sœur de l'institutrice ; celle-ci l'avait chargée de retrouver Soghomon à tout prix pour lui dire qu'il devait toute affaire cessante se rendre aux États-Unis, *pour les raisons qu'il connaît*. Un billet de bateau et de l'argent étaient à sa disposition à Paris, chez un Arménien, Hanemjian, dont Mariam mentionnait l'adresse.

Mais l'information la plus incroyable était à la fin du message.

L'auteur de la lettre concluait : « Les billets et l'argent ont été envoyés par le représentant de la République d'Arménie aux États-Unis : monsieur Armen Garo. »

Soghomon manqua défaillir.

Garo ?

Il articula à voix haute, comme pour se convaincre : Armen Garo ?

— Vous êtes arrivé, monsieur !

Le chauffeur de taxi se retourna et répéta :

— Monsieur ! Vous êtes arrivé.

Soghomon est arraché à ses pensées. Il règle la course et, quelques minutes plus tard, pénètre dans les bureaux du quotidien *Haïrenik*, qui servent aussi de siège au parti Dachnak. Yeranouhi n'est pas là pour l'accueillir. Elle enseigne en Californie. C'est Armen Garo qui lui ouvre les bras.

L'émotion est à son comble lorsque les deux hommes s'étreignent. Entre eux, l'écart d'âge n'est que de quatre ans, mais Soghomon paraît tellement plus vieux. Les larmes, qu'il ne cherche pas à retenir, coulent le long de ses joues. Armen a du mal à se maîtriser. Ses mains tremblent. C'est tout un passé qui déferle sur eux et les submerge.

— Et les Tomassian ? questionne soudain Soghomon. Tu te souviens d'eux, n'est-ce pas ?

— Naturellement. (Armen se racle la gorge.) Hovanès est mort. Fusillé en même temps que Varoujan. Ils les ont abattus comme des chiens et ils ont abandonné leurs dépouilles en pâture aux bêtes. Quant à Vahé et Anna...

— Je suis au courant. Eux aussi ont été massacrés, mais leurs enfants ? Chouchane et Aram ? Sais-tu ce qu'ils sont devenus ? La dernière fois que je les ai vus, nous étions dans le désert de Syrie, il y a cinq ans. On nous a séparés et depuis, personne n'a été capable de me dire s'ils étaient encore vivants.

Armen Garo secoue la tête.

— Malheureusement, je ne sais rien non plus. Ils sont des milliers à être portés disparus. Il faudra des années avant de découvrir quel fut le destin de chaque famille. De longues années…

Saisissant Soghomon par le bras, il l'entraîne vers un bureau et l'invite à s'asseoir.

— Sais-tu que tu es un héros, mon ami ? Je te félicite. Ce traître de Meguerditchian ne méritait pas un meilleur sort.

— Oui. Mais nous ne pouvons pas nous contenter de cette seule mort. Il y a tous les autres. Tous ces gens aux mains pleines de sang qui continuent de vivre, alors qu'ils devraient être au fond d'une tombe. Tu en es conscient, n'est-ce pas ?

Armen Garo met quelques secondes avant de répliquer :

— Non seulement j'en suis conscient, mais j'ai décidé d'agir sans plus tarder. C'est d'ailleurs la raison de ta présence ici.

Il fait une pause avant de déclarer :

— Némésis.

— Némésis ?

— C'est le nom de code que nous avons donné à l'opération qui est en cours de préparation.

Armen se cale dans son fauteuil et poursuit :

— Devant la carence des Alliés qui se révèlent incapables de tenir leurs engagements, il nous appartient à nous, les Arméniens, de rendre la justice. Un fonds spécial a été ouvert. Tu disais à Yeranouhi que la traque nécessitait des moyens financiers, eh bien, mon ami, c'est chose faite. Ces moyens, nous les avons réunis. Sache aussi que notre IXe congrès mondial, réuni l'an passé à Erevan, a adopté à l'unanimité l'opération Némésis dans ses résolutions secrètes.

Le visage de Soghomon s'illumine.

— Voilà si longtemps que j'attendais ce moment ! Reste à présent à retrouver la trace des bourreaux.

— C'est précisément à cette tâche que nous allons nous consacrer. Es-tu prêt à nous aider ? Nous t'avons réservé le plus gros poisson. Il te revient de droit.

— Talaat ?

— Talaat en personne.

— Je suis prêt, mon ami. Rien ne me réjouirait plus que d'avoir la peau de la bête.

— Alors nous l'aurons ! Lui et les six autres.

Tout en parlant, il sort un document du tiroir de son bureau et le remet à Soghomon.

— Voici leurs noms et leurs photos.

Soghomon parcourt la liste :

1. Talaat Pacha, ministre de l'Intérieur.
2. Djemal Azmi, *vali* de Trébizonde.
3. Djemal Pacha, ministre de la Marine.
4. Docteur Baheddine Chakir, responsable de l'Organisation spéciale.
5. Enver Pacha, ministre de la Guerre.
6. Mehmet Kemal Azmi, administrateur par intérim de Yozgat.
7. Saïd Halim Pacha, grand vizir de 1913 à 1916.

— Une question : pourquoi avoir choisi le nom de Némésis ?

Un sourire ambigu apparaît sur les lèvres de Garo.

— Némésis. Némésis, fille de la nuit. La déesse de la vengeance.

27

Allemagne, Berlin, 2 mars 1921

Soghomon décacheta fébrilement l'enveloppe laissée à son intention aux bons soins d'Élisabeth Stellbaum, sa logeuse, au 51 Augsburgerstrasse.

Nous avons retrouvé la trace du parent que vous recherchiez. Je pense que vous aurez plaisir à le revoir. Je vous attendrai au domicile du vice-consul d'Arménie, Libarit Nazarian, demain matin à 10 heures.

Soghomon relut le mot, le cœur battant : « Nous avons retrouvé la trace du parent que vous recherchiez. » Était-ce possible ? Enfin ?

Depuis que, deux mois plus tôt, il avait débarqué à Berlin via Paris, sa quête avait connu des hauts et des bas, des moments d'espoir aussitôt déçus. S'il était là, c'était à cause d'un article paru dans un magazine allemand, signé d'un dissident de l'*Ittihad*, Mehmet Zeki, lequel s'étonnait de la présence d'anciens dirigeants Jeunes-Turcs dans la capitale.

Renseignements pris, les responsables de Némésis eurent confirmation que l'article disait vrai et que ces individus avaient pour habitude de se réunir dans un commerce de tabac, au 49 Uhlandstrasse, tenu par celui que l'on avait surnommé le « bourreau de Trébizonde », Djemal Azmi.

Dès le lendemain de son arrivée, on informa Soghomon que deux hommes avaient été désignés pour le seconder dans sa mission. Le premier, Hazor, un pseudonyme, lui fut présenté à visage découvert. En revanche, pour des raisons de sécurité, l'identité du second fut gardée secrète. On lui expliqua que Kerim (un nom de code) était la taupe infiltrée au sein du réseau des Jeunes-Turcs en exil. Se faisant passer pour un étudiant stambouliote, sympathisant de l'*Ittihad*, il avait réussi à gagner leur confiance. C'est par lui que les informations parvenaient à Némésis. Il n'était donc pas question de lui faire prendre le moindre risque jusqu'au jour J. C'est ainsi que l'on avait appris qu'Enver Pacha en personne s'apprêtait à se rendre à Berlin en provenance de Moscou. La nouvelle avait suscité une véritable frénésie au sein du commando car, si Enver venait, alors nul doute que le « parent » tant recherché, Talaat Pacha, ne manquerait pas de sortir de sa tanière.

Hélas, Enver n'était pas venu. Et Talaat demeurait introuvable.

Cependant, les membres du groupe avaient réussi à repérer trois des cibles recensées sur la liste de Garo : Azmi, Nâzim et surtout le docteur Baheddine Chakir. Mais il était hors de question de les approcher. Garo avait particulièrement insisté sur ce point : Talaat avant tout. Talaat la priorité absolue. En s'attaquant aux autres, on l'alerterait et il disparaîtrait à tout jamais.

Les jours, les semaines avaient passé. Des heures de guet. De lassitude aussi. Et puis, aujourd'hui, ce mot.

Il faisait un froid sec et l'hiver ne semblait pas disposé à céder la place. En descendant du tramway, Soghomon réprima un frisson. Il se sentait épuisé et n'avait pas fermé l'œil de la nuit, ressassant le mot reçu la veille : « Nous avons retrouvé la trace du parent que vous recherchiez. »

Il prit une profonde inspiration, allongea le pas et se dirigea vers le 14 Raumerstrasse. Lorsqu'il frappa à la porte de Libarit Nazarian, sa montre indiquait 9 h 45.

Ce fut le vice-consul lui-même qui lui ouvrit.

— Je suis désolé, s'excusa Soghomon, je suis en avance mais…

— Aucune importance. Tout le monde est là.

Libarit le conduisit jusqu'au salon. Les trois hommes qui s'y trouvaient le saluèrent d'un signe amical de la main. Tous des membres du commando. Hazor, Vahan et Hago.

Un feu brûlait dans la cheminée. Soghomon prit place dans le fauteuil le plus proche de l'âtre.

— Alors, mon ami, comment te sens-tu ? s'enquit Libarit. Tu as l'air encore bien pâle.

— Tout va bien. Je suis complètement remis.

— Une typhoïde, c'est cela ?

— Oui. (Il s'empressa de répéter :) Tout va bien.

Il grimaça un sourire en espérant que personne ne lui poserait des questions sur ces « crises ». Elles étaient plus fréquentes depuis quelques jours.

Il se hâta d'enchaîner :

— Alors ? Vous avez du nouveau ?

Le vice-consul se tourna vers Hazor.

— Je te laisse la parole.

Hazor croisa les mains sur sa poitrine et mit quelques secondes avant d'annoncer :

— Nous l'avons trouvé.

— Où ? Comment ?

— Du calme. Rappelons les faits. Tu te souviens, il y a une dizaine de jours, notre taupe – Kerim – nous a informés que les dirigeants *Ittihadistes* étaient à la veille de tenir un congrès de leur mouvement en exil, soit à Berlin, soit à Rome ?

Soghomon fit oui de la tête.

— Par bonheur, nous avons appris par un journal fasciste italien que c'est la capitale italienne qui a été choisie. Il était impensable que Talaat – s'il etait bien à Berlin – eût pu ne pas honorer la réunion de sa présence.

— Impensable, en effet.

— Nous avons donc posté nos hommes sur les quais de l'Alexanderplatz, avec pour mission de surveiller tous les départs pour Rome. Et...

— Et... ?

— Il est apparu... Hier.

Le cœur de Soghomon s'emballa.

— Il était en compagnie du docteur Baheddine Chakir et de deux étudiants que nous avions déjà repérés. Il tenait une canne. Il avait rasé sa moustache et ne portait pas de fez. Chakir est monté dans le train. L'un d'entre nous avait pris la précaution de prendre un visa pour l'Italie au cas où... Contre toute attente, Talaat est resté. Il a salué. Puis il est ressorti de la gare, accompagné par les étudiants. Nous ne l'avons plus lâché, jusqu'au moment où il est entré dans un hôtel particulier, au 4 Hardenbergstrasse. Le lendemain, nous avons interrogé discrètement les commerçants alentour. Notre pacha se fait désormais appeler Ali Salieh.

— Mais êtes-vous sûr qu'il s'agit bien de lui ? L'avez-vous reconnu formellement ?

— Aucun doute. Les étudiants lui ont baisé la main au moment de le quitter. Ils l'appelaient « pacha ». Ils n'auraient jamais fait montre d'une telle déférence à l'égard d'un quidam. Et puis, il suffit de regarder les photos. La moustache en moins. C'est bien Talaat.

Un long silence s'instaura dans le salon.

Soghomon se racla la gorge.

— Et maintenant ?

— Tu vas devoir déménager dès ce soir. Nous t'avons trouvé une chambre dans la même rue, en face du 4 Hardenbergstrasse. De ta fenêtre tu as une vue plongeante sur les appartements de Talaat et sur la porte d'entrée. Il va falloir t'armer de patience. Nous ne savons pas quand il pointera son nez hors de chez lui, mais le jour où il le fera...

Un nouveau silence.

— Es-tu vraiment sûr de vouloir aller au bout ? demanda le vice-consul.

— Jamais je n'ai été aussi sûr. J'attends cet instant depuis six ans. Six ans...

Il répéta la voix rendue tremblante par l'émotion :

— Six ans !

— Très bien. Sache que ton ange gardien sera là. Il est logé dans l'immeuble voisin. Si ta main devait trembler...

— Vous voulez parler de la taupe ? Kerim ?

— Oui.

Soghomon se leva, déterminé.

— N'ayez crainte. Ma main ne tremblera pas. Pas plus que celle des assassins de mes parents n'a tremblé.

Berlin, 15 mars 1921

Talaat Pacha est derrière sa fenêtre. Il scrute la rue. Il n'est pas loin de midi.

Que cherche-t-il ?

Qui attend-il ?

Il n'a pas bronché depuis douze jours. Douze jours qu'il est enfermé dans son hôtel particulier comme s'il appréhendait quelque chose. Comme s'il sentait le regard de Soghomon posé sur lui, ou l'ombre de la faux.

Mais là... quelque chose d'inhabituel se passe.

Le majordome l'aide à enfiler un épais manteau et lui tend sa canne. Il va sortir !

Soghomon vacille.

Il se précipite vers son lit, soulève un coin du matelas et récupère son revolver. Un Luger P-08, capable de tirer vingt coups par minute. Il vérifie qu'il est chargé et fonce à l'extérieur. Il jaillit sur le trottoir au moment précis où l'épaisse silhouette de Talaat apparaît en haut des marches du 4 Hardenbergstrasse. Le pacha examine la rue, jette un coup d'œil distrait sur Soghomon qui rabat machinalement son chapeau.

Ça y est ! Il s'engage sur le trottoir. Il remonte la rue en direction de la Budapeststrasse. Aussitôt, Soghomon lui emboîte le pas, mais sur le trottoir d'en face. Bientôt, il le dépasse. Dans sa poche, ses doigts serrent la crosse du Luger. À proximité de l'école de musique, il se rabat sur la chaussée, traverse la rue et se retrouve sur le même trottoir que Talaat. Maintenant, les deux hommes marchent à la rencontre l'un de l'autre.

Soghomon n'est plus qu'à dix mètres. Cinq. Deux. L'Arménien sort son arme et tire. Touché en pleine tête, Talaat a une expression horrifiée avant de s'écrouler, face contre terre.

Une mare de sang se forme autour de son front.

Elle s'élargit.

Soghomon croit y voir l'Arménie.

Soudain, une pierre noire heurte le sol.

Elle a fait un bruit mat en touchant le cœur de la flaque visqueuse. Soghomon connaît bien ces pierres. C'est une *oltu tasi*. On ne les trouve qu'en Anatolie, plus spécialement dans la région d'Erzeroum.

Il se retourne. Il n'ose y croire !

ARAM ! Aram Tomassian !

Lui aussi tient un revolver à la main. Mais il n'a pas eu l'occasion de s'en servir. Ce n'est pas l'envie qui lui manque de vider son chargeur dans le corps de la bête, mais à quoi bon ?

Les passants commencent à former un cercle autour des deux hommes.

Soghomon bredouille :

— La taupe ? C'était toi ? Toi ?

Aram fait oui de la tête.

— Viens, mon ami, murmura-t-il. Partons d'ici.

28

Berlin, palais de justice, 3 juin 1921

La cour criminelle de Berlin était noire de monde.

Aram éteignit discrètement sa cigarette en l'écrasant du talon et jeta un coup d'œil sur la grande horloge accrochée au-dessus de la tête du docteur Lehmberg, le président du tribunal. Les aiguilles indiquaient 4 h 20. Depuis la veille, les questions et les réponses n'avaient cessé de fuser.

Le président : Quand l'idée de tuer Talaat Pacha s'est-elle éveillée en vous ?

L'accusé : Il y a environ deux semaines. Je me sentais mal. L'image du massacre de mes parents me revenait devant les yeux. J'ai vu le cadavre de ma mère. Ce cadavre s'est levé, s'est approché et m'a dit : « Tu as vu ? Talaat est ici, et tu restes indifférent ? Tu n'es plus mon fils ! »

Le président : Quand vous étiez à Paris et quand vous êtes venu à Berlin, vous n'aviez donc pas l'intention de le tuer ?

L'accusé : Je n'avais rien décidé à l'époque. J'ignorais que Talaat vivait à Berlin.

Aram sourit.

Soghomon se conformait admirablement à la ligne de défense élaborée par les deux plus célèbres membres du barreau de Berlin et par le plus grand juriste d'Allemagne. Après avoir fait le procès de Talaat et rappelé qu'il avait été condamné à mort par contumace par une cour martiale turque, les défenseurs s'étaient évertués à justifier le geste de Soghomon en expliquant qu'il résultait d'un traumatisme irréversible et que c'était sa conscience, et sa conscience seule, qui le lui avait dicté. À aucun moment l'opération Némésis n'avait été mentionnée.

5 h 30.

Les membres du jury se retirèrent pour délibérer. S'ils décidaient de retenir contre Soghomon le chef d'homicide avec préméditation, alors il risquerait la peine de mort.

Quel comportement surprenant il avait eu alors qu'ils fuyaient tous les deux et paraissaient être en mesure d'échapper à la police. Tout à coup, tandis qu'ils longeaient le Tiergarten, le jardin zoologique, Soghomon s'était arrêté en s'exclamant : « Fuis ! Moi je vais me rendre. » Aram, affolé, avait tenté de le raisonner. « Non, s'était entêté Soghomon, si l'on ne m'arrête pas, il n'y aura pas de procès, on ne saura rien des horreurs commises par nos bourreaux, et la mort de Talaat passera pour un banal assassinat. Fuis, Aram ! Fuis, et laisse-moi faire. Je t'en supplie. »

La mort dans l'âme, respectant la stricte consigne donnée par Armen Garo, Aram avait obéi.

Un bruit de porte qui coulisse l'arracha à ses pensées.

Les membres du jury étaient en train de regagner leur place. Dans un silence religieux, leur président, Otto Reinicke s'avança et remit au Dr Lehmberg le résultat du verdict. Ce dernier le parcourut et le restitua à Reinicke.

— Très bien. Lisez-le.

— Sur mon honneur, commença le président du jury, et en toute conscience, à la question : « L'accusé Soghomon Tehlirian est-il coupable d'avoir tué avec préméditation Talaat Pacha, le 15 mars 1921 ? », la réponse est non !

Un tonnerre d'applaudissements éclata dans la salle, couvrant la voix du docteur Lehmberg qui proclamait le jugement d'acquittement et l'annulation de l'acte d'accusation

Les Turcs présents se levèrent, blêmes.

Soghomon chercha Aram des yeux.

Deux heures plus tard, il était libre.

Berlin, 4 juin 1921

Le Bilderbuch café était presque désert.

Assis dans un coin, en retrait, Soghomon scrutait le visage d'Aram comme s'il cherchait à y revoir les images de sa propre vie. Et son ami en faisait autant.

— Ainsi, Chouchane est morte. Elle qui ne devait pas mourir.

Aram baissa les yeux.

— C'est sans doute ma faute. Je n'ai pas su la protéger.

— Allons, Aram ! Cessons de nous fustiger. C'est déjà miraculeux que tu aies pu t'en sortir vivant.

Aram sourit.

— Miraculeux, nous le sommes tous les deux. Tu dois la vie à un vieux Bédouin et moi à un instituteur allemand.

— Un Allemand. Un juste donc. Il en existe, Dieu merci, pour sauver les autres. Mais je ne comprends toujours pas ce qu'un instituteur faisait aux abords de ce caravansérail.

— Niepage enseignait au collège allemand d'Alep. Il venait de rentrer après trois mois de vacances passés à Beyrouth. C'est à ce moment que ses collègues lui ont fait part des massacres qui avaient eu lieu, et des scènes de déportation. Il a commencé par refuser d'y accorder crédit. C'est du moins ce qu'il m'a dit, beaucoup plus tard. Il ne pouvait imaginer que l'on invoquât des raisons militaires pour chasser tout un peuple des terres qu'il occupait depuis deux mille cinq cents ans, pour l'abandonner ensuite dans le désert. Il a voulu vérifier par lui-même. À la tête d'une équipe de bénévoles, il s'est rendu dans tous les quartiers d'Alep pour y rencontrer des rescapés.

dans les caravansérails et aussi hors de la ville. C'est ainsı qu'il s'est trouvé sur les lieux au moment de la fusillade.

— Et une fois les *tchétés* partis, son équipe a récupéré les survivants.

— Exactement.

— Et tu as vécu dans la *Real-Schule* jusqu'en 1918.

Aram confirma.

— La suite ressemble, à quelques détails près, à ton propre cheminement jusqu'à Berlin.

Il se tut pour conclure dans un souffle :

— Nous avons eu beaucoup de chance, Soghomon.

— Sans doute. (Il soupira.) Mais que nous reste-t-il ? Que reste-t-il de l'Arménie ?

Aram secoua la tête et son regard parut se perdre dans le lointain.

— Tout à coup, je repense aux propos que m'a tenus mon oncle, Hovanès. Il y a bien longtemps. Nous étions alors en train de contempler le paysage, près d'Erzeroum. Sais-tu ce qu'il m'a dit ? « Mon petit, l'Arménie n'est pas uniquement un espace géographique, c'est une identité. As-tu essayé d'imaginer le nombre de peuples qui nous ont traversés ? occupés ? tyrannisés ? Et que vois-tu aujourd'hui ? Nous sommes toujours là, ancrés plus solidement que jamais dans notre religion. Et la sainte cathédrale d'Etchmiadzine, la reine de nos cathédrales, est toujours debout. Souviens-toı que c'est dans nos vignobles que le patriarche Noé s'est enivré ! Que ce même Noé, en débarquant de son arche au sommet du mont Ararat, s'est exclamé : *Yerevants !* "C'est apparu !" »

FIN

Notices biographiques

ABDÜL-HAMÎD II (1842-1918)

Surnommé le « Sultan rouge » pour sa cruauté, il est le fils du sultan Abdül-Hamîd Ier. Il accède au sultanat à la mort de son frère Murat V. Il promulgue en 1876 une Constitution relativement libérale qui ne sera d'ailleurs jamais appliquée. Après la défaite des armées ottomanes face à la Russie pendant la guerre de 1877-1878 et la signature des traités de San Stefano et de Berlin en 1878, Abdül-Hamîd II va se déchaîner contre les minorités. Il s'en prend surtout aux Arméniens, principaux obstacles à ses yeux à l'expansion pantouranienne et au développement de son idéologie panislamique. Les réformes imposées par les puissances européennes ne sont pas appliquées. Le Sultan rouge va, sous d'ignobles prétextes, entreprendre une opération de « nettoyage ethnique » dont les massacres de 1894-1896 sont la tragique illustration. L'Europe proteste mais n'intervient pas.

BAHEDDINE, CHAKIR (1875-1922)

Membre dirigeant du parti Jeune-Turc Union et Progrès. Le triumvirat Talaat-Enver-Djemal lui confie la direction de la police de Constantinople et la responsabilité de la tristement célèbre « Organisation spéciale », *teşkilât mahsusa*. Il termine ses études à l'École militaire de médecine en 1896, avec le grade de capitaine. En 1900, il sera nommé professeur assistant de médecine légale dans ce même établissement avant de devenir le médecin personnel de Yousouf

Izzeddine, fils du sultan Abdül-Aziz et héritier présomptif du trône. Ses idées républicaines lui valent d'être versé dans la 3ᵉ armée stationnée à Erzindjan. Réfugié à Paris, il travaille dans divers hôpitaux. Nommé médecin-chef de l'hôpital du Croissant-Rouge, il sera fait prisonnier en 1912 lors du siège d'Edirne. L'année suivante, il sera successivement promu directeur de la morgue d'Istanbul, directeur du comité médical du ministère de la Justice, puis colonel en 1914. En 1907, revenu clandestinement à Istanbul, il avait établi des premiers contacts avec les dirigeants de l'*Ittihad*.

Traqué par les justiciers du groupe Némésis, il sera exécuté le soir du 17 avril 1922 dans une rue de Berlin. Il est accusé d'avoir détruit la plupart des archives turques mettant en cause les Jeunes-Turcs dans le génocide de 1915.

BOGHOS NUBAR PACHA (1851-1930)

Industriel, diplomate, bienfaiteur de la nation arménienne. Né dans une famille de hauts dignitaires arméniens de l'Empire ottoman. Son père fut Premier ministre d'Égypte. Son diplôme d'ingénieur de l'École centrale de Paris en poche, il entre aux Chemins de fer d'Égypte qu'il dirigera de 1891 à 1898. Il participe activement à la vie communautaire arménienne d'Alexandrie et du Caire, et en 1906 fonde l'Union générale arménienne de bienfaisance. Homme réaliste et bienfaiteur infatigable, il oriente l'UGAB, qu'il préside, dans la mise en œuvre d'un programme d'aide et de soutien financier en faveur de la diaspora et de l'Arménie soviétique. Il meurt à Paris en 1930.

BRYCE, LORD JAMES (1838-1922)

Né à Belfast, en Irlande. Homme d'État, érudit, conseiller au parti libéral britannique, c'est pendant son séjour dans le Caucase en 1876 qu'il s'intéresse aux Arméniens. En 1904, il participe au mouvement international Pro Arménia, tenant conférences et réunions en faveur des Arméniens persécutés dans l'Empire ottoman. En 1907, il est nommé ambassadeur aux États-Unis et, en 1914, il devient membre du tribunal de La Haye. En 1915 le gouvernement de Sa Majesté britannique lui donne mission de constituer un dossier sur la persécution et les massacres d'Arméniens en Turquie. En

1916, il publie *Le Livre bleu* (*Blue Book*) comportant une importante documentation prouvant le massacre des Arméniens. Les documents du *Livre bleu* contiennent des récits de témoins oculaires dignes de foi, rassemblés par l'historien Arnold Toynbee sur la déportation et l'extermination systématique de la nation arménienne dans l'Empire ottoman durant le génocide.

DJEMAL PACHA (1872-1922)

Homme politique et chef militaire turc. Membre du parti Union et Progrès. Fervent adepte du panturquisme et du panislamisme. Commandant en chef de la 4e armée turque sur le front du Sinaï et en Syrie, puis ministre de la Marine en 1913, il est, bien qu'il s'en défende dans ses Mémoires, l'organisateur des déportations et de l'extermination des populations arméniennes de Cilicie et de la sanglante répression de la révolte de la ville d'Urfa. Il a pourchassé avec une froide cruauté les mouvements arabes de libération de la Palestine, du Liban et de la Syrie. Après la défaite de 1918, Djemal s'enfuit en Europe (Allemagne, Paris). Au procès des Unionistes de juillet 1919, il est condamné à mort par contumace. Revenu à Tiflis à l'invitation du gouvernement soviétique de Géorgie, il tombe le 22 juillet 1922 sous les balles de Bedros Der Boghossian et Ardachès Kévorkian.

Le 6 septembre 2008, à l'occasion d'une rencontre de football qui se déroula en Arménie, son petit-fils Hasan Djemal, journaliste et chroniqueur au quotidien *Milliyet*, visita le Mémorial du génocide arménien de Dzidzernagapert, où il déposa des fleurs en mémoire des victimes. Il a écrit à l'occasion de cette visite un article intitulé « Respectons les douleurs de chacun », dans lequel il proposait qu'une minute de silence soit observée dans le stade avant le match « en mémoire de la page tragique dans notre histoire commune et de la souffrance éprouvée par les Arméniens et les Turcs dans le passé ». Le 15 avril 2005, il déclarait qu'il ne croyait pas à la thèse d'un « génocide planifié » mais admettait néanmoins que « cette position fut discutable » et qu'elle en appelait au respect de ceux qui affirment qu'il y a eu intention génocidaire. « Ignorer les souffrances et les malheurs qui ont frappé les Arméniens serait aller contre sa conscience et l'Histoire. C'est pourquoi nous devons pouvoir digérer cette période de l'Histoire ottomane sans chercher de faux-fuyants. »

ENVER PACHA (1881-1922)

Membre du triumvirat qui dirigeait l'Empire ottoman pendant la Première Guerre mondiale avec Talaat et Djemal Pacha, attaché militaire à Berlin (1909-1911), promu général en 1913 grâce à la prise d'Andrinople (Edirne), ministre de la Guerre à partir de 1914. Promoteur de l'idéal panturquiste. Il a précipité l'Empire ottoman dans la guerre aux côtés de l'Allemagne. Il subit une défaite calamiteuse à Sarikamich contre les Russes. Il fuit en Allemagne à l'armistice, en 1918 Inculpé et condamné à mort par contumace pour sa participation aux massacres par la cour martiale de Constantinople en 1919, il se joint à la révolte des Basmatchis (les nationalistes ouzbeks) en 1921 en Asie centrale. Il est tué par l'Armée rouge le 4 août 1922 à Belcivan au Tadjikistan.

GARO, ARMEN, DE SON VRAI NOM : KARÉKINE PASTERMADJIAN (1872-1923)

Homme politique. Révolutionnaire. Études primaires dans sa ville natale. En 1895, le Dachnaktsoutioun lui confie une mission de soutien aux défenseurs Hentchaks de Zeïtoun, assiégée par les troupes turques. L'année suivante, il participe à la prise de la Banque ottomane sous les ordres de Papken Suni et prend la tête du commando après la mort de ce dernier dès le début de l'assaut. Après leur reddition, les membres du groupe sont transférés en France et assez rapidement libérés. À Genève, où il s'établit, Karékine Pastermadjian décide de reprendre les études supérieures qu'il avait commencées en 1894 à l'Institut d'agronomie de Nancy (France). Il obtient un doctorat de biologie et de chimie. Entre 1915 et 1917, il organise les corps des Volontaires arméniens et participe à l'accueil des réfugiés arméniens rescapés des massacres. Missionné par le catholicos, il entreprend aux États-Unis une grande collecte auprès de la riche communauté arménienne d'Amérique. En 1920, il est nommé ambassadeur d'Arménie à Washington. Le Dachnaktsoutioun lui confie la responsabilité de l'opération Némésis. Il meurt à Genève en 1923 avec la satisfaction du devoir accompli.

JEPPE, KAREN (1876-1935)

Missionnaire danoise, née à Gylling, au Danemark. Un soir de 1902, elle prend connaissance d'un article signé Age Meyer Benedictsen, qui traite des persécutions vécues par les Arméniens au cours du XIXᵉ siècle. Lorsque, peu de temps après, Benedictsen vient donner une conférence à Copenhague, Karen est au premier rang. Il termine son discours par un appel à secourir la communauté arménienne de Turquie. Profondément émue, elle entretient une correspondance avec le personnage qui lui fait savoir que le docteur Lepsius est à la recherche d'une enseignante pour l'une des écoles qu'il a créée en Turquie, à Urfa. Elle part et se jette à corps perdu au service de la communauté arménienne. Jusqu'en 1918, elle n'aura de cesse de se dévouer auprès des victimes. Malade, épuisée, elle se résigne à regagner le Danemark où elle reste jusqu'en 1921. Elle repart, mais cette fois pour la Syrie, où elle sait que de nombreux Arméniens ont trouvé refuge. Elle fonde un foyer pour enfants, une clinique médicale et un atelier de broderie. À bout de forces, elle s'éteint à Alep, le 7 juillet 1935, à l'âge de cinquante-neuf ans. Précisons qu'à ce jour le Danemark refuse de reconnaître qu'un génocide a été commis en 1915 par l'Empire ottoman contre les Arméniens.

MORGENTHAU, HENRY (1856-1946)

Né à Mannheim le 26 avril 1856. Ambassadeur des États-Unis à Constantinople, de décembre 1913 à janvier 1916. Ses Mémoires, nourris des dépêches échangées avec Washington et avec des consuls et missionnaires américains en Turquie de mai à novembre 1915, attirèrent l'attention de l'Occident sur le génocide arménien.

SANDERS, OTTO LIMAN VON (1855-1929)

Général allemand. Il est connu pour être le conseiller et le commandant militaire de l'Empire ottoman pendant la Première Guerre mondiale. Comme beaucoup de Prussiens issus de familles aristocratiques, il s'engage dans l'armée. Il atteint le rang de lieutenant général sans avoir jamais commandé de troupes au combat. En 1913, il est nommé conseiller militaire de l'Empire ottoman. La guerre terminée, il est arrêté à Malte en février 1919. On le suspecte de crimes de guerre, mais il est libéré six mois plus tard. Il se retire de l'armée allemande la même année. En 1920, Liman publie un livre écrit en captivité dans lequel il relate ses expériences avant et après la guerre. Il est mort à Munich, en 1929, à l'âge de soixante-quatorze ans.

SCHEUBNER-RICHTER, MAXIME VON (1884-1923)

Vice-consul à Erzeroum et officier dans l'armée de Bavière. Il avait été envoyé en Anatolie orientale afin d'organiser la guérilla musulmane derrière le front russe. Il éleva de constantes protestations auprès du gouvernement allemand au sujet du traitement réservé aux Arméniens il ne fut pas moins hardi envers le gouvernement ottoman. Il puisa dans ses propres fonds afin de nourrir quelques réfugiés arméniens qui traversaient Erzeroum. Après la guerre, devenu nazi, il fut abattu à Munich en 1923, alors qu'il défilait aux côtés de Hitler lors du putsch de la Brasserie.

SÉRINGULIAN, VARTKÈS (1871-1915)

Révolutionnaire et homme politique. Il fait ses premières études au célèbre collège Sanassarian de sa ville natale. Très vite acquis aux idées de liberté et de révolution, il participe à la grande manifestation d'Erzeroum de juillet 1890, participation qui lui vaut un premier séjour en prison. En 1892, envoyé comme instituteur à Constantinople, il en profite pour implanter plusieurs groupes dachnaks dans la capitale. Ses aptitudes à organiser et à galvaniser sont tellement appréciées que le Dachnaktsoutioun va lui confier de nombreuses missions en Bulgarie, au Caucase, à Tiflis et surtout à Van au printemps 1901. Arrêté en 1903 à la suite d'une dénonciation, il va faire dix-huit mois de prison. En 1908, grâce à la nouvelle Constitution, Vartkès est élu membre du Parlement ottoman, représentant la région d'Erzeroum. Parlementaire très populaire, il jouit avec Krikor Zohrab de la confiance de certains dirigeants turcs, dont Talaat Pacha. En juin 1915, il est arrêté, déporté et assassiné.

TALAAT PACHA (1872-1921)

Homme politique turc. Originaire de Thrace, il a grandi dans une famille de *dömnes* convertie à l'islam. Après une scolarité marquée par un bref passage à l'Alliance israélite de Constantinople, il devient facteur, télégraphiste, puis chef de correspondance à la poste de Salonique. Il fait en Macédoine la connaissance des agitateurs de l'*Ittihad* naissant, s'y impose peu à peu comme un propagandiste zélé et dépourvu de scrupules. Son ascension chez les Unionistes s'accélère avec le putsch de juillet 1908, qui porte le comité Union et Progrès au pouvoir. Élu député d'Andrinople, il devient vice-président du Parlement ottoman, puis ministre de l'Intérieur après la chute du sultan Abdül-Hamîd II en 1909. En public, il cultive des relations amicales avec les parlementaires grecs et arméniens, en particulier avec Krikor Zohrab et Vartkès Séringulian. En réalité, il prépare en secret le plan d'extermination des populations arméniennes d'Anatolie. Au moment où il feint d'accepter le plan de réformes de février 1914, il met en place le *teşkilât mahsusa*, l'Organisation spéciale, véritable bras armé du génocide de 1915. Durant la guerre, profitant du désordre et du chaos mondial, Talaat met le plan à exécution et ordonne la grande rafle du 24 avril. Condamné à mort par contumace par une cour martiale turque, il fuit pour l'Allemagne. Il sera retrouvé et abattu dans une rue de Berlin par Soghomon Tehlirian le 15 mars 1921 Un boulevard porte son nom à Ankara.

TEHLIRIAN, SOGHOMON (1896-1960)

Révolutionnaire, justicier du génocide des Arméniens. Il est né dans une famille protestante à Pakaridj, petit village situé à la jonction des *vilayet* de Trébizonde et d'Erzeroum. Jeune militant de la FRA Dachnaktsoutioun, il se porte volontaire pour l'opération Némésis. Le sort le désignera comme responsable et principal exécutant du commando chargé de la liquidation de Talaat Pacha. Il l'abat le 15 mars 1921, à Berlin. Ayant refusé de s'enfuir, il est arrêté par la police allemande. Traduit les 2 et 3 juin en cour d'assises, Tehlirian est acquitté. Le peuple arménien, qui lui voue un véritable culte, lui réserve un accueil extraordinaire au cours des multiples réunions publiques organisées en son honneur. Exilé à

San Francisco, il épousera Anahit Tatiguian. Deux enfants naîtront de cette union. Les Mémoires de Soghomon ont été publiés en 1956, au Caire, et rédigés à la troisième personne.

VAROUJAN, DANIEL (1884-1915)

Poète. De son vrai nom Tchiboukiarian. Né à Perknig, près de Sébaste. En 1902, ses parents l'envoient à l'école des Mekhitaristes de Venise, et ensuite à Gand, en Belgique, où il étudie les sciences politiques et la littérature. À son retour en 1909, il enseigne à Sivas avant d'être nommé, en 1912, directeur de l'école Saint-Grégoire-l'Illuminateur à Constantinople. Il collabore au journal *Azadamard*. C'est là qu'il écrira son *Chant du pain*, une œuvre inspirée de l'épopée de David de Sassoun. Poète au souffle puissant, il s'essaie avec un égal bonheur à toutes les formes de poésie, patriotique, sociale et réaliste, lyrique ou bucolique. Dans la nuit du 23 au 24 avril 1915, il est arrêté et déporté. Les circonstances de sa mort sont incertaines.

WANGENHEIM, HANS VON (1859-1915)

Diplomate allemand. Il fut ambassadeur au Mexique, puis ministre allemand à Athènes de 1909 à 1912 et ambassadeur auprès de l'Empire ottoman, de 1912 au 25 octobre 1915. Malade à la fin de sa vie, il fut remplacé par le prince Hohenlohe Langenburg entre juillet et octobre 1915. À la suite des accusations de complicité avec les autorités turques à propos du génocide arménien émises dans la presse de plusieurs pays neutres (Suisse, Danemark, États-Unis) en mai et juin 1915, il publie un mémorandum de protestation affirmant la position officielle de l'Allemagne à ce sujet : « Les mesures de répression prises par le gouvernement impérial des Jeunes-Turcs contre la population arménienne des provinces d'Anatolie orientale ayant été dictées par des considérations militaires et constituant un moyen légitime de défense, le gouvernement allemand est loin de s'opposer à leur exécution dans la mesure où leur objectif est de consolider la sécurité intérieure de la Turquie et d'empêcher les émeutes. Cependant, le gouvernement allemand ne peut ignorer les excès résultant de l'application de ces mesures sévères, notablement les déportations massives sans distinction des coupables et des innocents, en particulier lorsque ces mesures sont accompagnées de violences telles que des massacres et des pillages. »

ZOHRAB, KRIKOR (1861-1915)

Né dans une famille aisée originaire d'Akn, Krikor Zohrab fait de brillantes études universitaires d'ingénieur et de droit. Il devient un des avocats les plus prestigieux de l'Empire ottoman, avant d'être nommé, après 1908, professeur de droit pénal à la faculté de droit de l'université de Constantinople. Très jeune, il entre dans la vie publique et devient représentant à l'Assemblée nationale arménienne, où il acquiert une autorité morale incontestable et incontestée. À partir de 1908, en tant que député au Parlement ottoman, il participe à la vie politique du pays, fréquente les responsables arméniens ainsi que les dirigeants turcs, se lie avec les jeunes représentants des autres nationalités de l'Empire, devient l'un des hommes les plus en vue de l'époque. Épicurien, il mène une vie mondaine trépidante, observe attentivement la société cosmopolite de la capitale ottomane et acquiert une expérience personnelle très riche qui lui sera une véritable mine littéraire. Dilettante de talent, il parvient, sans vraiment l'avoir cherché, à une position de choix parmi les écrivains de son temps.

Il est assassiné en 1915, en pleine possession de son talent, victime du génocide.

Zohrab avait épousé Clara Yazidjian en 1888. Comme lui, elle était issue d'une famille aisée de la bourgeoisie arménienne. Ils eurent quatre enfants, Dolorès, Hermine, Léon et Annen. Après la mort de Zohrab, la famille trouva refuge en Europe. Dolorès épousa Henry Leibmann, un important brasseur américain. Au fil des années, elle a soutenu de nombreuses œuvres charitables et philanthropiques, un programme de bourses académiques à la Columbia University pour des étudiants arméniens, et le centre d'information Krikor et Clara Zohrab. Mme Leibmann a été honorée de l'ordre de Saint-Nersès Chnorhali par Sa Sainteté Vasken Ier, patriarche suprême et catholicos de tous les Arméniens pour ses contributions religieuses et séculières.

Rappels historiques

ARMÉNIE

Géographiquement, l'Arménie est un vaste plateau montagneux ressemblant à une forteresse d'environ trois cent mille kilomètres carrés, située à l'est de l'Asie mineure. Le nom arménien proviendrait soit des Araméens, soit du peuple armen, qui aurait vécu autrefois sur ce territoire parmi les autres peuples. Quant au nom Haï, que se donnent les Arméniens, il provient probablement du pays des Hayassas, qui aurait existé sur une partie du territoire arménien du XVe au XIIIe siècle avant notre ère. La légende a cependant une tout autre version : ce serait le héros Haïk qui aurait été le premier roi sauveur et fondateur de la nation il y a plus de trois mille ans et aurait donné son nom au pays (en arménien classique, Arménie se dit Haïk).

Après l'effondrement de la Russie (1917) et de l'Empire ottoman (1918), les Arméniens ont réussi à créer une République indépendante à l'existence éphémère (1918-1920), avec Erevan pour capitale. Ce n'est que le 21 septembre 1991 qu'elle accédera à son indépendance définitive, avec pour premier président Levon Ter Petrossian.

LE DÉCOUPAGE ADMINISTRATIF DE L'EMPIRE OTTOMAN

En 1864, l'Empire ottoman a opté pour une nouvelle organisation territoriale, inspirée du modèle centralisé napoléonien, avec sa pyramide de circonscriptions, de la commune au département. La loi institue vingt-sept *vilayet*, appelés du nom de leur chef-lieu, ce qui fait disparaître définitivement la référence aux anciennes provinces historiques nationales, comme l'Ermenistan ou le Kurdistan. Au terme de plusieurs réaménagements (1878, 1880, 1895), l'Anatolie orientale sera finalement découpée en six *vilayet*, avec des limites visant à diluer la population arménienne dans d'autres peuples afin qu'elle ne constitue plus une majorité compacte dans une circonscription, pouvant justifier un statut de plus grande autonomie. Le *vilayet*, administré par le *vali* (gouverneur), est subdivisé en *sandjak* sous l'autorité d'un *mutessarif*, eux-mêmes divisés en *kazâ* gouvernés par le *kaïmakam*. Les *kazâ* étaient formés de *nâhiye* dirigés par le *mudir*. Au-dessous du *nâhiye*, l'unité de base était le village ou le quartier (*kariye*), avec un maire, le *muhtar*, élu et assisté d'un conseil des anciens.

24 AVRIL 1915

Dans la nuit du 24 au 25 avril 1915, sur ordre du triumvirat ittihadiste, Talaat, ministre de l'Intérieur, Djemal, ministre de la Marine, et Enver, ministre de la Guerre, la police turque d'Istanbul procède à l'arrestation arbitraire de plusieurs centaines de personnalités arméniennes (ecclésiastiques, intellectuels, journalistes, députés, responsables de partis politiques, médecins, professeurs, avocats, commerçants, etc.). Cette rafle est précédée par la fermeture définitive des locaux du journal Dachnak *Azadamard*. La rapidité de l'opération, la brutalité des conditions dans lesquelles sont opérées les arrestations, le choix délibéré de décapiter la communauté, tout montre que la décision de supprimer l'élite a été mûrement réfléchie. Les estimations sur le nombre de personnes arrêtées, déportées et assassinées sont relativement imprécises. Il atteint probablement le nombre de six cents. Interpellé par les chancelleries européennes présentes dans la capitale ottomane, Talaat justifie l'opération en invoquant le complot arménien et la trahison, des insurgés arméniens de Van.

NÉMÉSIS

Organisation élaborée par la Fraction révolutionnaire arménienne (FRA) afin d'exécuter les sentences des tribunaux turcs lorsque ceux-ci les ont prononcées par contumace. Au total, huit hauts responsables de Turquie ou d'Azerbaïdjan et trois « traîtres » arméniens) tomberont sous les balles de sept « justiciers

PRISE DE LA BANQUE OTTOMANE

La prise de la Banque ottomane a été conçue et organisée par la FRA Dachnaktsoutioun dans l'intention d'attirer l'attention des puissances européennes sur la situation des Arméniens et dénoncer la non-application des réformes décidées par le traité de Berlin de 1878. Le 14 août 1896, un groupe de *fedaïs* emmenés par Papken Suni et Armen Garo Pastermadjian prend d'assaut la Banque ottomane. Papken Suni et quatre de ses camarades périssent pendant l'assaut. Le reste du commando occupe la Banque pendant plusieurs heures. Au terme d'une éprouvante négociation, la FRA accepte la reddition sous certaines conditions que les chancelleries européennes, représentées par le Russe Maximooff, font mine de prendre en considération. Quand ils se rendent, les assaillants sont immédiatement arrêtés, embarqués sur le bateau français *La Gironde*, puis transférés à Marseille. En dépit de son dénouement malheureux, la prise de la Banque ottomane s'inscrit dans l'histoire du mouvement révolutionnaire arménien comme un événement majeur. Son retentissement en Europe et dans la presse de l'époque a été considérable.

GÉNOCIDE

Selon les textes de l'ONU (Convention pour la prévention et la répression du crime de génocide de 1948, modifiée en 1985), trois conditions sont nécessaires pour qu'on puisse parler de génocide :

Les victimes font partie d'un « groupe national, ethnique, racial ou religieux. »

Les membres de ce groupe sont tués ou persécutés pour leur appartenance à ce groupe, quels que soient les moyens mis en œuvre pour atteindre ce but.

Le génocide est un crime collectif intentionnel, planifié, commis par les détenteurs du pouvoir de l'État, en leur nom ou avec leur consentement exprès ou tacite.

Le 10 octobre 2007, la commission des Affaires étrangères de la Chambre des représentants des États-Unis a approuvé, par vingt-

sept voix pour contre vingt et une voix contre, une résolution qualifiant de génocide la mort de centaines de milliers d'Arméniens en
Turquie en 1915, contre l'avis de George W. Bush et malgré l'hosti-
lité d'Ankara. À ce jour (octobre 2008), le texte n'a toujours pas
été envoyé à la Chambre pour un éventuel vote en séance plénière.

CRIMES CONTRE L'HUMANITÉ

Dès la fin du XIXᵉ siècle, une déclaration faite à Saint
Pétersbourg le 11 décembre 1868 pose le principe que l'emploi
d'armes qui « aggraveraient inutilement les souffrances des hommes
mis hors de combat ou rendraient leur mort inévitable » serait « dès
lors contraire aux lois de l'humanité ».

La convention de La Haye en 1907, relative aux lois et coutumes
de guerre, constate que « les populations et les belligérants sont
sous la sauvegarde et sous l'empire du droit des gens, tels qu'ils
résultent [...] des lois de l'humanité [...] ».

Mais c'est dans la mise en garde adressée par les Alliés aux autorités ottomanes, en 1915, que l'expression est clairement affirmée.

Elle réapparaît en tant que *notion proprement juridique* en 1945
dans le statut du tribunal militaire de Nuremberg. Cette apparition
est la conséquence de la volonté de juger les responsables des atrocités exceptionnelles commises pendant la Seconde Guerre mondiale
comme la Shoah.

Aujourd'hui, le crime contre l'humanité est devenu un chef
d'inculpation beaucoup plus large et mieux défini grâce à l'article 7
du Statut de Rome de la Cour pénale internationale, mais il
demeure sujet à controverse. *Un crime contre l'humanité est une
infraction criminelle comprenant l'assassinat, l'extermination, la réduc-
tion en esclavage, la déportation et tout acte inhumain commis contre
une population civile.*

PROCÈS DES JEUNES-TURCS

Après la fuite vers l'Allemagne des principaux responsables du
comité Union et Progrès, le gouvernement libéral turc qui succéda
au gouvernement unioniste décida, en décembre 1918, la création
de commissions d'enquête pour l'instruction et le jugement des
massacres des Arméniens ainsi que pour la recherche des responsa-

bilités de l'entrée en guerre de la Turquie. Des documents furent amassés : télégrammes chiffrés, documents officiels, ainsi que des témoignages oculaires. Les provinces de l'Empire ottoman furent divisées en dix régions et pour chacune d'elles furent désignés des procureurs, des juges d'instruction, des juges et des secrétaires de tribunal.

Jugés *in absentia*, les principaux chefs jeunes-turcs seront inculpés du massacre et de la destruction de toute une communauté, selon « des mesures sanguinaires prises par une société secrète ».

De même, il a été reconnu que les inculpés avaient manipulé l'opinion publique et utilisé les rouages de l'État à des fins d'enrichissement personnel, au mépris de la Constitution ottomane Après la victoire des forces kémalistes, les poursuites furent suspendues le 13 janvier 1921.

Un exemplaire des minutes du procès est consultable à la Librairie du Congrès, à Washington.

Il est pour le moins étrange que les dirigeants turcs qui se sont succédé à ce jour persistent dans leur refus de reconnaître des massacres pourtant jugés et officiellement condamnés par leurs prédécesseurs...

Remerciements

Un grand merci à Anna-Mirella et Pierre Der Agopian pour leur soutien et leurs encouragements de chaque instant À Raymond Kévorkian, pour son livre magistral qui me fut d'une aide précieuse : *Le Génocide des Arméniens*.

Bibliographie

1915, le génocide des Arméniens, Gérard Chaliand et Yves Ternon, Éditions Complexe, 1980.

Arménie 1915, un génocide exemplaire, Jean-Marie Carzou, Calmann-Lévy, 2006 ; Flammarion, 1975.

Avec mon père, le sultan Abdulhamid, de son palais à sa prison, Aïché Osmanoglu, Éditions l'Harmattan, 1991.

« Berlin vu par les voyageurs français (1900-1939) », Cécile Chombard-Gaudin, in *Vingtième Siècle*, revue d'histoire, n° 27 (juil.-sep., 1990), p. 27-40.

Deir-es-Zor, sur les traces du génocide arménien de 1915, Bardig Kouyoumdjian et Christine Siméone, préface d'Yves Ternon, Actes Sud, 2005.

Dictionnaire de la cause arménienne, Ara Krikorian, Edipol, 2002.

Djemal Pacha et le sort des déportés arméniens de Syrie-Palestine, Raymond H. Kévorkian, www.hist.net/kieser/aghet/Essays/EssayKevorkian.html.

Empire ottoman : le déclin, la chute, l'effacement, Yves Ternon, Éditions du Félin, 2002.

Histoire de l'Arménie, H. Pasdermadjian, Librairie orientale H. Samuelian, 1985.

Histoire de l'Empire ottoman, sous la direction de Robert Mantran, Fayard, 1989.

Histoire du peuple arménien, ouvrage collectif sous la direction de Gérard Dédéyan, Privat, 2007.

Istanbul, Orhan Pamuk, Gallimard, 2003.

Les Arméniens, histoire d'un génocide, Yves Ternon, Éditions du Seuil, 1996.

La Dette de sang, Archavir Chiragian, Éditions Complexe, 1984.

La Politique du sultan, Victor Bérard, Éditions du Félin, 2005.

La Province de la mort, Archives américaines concernant le génocide des Arméniens (1915), Leslie. A. Devis, Éditions Complexe, 1994.

Le Cantique des larmes, Annick Asso, La Table ronde, 2005.

Le Fou, Raffi, Éditions Bleu Autour, 1959.

Le Génocide des Arméniens, Raymond Kévorkian, Odile Jacob, 2006.

Les Massacres des Arméniens, le meurtre d'une nation (1915-1916), Arnold J. Toynbee, traduction de Claire Mouradian, Payot, 1916.

Mémoires d'un soldat de fortune, Rafaël de Nogales, Gallimard, 1934 [cote A1m²297]. Bibliothèque du service historique de la Défense.

Opération Némésis, les vengeurs arméniens, Jacques Derogy, Fayard, 1986.

Récit d'un déporté arménien, texte établi par Baskin Oran, Éditions Turquoise, 2008.

Vingt-six mois en Turquie, Mémoires de l'ambassadeur Henry Morgenthau, Payot, 1919.

Cet ouvrage a été imprimé par

C P I
Firmin Didot

Mesnil-sur-l'Estrée

pour le compte des Éditions Flammarion
en novembre 2009

Imprimé en France
Dépôt légal : janvier 2009
N° d'édition : L.01ELIN000153.A005 – N° d'impression : 97610